CENTRE NATIONAL DE LA RECHERCHE SCIENTIFIQUE
Centre Régional de Publications : Marseille

Robert ILBERT

HELIOPOLIS

LE CAIRE
1905 - 1922

GENESE D'UNE VILLE

**EDITIONS DU CENTRE NATIONAL
DE LA RECHERCHE SCIENTIFIQUE**

15, Quai Anatole-France – 75700 PARIS

1981

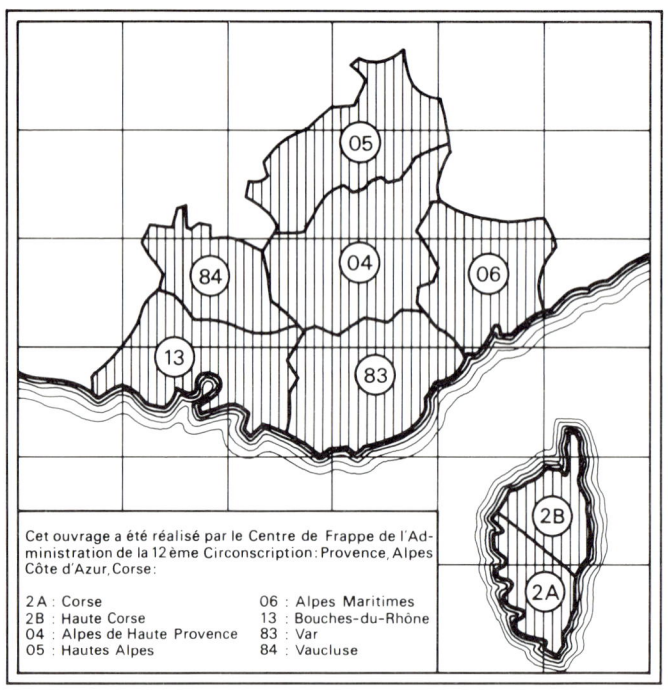

© Centre National de la Recherche Scientifique 1981
ISBN 2-222-02954-6

REMERCIEMENTS

L'ouvrage que l'on va lire a été présenté, en décembre 1979, comme thèse de doctorat de troisième cycle dans le département d'études islamiques de l'Université de Provence. Je tiens à remercier, au moment de l'éditer, tous ceux qui — directement ou indirectement — ont aidé à l'achèvement de ce travail. A Bruxelles je n'ai sans doute pas obtenu les archives du groupe Empain mais j'ai pu trouver des soutiens privés. Que MM. Desneux, Dernelle et Duchesnes en soient remerciés.

L'absence des archives belges a été compensée par l'ouverture en Egypte de celles de la société nationalisée. C'est à Monsieur le Secrétaire d'Etat chargé de la Sécurité, à Monsieur le Président Directeur Général de la Société d'Aménagement de Maṣr al Gadïda et surtout à Madame Aïda Boutros — Directrice des Relations Publiques de cette société — que va toute ma reconnaissance. Sans leur autorisation et leur dévouement je ne serais pas venu à bout de ce travail.

C'est aussi au Caire que j'ai trouvé l'appui de nombreux amis héliopolitains qui ont bien voulu répondre à mes questions et qui retrouveront ici tout ou partie de leurs analyses. Mais aucune édition n'aurait été possible sans les conseils donnés lors de la soutenance par Messieurs les Professeurs Mantran (Directeur du Groupe de Recherches et d'Etudes sur le Proche Orient) et Témime. Le livre, dans sa forme actuelle (*), a été allégé grâce à eux et grâce à l'attention soutenue de Monsieur le Professeur André Raymond durant toute l'élaboration du travail.

(*) Entre le travail soutenu et le texte définif de nombreux allègements ont été effectués tant en ce qui concerne l'apparat critique que les illustrations. Le plan lui-même a été repris dans les détails et les chapitres deux et trois de l'original ont été condensés en un seul. Toute l'analyse de bilans, trop technique, a été supprimée. On ne trouvera donc pas ici l'étude détaillée de la rentabilité financière de l'entreprise. Par suite de ces transformations la répartition originale en deux volumes (un de texte et un de documents) a été abandonnée.

REMARQUES GENERALES

1   1 Feddan = 4200 m^2.

2   La Livre égyptienne était cotée « au pair ».
Jusqu'à la guerre la parité était fixe :

                100 francs-or   = 385,75 piastres.

Après la guerre, les cours furent fluctuants :

                100 francs français = 177 piastres
                100 francs belges   = 164 piastres

en 1920, à Paris et Bruxelles.

3   La transcription des mots arabes n'a pas été unifiée. Chaque fois qu'il s'agissait de noms propres connus nous avons conservé la graphie française. Dans les autres cas nous avons choisi une graphie simplifiée. Les voyelles brèves sont a , i , u . Les emphatiques sont marquées d'un circonflexe ; le « djin » est transcrit en « g » selon la prononciation cairote ; les voyelles longues sont transcrites en « ï » etc... De telles dispositions étaient rendues nécessaires par les exigences de la publication. Nous prions le lecteur arabisant de bien vouloir nous en excuser.

4   La totalité des notes a été renvoyée en fin de volume.

5   Une table des illustrations se trouve en fin de volume.

INTRODUCTION

Le nom d'Héliopolis — Ville du Soleil — évoque plus facilement les fastes des empires déchus qu'une création urbaine contemporaine.

Durant mon enquête, nombreux furent ceux qui s'étonnèrent que l'on puisse s'intéresser plus à Edouard Empain qu'à Djeser ou à Ptolémée II. Il faut dire — à la décharge de l'historien, et devant une telle faute de goût — qu'il ne reste guère de l'antique cité qu'un obélisque, une butte, et quelques tombes, tandis que le nouvelle est encore debout et qu'il est temps d'en faire l'histoire.

Il faut dire aussi — à la décharge de ceux qui s'étonnèrent — qu'il est difficile d'imaginer que l'actuelle « Maŝr al Gadïda » (Nouveau Caire) fut — il y a seulement trente ans — autre chose qu'un simple faubourg de la capitale.

LE CADRE

Le Caire, 1904. Depuis 1882 l'Egypte est sous le contrôle étranger. Depuis 1876 elle n'est plus maîtresse de son économie, les Européens lui ayant imposé une Caisse de la Dette qui supervise les finances nationales. Urabi n'a pu obtenir la disparition de cette domination. Au contraire le mouvement nationaliste a été dispersé et l'Egypte est devenue une véritable colonie anglaise dirigée par Dufferin et Malet, puis de 1888 à 1907 Lord Cromer, de 1907 à 1911 Gorst et jusqu'en 1914 Kitchener. Le khédive doit rester docile. En 1914 les Anglais iront même juqu'à remplacer Abbas, jugé trop proche des nationalistes par Hussein. En 1904 le Caire est donc calme. L'hostilité latente de la population ne trouvera à s'exprimer qu'au cours des grèves de 1919 qui amenèrent le gouvernement anglais à reconnaître l'Egypte comme un état souverain en 1922.

Notre étude s'inscrit exactement dans ce cadre. Celui de l'apogée de la domination anglaise, et de l'ingérence étrangère dans toutes les affaires de la nation. La vie économique et juridique du pays est étroitement contrôlée. Et, depuis 1975, des « Tribunaux Mixtes », sur le modèle des tribunaux mixtes commerciaux, ont à connaître de toutes les questions en matière civile, commerciale et pénale. Le fait que le Gouvernement égyptien y soit représenté ne fait qu'officialiser une situation où les éléments étrangers ont un véritable pouvoir de veto.

Les difficultés des années 80 surmontées, l'Egypte s'installe dans une économie coloniale fondée sur l'essor cotonnier sans doute, mais aussi sur le développement de quelques grandes affaires industrielles. « La base se dégrade, cependant que la monoculture d'exportation et la spéculation se coalisent pour s'investir en richesse immobilière (1) ». Le bon marché de la main d'œuvre, la hausse du coton, l'accroissement de la ville du Caire attirent des capitaux. Les Français tiennent les Sucreries et surtout des concessions terriennes. Les Anglais dominent le secteur industriel. Et s'y adjoignent, « accessoirement mais profitablement » (2), les Belges, au premier rang desquels Edouard Empain.

Les Belges contrôlaient en Egypte un assez grand nombre d'entreprises commerciales et industrielles, et quelques compagnies agricoles. Henry de Saint Omer en dénombrait trente trois en 1907 sans compter les filiales (3). La plupart travaillaient au Caire et à Alexandrie et avaient pour objet la construction immobilière et les transports publics urbains. Il n'y avait sans doute pas de véritable colonie encore que l'on comptât plus d'une centaine de familles, mais il s'agissait souvent de personnages installés au Caire depuis fort longtemps formant des groupes de pression très unis et efficaces, ainsi des Carton de Wiart (l'un lieutenant-colonel au service du Khédive, l'autre avocat au barreau du Caire et membre de nombreux conseils d'administration) ou des Rolin (l'un avocat, l'autre dirigeant une des grandes entreprises de construction au Caire). Des liens étroits avec la cour de Belgique et avec l'Ambassade leur donnaient une force disproportionnée à leur nombre : ainsi Léon Carton de Wiart était-il le cousin germain du Chef de Cabinet de Léopold II, ce qui bien souvent lui permettait de faire directement appel à l'Ambassadeur (4). De plus ils savaient en général intéresser à leurs affaires des membres influents de la cour khédiviale, ce qui donnait à leurs entreprises un caractère extrêmement sûr. Tous ces éléments ont contribué à leur faciliter l'octroi de concessions malgré le peu d'influence politique de la Belgique. Ainsi s'explique la pénétration quelque peu surprenante des sociétés belges sur le marché des transports publics. Au premier rang de celles-ci on trouvait la « Société Anonyme des Tramways du Caire » qui exploitait une concession de décembre 1894 et avait réussi en six mois à ouvrir une première ligne, tout en construisant une centrale électrique. C'est à elle que l'on devait aussi le comblement du Khalig (Canal qui traversait le Caire).

Cette société était en réalité la filiale du groupe belge, la « Société Générale des Chemins de fer économiques », qui avait déjà suscité, sous la dénomination « Les Economiques », les transports publics électriques de Naples, Florence, Turin, Madrid, Varsovie et la Haye. Elle était dirigée par deux belges Jules Urban et Edouard Empain, ses fonds provenant de la Banque Empain fondée en 1882 (5). Au Caire même, Empain était alors représenté par Jules Jadot et avait réussi à intéresser dans son entreprise le prince (et futur sultan) Hussein, ainsi que le fils du grand ministre Nubar, Boghos. De plus, plusieurs Anglais résidant en Egypte faisaient partie du Conseil d'Administration ce qui permettait à la Société de ne pas paraître trop française malgré la langue utilisée.

A partir de cette première réalisation, Empain créa aussi en Egypte « la Société Anonyme des Chemins de fer à voie étroite de Basse Egypte » puis la « Menzaleh Canal and Navigation Company Limited ». Son intérêt purement financier pour l'Egypte se doubla alors d'une attirance certaine pour le pays lui-même. Il subventionna les fouilles archéologiques de J. Capart et commença à se rendre au moins une fois par an au Caire. C'est alors qu'il eut l'idée de réaliser Héliopolis.

Rien ne prédispose pourtant Empain à devenir urbaniste. C'est le fils d'un instituteur de village (Belœil, le 20 septembre 1852) et l'aîné d'une nombreuse famille. Il fait ses études d'ingénieur tout en gagnant son pain et à vingt cinq ans entre à la Société Métallurgique de Bruxelles où, très rapidement, il est promu ingénieur en chef et administrateur. Mais il a décidé de fonder ses propres entreprises. Après s'être essayé avec succès à la direction d'une carrière de pierre près de Namur, il se lance dans ce qui lui semblait devoir être le complément naturel des grands chemins de fer: la traction vicinale près des grands centres. L'originalité de sa gestion ne s'arrête pas là puisqu'il commence par fonder une banque avant même de créer ses sociétés de construction. A partir de ce moment-là (1881-1882) l'expansion sera infinie, chaque année amenant la naissance d'une nouvelle entreprise.

Mais il s'agit exclusivement de transports publics. De 1881 à 1890 Edouard Empain est à l'origine des transports Liège — Sereing, Liège — Jemappes, Paris — Epinay et des réseaux du Nord, du Calvados, de Reims, et du Sud-Hollande. A partir de 1891 il se spécialise dans les tramways urbains électriques, et en dix ans réalise les tramways de Boulogne, Lille, Bruxelles, Tervuren, Gand, et bien d'autres encore, en Russie, en Espagne, en Chine.. et en Egypte, qui — on le voit — ne représente qu'un terrain bien secondaire pour ce qui est devenu un énorme groupe industriel, qui s'organise en holding et obtient de construire le Métropolitain de Paris considéré comme l'entreprise principale d'Empain.

En même temps, sous l'impulsion du Roi Léopold II, Empain s'intéresse à la production et à la distribution d'électricité (1903: Société d'Electricité de Paris) (1904: Electricité du Pays de Liège) et surtout aux possibilités offertes aux colonies. Léopold a trouvé en Empain l'homme qu'il lui fallait, prêt à des placements audacieux et lointains. Et, bien sûr, Empain obtiendra la construction des chemins de fer du Congo (1904: Compagnie des Chemins de Fer des Grands Lacs Africains).

Finalement, entre 1903 et 1906, les domaines d'activités sont immenses et la spécialisation est double: la traction vicinale, et la construction électrique (1904: Ateliers de Construction Electrique de Charleroi, ACEC; 1906: Ateliers de Construction Electrique de Jeumont). Le groupe forme un important holding avec concentration horizontale et verticale des diverses entreprises.

Cette activité débordante, sa fortune, l'aide apportée au Roi, vaudront à Empain le tortil de Baron en 1907. La guerre éclatant, Empain, nommé colonel sans avoir touché une arme, est chargé d'organiser des transports rapides vers le front. Mais il est trop tard. Empain sera alors chargé des commissions d'achat pour l'Intendance et nommé Général puis Aide de Camp du Roi. L'après-guerre verra inlassablement se poursuivre son activité. Il mourra à Bruxelles en juillet 1929 et, en février 1931, sa dépouille sera inhumée dans la crypte de la Basilique d'Héliopolis (6).

La vie de cet homme est typiquement celle du grand fondateur d'industrie des débuts de l'ère industrielle. Elle pourrait s'être déroulée aux Etats-Unis plutôt qu'en Europe. Fils d'un instituteur de village, Empain finit Général, ami du Roi, maître d'une immense fortune et créateur d'une dynastie qui tient aujourd'hui en main un des grands groupes financiers mondiaux. Sans doute son mode de gestion portait-il la trace de ses origines. Sans doute lui a-t-on reproché son arrivisme trop voyant, ses dons princiers aux Universités de Louvain et de Bruxelles, sa contribution au Fonds National de la Recherche Scientifique, ses œuvres de charité, et jusqu'à l'achat d'un Mastaba pharaonique pour le musée de Bruxelles. Mais l'historien peut y retrouver les traits dominants de la grande bourgeoisie d'affaires, tyrannique mais aussi philanthropique, des débuts du siècle. Dans la gestion de ses affaires, Empain était autoritaire, toujours présent, et — les divers souvenirs concordent — « tout le monde tremblait devant lui » (7). Empain — dans la lignée de tous les grands patrons du XIXème siècle — était au courant de tout et surveillait chacune de ses entreprises. Nous le verrons pour Héliopolis. Mais en même temps la fortune lui donnait l'occasion de réaliser de véritables rêves. Au fond Héliopolis — tout en étant une affaire financière — nous paraît représenter cette part de rêve, dans la vie d'un homme par ailleurs toute entière adonnée au développement des chemins de fer et des tramways.

LE PROJET

Les corps d'Empain, de son épouse, de son fils reposent encore à Héliopolis. Les armoiries de la famille comportent deux fleurs de lotus, et — de 1905 à 1914 — Edouard Empain passait plusieurs mois par an en Egypte. Sans doute, dans les biographies officielles, est-il difficile de faire place à la création de cette banlieue du Caire, qui fut durant plus de vingt ans une véritable ville indépendante. Cette œuvre reste absolument isolée dans celle de l'industriel et nous ne disposons pas de renseignements précis qui nous permettent d'expliquer son soudain engouement pour l'urbanisme ni sa passion certainement profonde pour l'Egypte.

Quoiqu'il en soit des motivations, Empain se lança dans l'affaire comme dans une quelconque entreprise industrielle et selon des méthodes déjà éprouvées : il fit appel à tous les personnages influents de la colonie belge (Jules Jacobs et surtout Léon Carton de Wiart) et à quelques Anglais qui pouvaient lui faciliter la tâche avec les autorités : Lord Armstrong, Sir John Rogers ou le colonel A. Fitzgeorge. Le responsable officiel de l'entreprise, son président-directeur-général, fut un ingénieur anglais de 60 ans, Sir Reginald Oakes, très connu au Caire où il avait participé à de nombreuses réalisations industrielles, mais aussi en Belgique puisqu'il avait travaillé aux Ateliers Métallurgiques de Bruxelles. En même temps il s'assura l'appui des Français avec l'aide d'André Berthelot, agrégé d'histoire et géographie qui, après une brève carrière politique au Conseil Municipal de Paris, était devenu administrateur de la Compagnie du Métro parisien et président de la « Société parisienne pour l'industrie des chemins de fer et tramways électriques ». Il avait pour tâche principale de faciliter l'obtention de fonds en France. Enfin et surtout, Empain sut lier à son entreprise des intérêts locaux. L'acte initial de concession fut signé entre le gouvernement d'une part, Empain et Boghos Nubar d'autre part. Boghos, fils de l'ancien ministre Nubar, avait lui-même fait des études d'ingénieur, et avait été administrateur des chemins de fer égyptiens. Ses liens avec Empain remontaient à la création des tramways du Caire. Il permettait d'assurer d'excellentes liaisons avec la cour khédiviale d'autant qu'il représentait aussi les intérêts directs de la famille régnante en la personne du prince Hussein.

D'autre part, le projet d'Empain n'était pas dénué d'intérêt pour le reste de ses entreprises. Il s'agissait bien de construire un ensemble résidentiel au nord du Caire, mais il fallait le relier au centre urbain par des voies de communication rapides et modernes : le chemin de fer et le tramway étaient donc des compléments indispensables à la réalisation. Effectivement les motrices furent importées de Belgique ainsi que tout le matériel électrique nécessaire (8).

Enfin, on ne se lançait pas à l'aventure dans une construction dénuée de sens. La décision de faire une sorte de ville isolée dans le désert, à l'extrême Nord-Est de la métropole, a certainement été prise une fois étudiées les conditions de l'habitat au Caire. En effet, les débuts du vingtième siècle se marquent en Egypte par une intense fièvre spéculative sur tous les terrains urbains. « Tout est à vendre ou bien tout est vendu, dans les quartiers élégants et sur les deux rives du Nil » (9). Partout s'affairent les pioches des démolisseurs. La vieille ville peut-être endormie un siècle plus tôt a été ébranlée par la fièvre d'Ismaïl. En sort une immense cité en partie européenne, aux larges avenues bien tracées, et en partie traditionnelle. Mais partout des terrains vagues. Anciennes demeures détruites, futurs immeubles à construire. Le Caire a déjà ce visage de permanente transformation. La spéculation qui s'exerce de tous côtés amène les propriétaires à faire s'écrouler de vieux palais et l'on revend les terrains à des prix ahurissants : « Je pourrais désigner un superbe hôtel donnant sur le Parc Monceau à Paris qui a été vendu il y a cinq mois moins cher que des terrains à bâtir situés à côté de l'hôtel Savoy au Caire » (10). Le mètre carré construit qui valait 12 livres en 1883 en vaut 25 en 1906. La même propriété achetée 2 000 livres se revend dix ans plus tard, en 1905, 80 000. De telles plus-values sur terrains nus finissent par bloquer la construction, chacun attendant un bénéfice supérieur ou préférant se défaire rapidement du terrain. « Au lieu de la New York projetée nous ne voyons que des ruines et des décombres » (11). Du coup l'Egypte connaît alors à la fois une très forte poussée inflationniste et une pénurie de logements accentuée par la hausse des loyers. Yacoub Artin Pacha, dans une publication de 1907 (12), estime à 29 l'indice des loyers en 1907 pour un indice 1 en 1800. Mais il est vrai que — tout en regrettant cette hausse démesurée — il y voit une preuve de bien-être. « Notre pays, conclut-il marche en plein dans la voie du progrès et de la richesse ».

Si l'on ajoute à cet ensemble de conditions que le Caire, transformé en immense chantier, paraissait à beaucoup sale et poussiéreux, on comprend le projet qui put naître dans l'esprit d'Empain. Il s'agissait d'obtenir, à titre gracieux ou à très bon marché, la libre disposition d'une portion de désert où l'on réaliserait plantations et constructions. « L'idée qui préside à cette création est d'attirer dans cet oasis, où les loyers seraient bon marché et où l'air serait pur ceux qui trouvent aujourd'hui difficilement à se loger dans la capitale » (13). Comme le disait aussi Berthelot « Il s'agit en somme de répéter en Egypte une opération qui a souvent donné aux U.S.A. les plus brillants résultats : mettre en valeur par la création d'un moyen de transport rapide des terrains un peu éloignés d'une grande ville, et qu'on place ainsi à un quart d'heure du centre des affaires » (14).

Le site (Planche 1 : Carte de situation) choisi par Empain se trouve à environ dix kilomètres du Caire, dans le désert de l'Abbassiah, entre l'ancien chemin de fer et l'ancienne route automobile de Suez. C'est un plateau absolument nu et aride qui s'élève en pente douce de 30 à 120 mètres au-dessus de la vallée. « Si l'on veut bien excepter son aridité absolue » (15), c'est un emplacement parfait car extrêmement sain, l'altitude de la plaine d'inondation se tenant près du Caire aux environs de 17 mètres. Cela entraîne des avantages climatiques non négligeables car si la température moyenne annuelle est supérieure de un degré à celle du centre ville (21,9 degré contre 20,8), on y est rafraîchi par les vents secs du déserts et par des variations journalières importantes qui assurent des nuits agréables. De même Héliopolis est pratiquement exemptée du brouillard cairote. Il est vrai qu'en échange le « Khamasïn », vent chaud du désert, trouve où souffler. « En définitive, le site d'Héliopolis s'allonge parallèlement à la limite du Delta, mais au-dessus de cette plaine humide, sans cependant souffrir de cette forte pente comme à Hélouan (station climatique située au Sud du Caire), sans être placé sur le plateau « arabique » brûlant, libre de tout obstacle aux vents rafraîchissants du Nord, et protégé de ceux du Sud et du Sud-Est par la masse du plateau arabique. C'était évidemment le lieu rêvé pour construire une ville de résidence » (16).

A ce désert (sur lequel Empain rêvait de construire une cité) il fut — avant même qu'arrive l'eau — donné le nom d'Oasis de l'Abbassiah ou d'Héliopolis. Souvenir de l'antique cité célébrée par tous les voyageurs. Sans doute, contrairement à ce que l'on pensait alors, les emplacements n'étaient-ils pas exactement identiques. Si on a mis au jour en 1950 les traces d'un cimetière prédynastique près du Champ de Courses, les ruines d'Héliopolis se situent nettement plus près de la vallée du Nil, les tombes étant enfouies en réalité sous le faubourg de Matariah. Empain rêvait, disait-il, de faire revivre la cité perdue. Il est en tout cas certain qu'il demanda à l'archéologue belge Jean Capart de fouiller le désert avant que ne commence la construction, précaution peu commune de la part d'un promoteur. Les ruines ne furent pas retrouvées. Mais en 1905 les fondations de la nouvelle ville sortaient du désert.

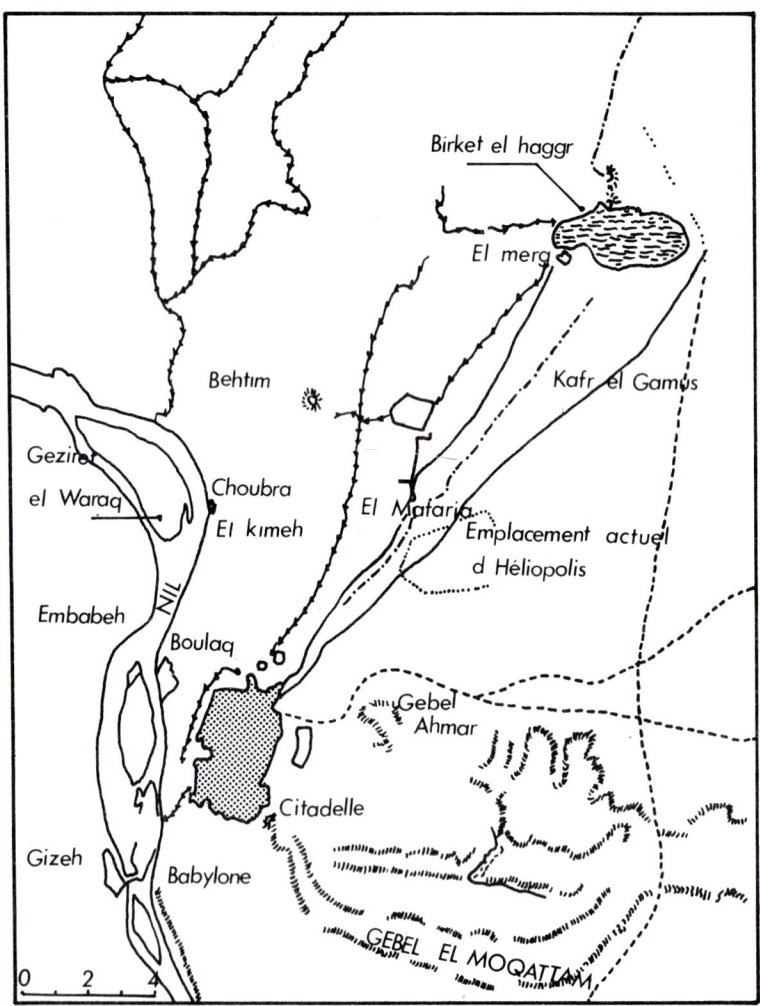

D'après la Description de l'Egypte et J. Besançon (art. cité).

Planche 1 — Carte de situation

PREMIÈRE PARTIE

L'ENTREPRISE : STRUCTURE ET FONCTIONNEMENT

Etudier Héliopolis c'est se pencher à la fois sur ce qui fut une grande entreprise capitaliste privée et sur ce qui reste une création urbaine « ex nihilo ». La succession des chapitres de notre monographie nous a paru devoir respecter la double problématique ainsi posée : étude de l'Héliopolis Oases Company d'une part, de sa structure, de son histoire, de sa réussite et de ses échecs ; étude de la ville ainsi créée d'autre part. Aussi a-t-on pu dégager deux parties. La première, couvrant deux chapitres, se veut l'histoire d'une entreprise coloniale. La seconde, couvrant trois chapitres, voudrait être une analyse — dans les années 1920 — de l'œuvre réalisée.

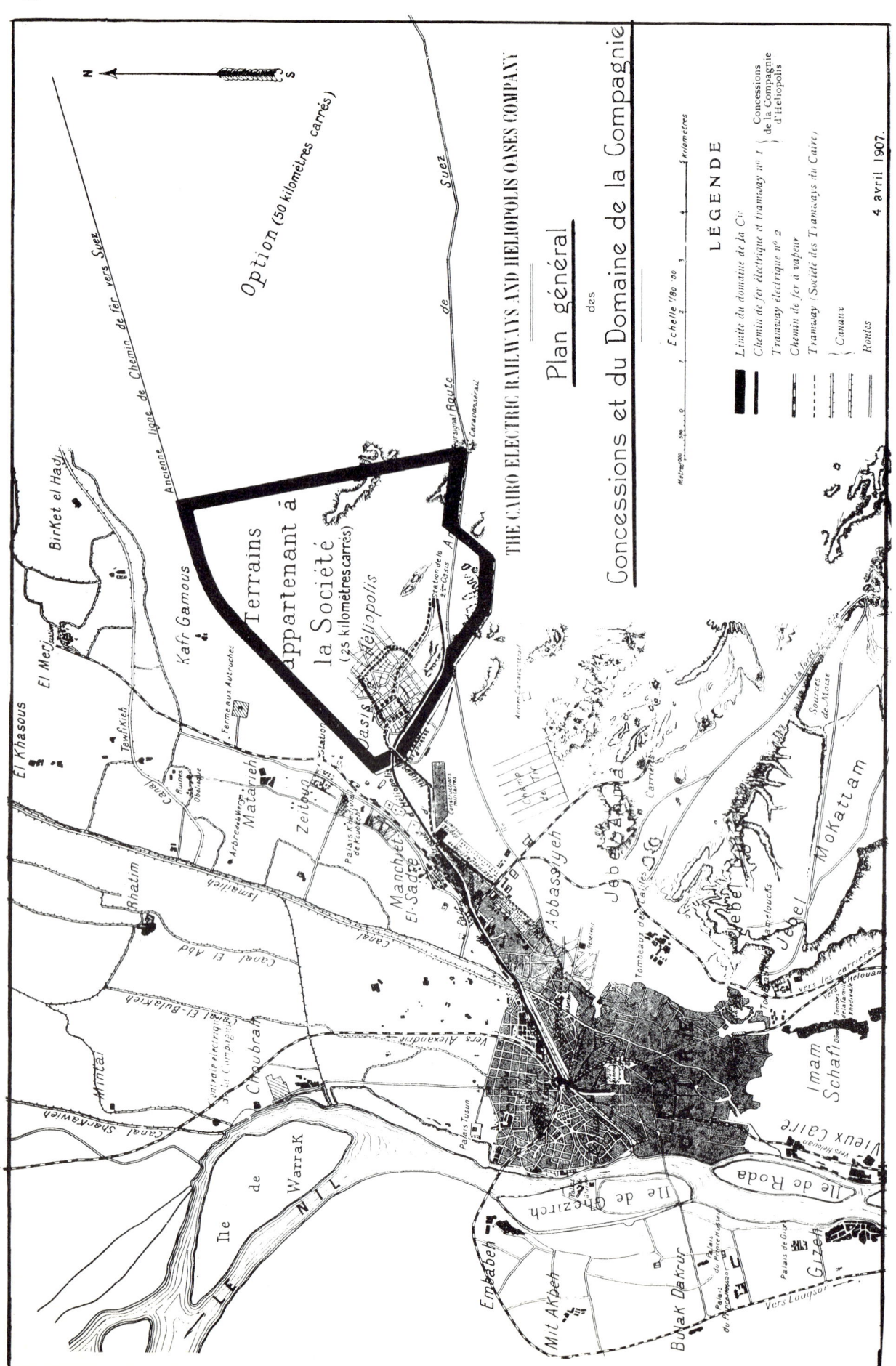

Planche 2 — Plan de concession

CHAPITRE I

UNE AFFAIRE DE LOTISSEMENT

Lorsque, avant la première guerre mondiale, le financier américain Pierpont-Morgan visita Héliopolis il eut — dit-on — ce mot: « C'est superbe, mais les actionnaires devraient être au cabanon, et les administrateurs en prison » (1). Propos ambigus s'il en est qui témoignent malgré tout de l'extrême difficulté de l'entreprise et des risques encourus.

A une époque où le problème démographique était loin de se poser au Caire en termes aussi dramatiques qu'aujourd'hui, le fait d'avoir choisi de mettre en valeur un domaine désertique immense ne pouvait être le fait que d'hommes d'affaires hardis. Aussi la société que le baron Empain avait constituée avec le concours de Boghos Pacha Nubar, « The Cairo Electric Railways and Heliopolis Oases Company » (2) ne devait compter sur aucune aide. Ce qui reste étonnant — aujourd'hui encore — c'est qu'une entreprise privée ait pu à elle seule vaincre d'immenses difficultés et en soit même arrivée à dépasser largement son but initial. Une simple affaire de spéculation immobilière a fini par se transformer en véritable municipalité.

A travers la méfiance généralisée, à travers de multiples difficultés — et peut-être grâce à elles... — la société d'Héliopolis a pris une envergure qui l'a placée parmi les toutes premières entreprises d'Egypte.

1.1. SPECULATIONS

1.1.1. Structure et buts de la société

Le projet d'Héliopolis est l'œuvre d'un homme. Si la H.O.C. fut fondée par décret du 14 février 1906, sa création fut précédée le 20 mai 1905 par l'achat des terrains et l'obtention de la concession de chemin de fer par Edouard Empain et Boghos Pacha. C'est à eux que le gouvernement égyptien cède en toute propriété les terrains alors appelés « Oasis du Désert de l'Abbassiah », qui n'ont d'oasis que le nom. Il s'agit de 5 952 feddans de désert (3) situés près de l'ancienne route de Suez.

Conditions de vente

La vente (Planche 2 : Plan de la concession) ainsi effectuée fut négociée sur une base extrêmement faible vu la superficie obtenue : 1 livre égyptienne le feddan. Si l'on se souvient que les terrains des banlieues les plus lointaines du centre se vendaient autour de 1 livre le mètre carré, on voit que les acheteurs n'eurent à payer qu'une somme dérisoire.

Néanmoins les conditions étaient très dures. On ne pourra utiliser pour l'établissement des rues, constructions et plantations que le sixième de la surface vendue. « Les cinq autres sixièmes seront laissés dans leur état sablonneux » (4). D'autre part, l'achat contient de nombreuses servitudes: entretien de l'ancienne route de Suez, éclairage tous les deux cents mètres sur les voies de tramways, construction d'un corps de garde et d'un bureau de poste, paiement des frais de police et de surveillance, étant entendu « qu'aucun dédommagement ne pourra être réclamé du chef d'une insuffisance des forces de police ».

Il est vrai qu'en contrepartie les acheteurs obtinrent gratuitement et pour soixante dix ans la concession d'une ligne de chemin de fer électrique rejoignant le Caire (Pont Limoun), et de deux lignes de tramways. Cette concession était fondamentale pour les promoteurs: Héliopolis ne pouvait se concevoir que si d'excellentes voies de communication la joignaient au centre ville. Mais, là encore, le cahier de charge imposé par l'administration anglaise pesait lourd: cela allait de l'écartement des voies ou de la qualité des rails jusqu'à l'obligation de prendre en charge les salaires des fonctionnaires du Ministère chargés de vérifier l'application du projet, ou encore de payer la totalité des frais d'expropriation. De plus, les plans définitifs devaient être présentés dans les neuf mois, et la réalisation devait se faire en dix huit mois après approbation... Nombre de trains par jour, taille des trains, interdiction des passages à niveaux et prix des billets, tout était fixé (5) de façon draconienne. Il y aura en réalité quelques arrangements possibles concernant les délais de construction — par suite de difficultés rencontrées dans les expropriations — mais l'essentiel sera respecté.

Précisons encore que, dès la conception du projet, les propriétaires prévoyaient la réalisation de l'entreprise par le biais d'une société anonyme. Le contrat de vente et l'acte de concession en portent la trace: « Les acquéreurs ne pourront céder le bénéfice du présent contrat sans le consentement écrit du gouvernement. Ils ont la faculté de constituer une société anonyme égyptienne mais — dans ce cas — l'apport du présent contrat devra être gratuit » (6).

La Société

La société en question sera officiellement créée le 23 janvier 1906 (7), sous juridiction égyptienne car, pour tenir en main une partie essentielle des nouveaux secteurs économiques, le gouvernement (anglais...) faisait en sorte que les sociétés travaillant directement sur le sol égyptien fussent en majeure partie « égyptiennes de droit ». Cela permettait de limiter les abus tout en donnant aux sociétés à capitaux étrangers des avantages non négligeables.

Ainsi la Société, qui — bien que de nationalité égyptienne — comprend des intérêts étrangers, relève des Tribunaux Mixtes. En échange — pour éviter de trop aberrantes spéculations — aucune action ne peut être émise à moins de cent francs au pair (8), et il faut au moins sept associés (9). Cela ne représente pas une lourde contrainte: le siège social sera au Caire, mais le siège administratif peut très bien être à Bruxelles, Paris ou Londres... Et du coup on échappe à toute la fiscalité européenne, inexistante alors en Egypte.

Le caractère égyptien de la société est important à un double niveau. D'une part cela peut aider à expliquer les méthodes employées près de soixante ans plus tard pour nationaliser la Compagnie. D'autre part cela peut expliquer certaines difficultés lorsqu'il s'agira de placer des actions sur le marché international (10).

Les statuts de la société reprennent exactement les exigences des cahiers de charge de la vente initiale à quoi il faut ajouter les diverses précisions d'ordre financier que nous étudierons plus loin.

Ainsi est créée une société privée, possédant en toute propriété deux mille cinq cents hectares (qui augmenteront de cinq mille autres en 1910, par la levée de l'option prise)(11). La taille du terrain comme la structure juridique rendent fort difficile toute comparaison avec les entreprises actuelles similaires. Bien que devenant rapidement une entreprise d'intérêt public et d'importance nationale, on ne pourra pas parler à son sujet de « société d'économie mixte », par exemple. Lorsque, plus tard, le gouvernement reprit à sa charge les frais de police, la Société lui fit gratuitement apport des avenues, et dut proposer, en échange, des logements à prix réduits pour fonctionnaires. De même, en 1907, la Société passa avec le gouvernement un contrat en vue de la construction de quatre cents logements pour fonctionnaires, en échange de quoi la servitude de non-bâtisse qui grevait les cinq-sixièmes des terrains fut réduite aux trois-quarts.

Il n'y a donc aucune ambiguïté dans le rapport public-privé. Sur ses terrains la Compagnie — qui aura de plus le monopole de l'eau et de l'électricité — sera maîtresse absolue. L'état n'est qu'un partenaire économique.

Il est vrai que ce partenaire peut le cas échéant devenir fondamental pour le développement de la ville. D'où la nécessité d'entretenir avec lui de bons rapports. Mais, au départ, les promoteurs ne peuvent compter que sur leurs propres forces.

1.1.2. Des méfiances de tous côtés

La société constituée pour réaliser Héliopolis ne fut donc le fait que de quelques financiers (12). Cet isolement était inévitable, car la réalisation du projet d'Edouard Empain ne pouvait que se heurter à des oppositions violentes. « L'entreprise a naturellement rencontré la vive hostilité des personnes intéressées à la mise en valeur des terrains avoisinant les autres faubourgs du Caire, situés dans les parties riveraines du Nil » (13). Mais, surtout — face aux immenses difficultés à vaincre, et à la nécessité d'appels de fonds continus, vue l'ampleur de l'entreprise — chaque état dont les ressortissants étaient directement concernés par l'affaire en faisait surveiller de près la réalisation par ses représentants et hésitait à appuyer une entreprise aussi hasardeuse.

Les relations avec le gouvernement égypto-anglais

Lorsque l'on parle en 1906 de gouvernement égyptien, il s'agit surtout des administrateurs anglais... Bien sûr les décrets sont signés du khédive Abbas et du premier ministre Moustapha Fahmy. Mais l'essentiel se passe au niveau du secrétaire d'Etat anglais, « adviser to the Ministry of Public Works », Sir William Garstin, et au niveau soit du chef de service « Villes et constructions », M. Perry, soit du délégué au Ministère des Finances V. Corbett. En ce sens Boghos Nubar servira de relais avec la cour, et le Président Directeur Général — Sir Réginald Oakes — aura surtout pour fonction d'entretenir les rapports les meilleurs possibles avec ses compatriotes. Edouard Empain interviendra lui-même lorsque sur un point précis les négociations buteront, mais le plus souvent c'est à R. Oakes que reviendra de diriger toutes les discussions.

Nous n'avons pu — dans le cadre de ce travail — effectuer de recherches au Foreign Office. Mais les archives privées de la Compagnie, ainsi que celles de la Citadelle au Caire, nous ont permis de saisir dans les relations entre la H.O.C. et le gouvernement un double rapport. En un sens le gouvernement ne veut surtout pas intervenir dans une telle entreprise. En 1912, un membre du Contentieux d'Etat, le Conseiller Pietri, écrit dans les conclusions d'un rapport sur Héliopolis: « Il était impossible à l'époque de prévoir comment l'affaire tournerait et si de simples particuliers pouvaient ou voulaient tenter l'aventure. Dans ces conditions le Gouvernement, ni comme puissance publique, ni comme personnalité privée ne devait en subir la répercussion » (14).

Mais en même temps le gouvernement s'intéresse de près à la tentative. Les règles qu'il impose dans le cahier de charge sont sans doute très dures. Mais cela permettra le cas échéant de continuer l'affaire dans les meilleures conditions. D'autre part, les négociations concernant la création de logements pour fonctionnaires sont menées de façon très organisée (15). Les administrateurs savent très bien qu'en amenant des fonctionnaires dans la nouvelle ville, ils aident à son démarrage, aussi vont-ils étudier de près aussi bien les projets généraux que les techniques de construction (16). En réalité, dès 1907, le Gouvernement ne pouvait plus se désintéresser de la cité nouvelle. A preuve, la décision prise en 1908 d'étendre le périmètre de la ville du Caire afin d'y comprendre le domaine de la Compagnie et de pouvoir y percevoir l'impôt sur la propriété bâtie malgré que ce fût la société qui assurait elle-même et à ses frais tous les services publics. Cela suscita plusieurs procès dont la société sortit finalement vaincue mais qui lui permirent de se faire une immense publicité.

Petit à petit, au fur et à mesure du succès, les liens entre la H.O.C. et le Gouvernement égyptien se resserrèrent. Ainsi en 1921 lorsque fut négociée une seconde tranche de logements de fonctionnaires, l'Etat prit à sa charge certains services publics, se porta garant pour les emprunts auprès du Crédit Foncier Egyptien et reçut de son côté plusieurs parcelles de terrains, l'ensemble du réseau routier et d'évacuation, l'ensemble des parcs. Mais surtout il percevait désormais sur toute vente de terrain — et ce jusqu'à liquidation complète du domaine — une redevance de dix pour cent. L'Etat égyptien devenait donc directement intéressé dans une affaire qu'au départ il n'était pas question d'encourager. L'évolution qui s'est produite ici est caractéristique: réticences devant un projet qu'il n'était pourtant pas possible de décourager, crainte devant les crises, appui lorsque les promoteurs ont prouvé leurs capacités et leur volonté d'aboutir.

Les relations avec le Gouvernement belge

Il en va bien sûr tout autrement des relations avec la Belgique. La Compagnie d'Héliopolis n'a pas directement de liens avec le gouvernement de Bruxelles. Mais du fait que ses fonds étaient d'abord belges, et que ses promoteurs représentaient le grand capitalisme wallon, la réalisation d'Héliopolis devait passionner la Belgique. Nombreux sont les articles (stipendiés ou pas) qui vantent les mérites d'Héliopolis et de son fondateur. Les rapports commerciaux de l'Ambassade de Belgique au Caire ne tarissent pas l'éloges sur « l'entreprise magnifique », et Henry de Saint Omer étudiant les entreprises belges en Egypte revient à plusieurs reprises sur le cas d'Héliopolis.

Pourtant, à lire de près les rapports, une certaine réticence apparaît, du moins jusqu'à la guerre. Il y a à cela deux raisons. L'une est générale : l'Egypte est jusqu'en 1907 un lieu de spéculation effrénée. Et tout un chacun s'attend à une crise, qui ne va pas tarder... Investir ses capitaux au Caire c'est donc, dès le départ, prendre un risque sérieux. « Une certaine prudence doit être recommandée... Si la confiance disparaissait dans le monde qui s'est adonné aux affaires de ce genre (spéculation), il pourrait se produire une secousse qui serait ressentie au loin » (17).

Mais il y a une seconde raison plus personnelle. Le représentant commercial des Belges au Caire est une figure peu aimée de sujet belge né en Syrie et spéculateur averti. Georges Eïd (1856-1932) est un grand propriétaire, et il spécule alors sur des terrains à construire au centre du Caire. Jamais — dans aucun de ses rapports — il ne condamnera l'affaire Empain (ce serait suicidaire), mais il reviendra toujours sur les « perspectives d'avenir brillantes » obscurcies par des « graves difficultés passagères ». Il est fort probable qu'Empain ne trouva pas auprès de lui grand secours. Mais il est vrai que le futur baron pouvait s'en passer et que sa position à la cour royale valait toutes les recommandations consulaires possibles.

Rapports avec les autres Gouvernements

Il est plus difficile de cerner les rapports entre la H.O.C. et les autres gouvernements. Il peut même sembler étonnant, vu l'aspect ponctuel de l'entreprise, qu'il y en ait eu. Néanmoins un coup d'œil sur les archives publiques prouve que l'on s'est beaucoup intéressé à cette affaire, et ce au plus haut niveau. En effet par sa structure financière plurinationale la H.O.C. va chercher ses fonds dans l'Europe entière. De plus, elle s'intègre dans un champ géo-politique de concurrence sauvage entre pays d'Europe. Dans le cadre de la lutte entre les impérialismes économiques qui marque le début de notre siècle, une telle société est une véritable proie qui peut avoir un certain poids sur l'échiquier politique, surtout lorsque le créateur semble vulnérable, appartenant à une petite nation.

La position française nous semble sur ce point très caractéristique. Les Français sont les premiers intéressés, en tant que bailleurs de fond. Dès 1906 Edouard Empain a cherché à se faire ouvrir le marché financier parisien. Pour ce faire, il ne ménagera pas sa peine, intervenant directement soit auprès de l'Ambassadeur de France, soit auprès du Ministère parisien pour que les titres de la H.O.C. soient inscrits en Bourse. Il n'y parviendra que près de cinq ans plus tard. En attendant il devra fonder une filiale française.

La raison du refus français est facile à comprendre. Pour la majorité des chargés d'affaires ou ambassadeurs en poste au Caire Edouard Empain vient se livrer à une simple affaire de spéculation et s'il cherche à placer ses titres en bourse à Paris c'est simplement pour s'en débarrasser. « Peut-être votre Excellence estimera-t-elle qu'il y aurait lieu de mettre le public en garde contre les appels de fond d'une entreprise qui paraît tout au moins très aventureuse... Les conditions dans lesquelles l'entreprise se présente actuellement suffisent à en faire un placement rien moins que sûr » (18). Pour les Français la cause est entendue : « il ne faut en aucun cas encourager l'épargne » (19). Pourtant les sollicitations se font pressantes et le ministre doit demander en 1909 et 1911 de véritables rapports d'activités sur la Société, à partir de l'analyse des bilans et des travaux. Mais l'Ambassade a décidé de ne pas changer de position. Ribot conclut ainsi son rapport, le 18 décembre 1909 : « Si le climat financier de l'entreprise est on ne peut plus sain, on peut affirmer qu'Héliopolis ne se trouve pas actuellement dans le sens de l'essor de la cité » (20). Nous verrons plus tard ce qu'il en est de ce point. Mais il est permis de se demander à quoi était due une pareille obstination, car les Français plaçaient alors des emprunts bien plus hasardeux.

Toujours est-il qu'une certaine évolution va se produire à partir de 1911. D'abord avec un changement de chargé d'affaires. Le 26 avril 1911, Defrance écrit à Cruppi que l'on ne peut donner d'avis catégorique. « Les perspectives sont alléchantes, mais les aléas inquiétants... C'est une construction à l'américaine, ce sera une sorte de Brooklyn, soit succès colossal, soit effondrement lamentable » (21). Le retournement viendra un an plus tard, et la raison en est politique, et non économique. Au début de l'année 1912 les Allemands, qui ont, eux, compris la situation réelle de l'entreprise essaient de la racheter. La Deutsche Orient Bank et la Dresdner Bank négocient le rachat des actions. Aussitôt l'Ambassade de France écrit au ministre : « Cela aurait un effet fâcheux. Les Allemands auraient vite fait de transformer la ville d'Héliopolis en un centre actif de propagande germanique » (22). Si l'on sait que le nouveau maître du Quai d'Orsay n'est autre que Poincaré, on comprendra que la position française ait évolué d'un coup... conséquence cocasse des rivalité nationales.

Quoi qu'il en soit, Empain parvint en moins de dix ans à convaincre ses partenaires, représentés sur place par les diplomates. La société d'Héliopolis, juridiquement isolée, facilement assimilée à une simple entreprise de spéculation sut jouer même des oppositions politiques internationales pour s'affirmer. Il est vrai que ses promoteurs avaient pu donner la preuve de leurs capacités et de leur volonté.

1.1.3. Au milieu de graves crises

En effet, si l'on s'en tient à la simple analyse de la situation économique, on comprend assez bien les réticences de tous les spécialistes. Il a fallu à Empain un énorme effort pour traverser sans encombre les crises qui secouent l'Egypte à partir de 1907 et jusqu'en 1920. Et, si les appuis extérieurs furent relativement tardifs, cela peut être simplement mis sur le compte d'une prudence somme toute très logique. Les efforts publicitaires déployés par la Société pouvaient être eux-mêmes interprétés négativement. Parlant du procès concernant l'impôt foncier, et de l'appel fait par la Compagnie à l'avocat Millerand, Defrance écrit : « Il se peut que la Société ne regrette pas son échec. Car nulle publicité n'eut égalé pour elle le bruit fait autour de cette affaire et la venue en Egypte des avocats illustres qu'elle avait choisis » (23). Mais il y eut des cas nettement plus provocants. Ainsi la Société ouvrit-elle en 1907 une ligne de navigation entre Marseille et Alexandrie. Le premier navire, sur lequel furent invités de nombreuses personnalités et des journalistes de tous les pays, s'appelait « l'Héliopolis ». A l'arrivée tout le monde fut invité à visiter la ville surgie du désert, et à contribuer à son renom naissant. Cela nous vaut quelques textes peu à l'honneur de Paul Adam, Pierre Baudin et même Maurice Barrès (24). Les résultats effayèrent les observateurs. Le 21 octobre 1907 Ribot écrit à Pichon, Ministre français des Affaires Etrangères : « Le Figaro Illustré a récemment consacré à l'Egypte un numéro spécial qui ne paraît avoir été fait qu'en vue des quatre pages finales où le présent et l'avenir de l'entreprise sont présentés sous les couleurs les plus attrayantes ». Bien sûr Empain avait fait pour le mieux, et « nos compatriotes ne sauraient rester insensibles à ces bons procédés » (25). Cette visite a d'autre part fait l'objet de nombreux articles dans la presse locale (26). Cette méthode avait de quoi surprendre et inquiéter, surtout qu'à ce moment même, l'Egypte entrait dans une grave crise économique. Il semblait dès lors évident que tout ce battage n'avait qu'un but : vendre au meilleur compte les actions.

La crise de 1907

Effectivement la Société d'Héliopolis n'avait pas encore eu le temps de s'affirmer qu'elle dut faire face à une des plus graves crises économiques qu'ait connues l'Egypte. Bien des entreprises y succombèrent. Dès son rapport de 1906 Lord Cromer mettait en garde contre la spéculation. De nombreuses affaires étaient créées dont on mettait les titres en circulation en n'appelant qu'un tiers ou un quart du montant. Le jeu consistait à faire monter le titre au maximum puis à liquider la Société. Le solde n'était pas appelé et l'on tirait de l'opération une plus-value boursière parfois très importante. Ce phénomène se doublait d'un recours massif au crédit. Du coup la circulation fiduciaire devint énorme, et la couverture métallique souvent presque inexistante.

On se retrouva donc dans une situation de spéculation générale, les financiers donnant l'exemple, attirés par le double bénéfice du courtage et de l'émission. Le signal de la crise fut donné par les appels de fonds des banques qui commençaient à avoir des doutes sur la solvabilité de leurs débiteurs. Le jour où il fallut réaliser, la chute se transforma en débâcle, d'autant plus que cette crise de confiance intervenait au moment de l'annonce de la fermeture de grandes filatures aux Etats Unis, et en même temps que la crise plus générale causée par la faillite de plusieurs compagnies de Chemin de Fer, aux Etats Unis encore. Dans un environnement mondial de crise, l'Egypte était particulièrement fragile et les cours s'effondrèrent. Malgré les interventions des banques et d'un Comité des agents de change, l'affolement gagna. Les faillites se succédèrent, d'autant que le nombre des sociétés cotées à la bourse du Caire était passé en deux ans de 50 à 240.

Parmi toutes les entreprises, les sociétés immobilières furent les plus lourdement atteintes. En octobre 1906 l'Ambassade de France analysait ainsi la situation : « Les syndicats qui se sont formés opèrent avec des capitaux qui ne sont pas à eux et ne sont que nominalement dans leurs caisses puisqu'ils ne les ont pas entièrement appelés... Ils sont devenus ainsi propriétaires de très grandes étendues de terres. Le plus souvent ils lotissent et exigent sur la parcelle revendue un versement de 15 %, le reste n'étant exigible qu'à des échéances très éloignées. La spéculation s'exerce sur cette parcelle et, pour éviter la dépréciation finale, la société reprend finalement son terrain. Elle maintient son prix et croit ne pas courir grand risque, puisqu'elle a toujours encaissé 15 % à la première vente, ce qui lui permet même de distribuer des dividendes » (27). Les sociétés immobilières ont donc acheté non pour construire mais pour revendre. Si les « propriétaires de terrains ne pourraient sortir de cette impasse qu'en bâtissant » (28), ils ne le peuvent car ils ne disposent pas de capitaux. La crise enclenchée, les acheteurs de terrains deviennent impossibles à trouver, et les sociétés n'ont qu'un capital `mort'. « Ainsi la presque totalité du quartier européen d'Ismailiah a été vendue et revendue plusieurs fois au cours de l'hiver dernier. Dans l'idée des spéculateurs ses jardins, ses villas devaient être transformés en maisons de rapport. On a démoli palais et villas, dévasté les jardins sans rien édifier. Et au lieu de la New York projetée, nous ne voyons que ruines et décombres » (29). Dans toute la banlieue du Caire, à Guizeh, Guézireh, Choubrah on a vendu des parcelles de terrain agricole à bâtir. Mais personne ne dispose d'assez de moyens pour se lancer dans la construction. D'autant que la crise est de plus en plus générale. Elle touche le monde agricole, le commerce et l'industrie.

Au niveau des cours de bourse, la chute est paradoxalement d'autant plus forte que la valeur est sûre. En effet, seules les valeurs de premier ordre peuvent trouver un emploi. Les autres, on tente de les conserver... Et l'Héliopolis Oases Company — la première année de son existence — fut durement secouée. Néanmoins, tandis que les terrains à bâtir dans le centre subirent une dépréciation de la moitié de leur valeur, et dans les environs de plus des trois quarts, à Héliopolis on arrêta simplement les ventes et l'on ne travailla que sur les infrastructures. Les capitaux, étant surtout placés à l'extérieur, purent être appelés, et de l'avis de tous les observateurs « l'activité ne cessa de régner dans ses chantiers » (30). Au fond Héliopolis sut profiter de la crise. Tandis que ses ennemis spéculaient, au bord du Nil, sur terrains nus, la Société continua ses investissements. L'œuvre du baron Empain n'avait rien d'une simple entreprise de spéculation à court terme. Si la crise fut durement ressentie, ce fut surtout parce qu'il devint, au cours des années suivantes, de plus en plus difficile de trouver des acheteurs. Mais au total cela ne fit que renforcer le baron dans un projet plus grandiose encore : réaliser une véritable ville, et ne vendre qu'ensuite. C'était, il est vrai, compter sans une succession d'autres difficultés qui faillirent remettre le projet en question.

Une succession de difficultés

Il est très difficile de saisir exactement quelles furent les crises que connut la société au cours des années d'avant guerre. On ne peut que les deviner à travers les coupures de presse, les souvenirs, et, encore, les cours de la bourse. Par ce dernier indicateur, il est possible d'affirmer que les années 1912 – 1914 se marquent — malgré de bons résultats budgétaires — par une chute grave de la confiance. Les actions de la H.O.C. cotées normalement à 250 francs-or tombent alors à 125... La revue mensuelle d'Héliopolis rapporte d'autre part une phrase d'Empain : « On vous racontera, on vous a sans doute raconté que l'affaire est fichue. Je vous donne rendez-vous dans dix ans » (1909)(31). De son côté l'architecte Ayrout raconte dans ses souvenirs qu'Empain fut à une époque prêt à vendre des maisons à n'importe quel prix « si grave était la mévente » (32).

On peut dire que la société eut d'une part à affronter les conséquences des ruines de 1907 : faillites d'entrepreneurs et manque d'argent pour acheter. Mais, au même moment, d'autres terrains se libéraient au Caire même, et du coup les exigences des cahiers de charge parurent, à beaucoup, très lourdes et l'on annula les ventes. Sur ces problèmes locaux s'en greffèrent divers autres. Ainsi, au début des années 1910, le groupe Empain dans son ensemble traversa une crise : l'inondation du métro de Paris entraîna d'énormes frais et une baisse générale de toutes ses actions.

Mais surtout une série de crises politiques internationales ralentirent l'élan donné : les guerres italo-turques et balkaniques bloquèrent certains approvisionnements et firent partir la main d'œuvre balkanique dont usait la Société.

Pour couronner le tout, éclata la première guerre mondiale. Située aux portes de la capitale, disposant de locaux spacieux et d'un aérodrome, Héliopolis dut accueillir des troupes venues de tous les points de l'Empire Britannique. Le Palace Hotel fut fermé avant d'être transformé en hôpital militaire puis en école d'aviation. Les palais furent occupés par l'Etat-Major. Le Luna Park et le champ de courses se couvrirent de tentes et la Société dut mettre à la disposition du gouvernement tous ses locaux pour recueillir les divers réfugiés de Grèce, de Turquie ou d'Asie Mineure.

Pourtant, de toutes ces crises, Empain sut triompher. On l'a vu, la secousse de 1907 fut utilisée pour renforcer l'infrastructure de la ville. Lors des crises de spéculation boursière, Empain mit dans la balance sa fortune pour racheter ses actions tombées trop bas. Mais surtout il sut profiter de la guerre. Bien sûr le Palace souffrit gravement de l'occupation. Mais, il y eut des dédommagements qui permirent de faire repartir une entreprise qui de toute façon n'aurait pas pu fonctionner durant la guerre. Par contre, si la guerre eut pour résultat de bloquer la construction, elle amena beaucoup de monde en ville et accentua une crise latente du logement. Du coup Héliopolis sut gagner un public. Et — disposant de gros capitaux — la Société fut une des premières à relancer la construction en 1919. Dès lors les ventes reprirent rapidement, et les demandes de location dépassèrent les possibilités de la Société. Il y eut de nouveau des fêtes, le champ de courses rouvrit et la Société fut définitivement tirée d'affaire.

On pourrait presque dire, après une telle liste de difficultés de tous ordres, qu'Héliopolis fut fondée au mauvais moment. 1906 avait pourtant été une année faste. Mais toutes les années suivantes virent surgir de nouveaux problèmes. Cependant Empain traversa cette période. Aux yeux des observateurs, il sut éviter chaque péril. Cela renforça un prestige qui en avait bien besoin, et explique en partie l'aspect final de la ville, car bien sûr, au fur et à mesure, les projets initiaux évoluèrent.

Ainsi, pendant plusieurs années, les bénéfices proviendront-ils autant des concessions que des ventes de terrains. Les promoteurs furent obligés d'aller beaucoup plus loin que prévu, on le verra, mais le pari initial était gagné.

Si l'on s'en tient aux statuts officiels, il nous est maintenant possible de définir assez clairement l'entreprise d'Héliopolis. « La Société est une société immobilière égyptienne, à capitaux européens, dont l'objet est le lotissement et la vente de terrains à bâtir. En outre, selon des accords séparés avec le gouvernement, elle exploite trois concessions de service public : le métro et les tramways, la distribution de l'énergie électrique, et celle de l'eau, dans les limites et les conditions fixées par les actes de concession » (Rapport Jacquart, op. cit.).

1.2. L'EVOLUTION DES CHOIX

1.2.1. L'extension de la ville : Résultats d'ensemble

Le projet initial du baron Empain n'était certainement pas de construire à lui seul une ville. Il y fut petit à petit contraint pour les raisons que nous venons de souligner. Héliopolis y gagna sans doute une progression continue, et, à long terme, un plan cohérent. Néanmoins, il fallut, pour en arriver là, réviser considérablement les projets.

En achetant le terrain, les promoteurs avaient sous-évalué très nettement les travaux à faire pour rendre le désert de l'Abbassiah propre à l'habitation. Il apparut même rapidement que l'écart serait assez considérable. Le plateau qui descend en pente douce vers la vallée est coupé, nous l'avons vu, de nombreux wadi (oueds). Si l'ensemble de la ville se situe entre 60 et 40 mètres, il peut arriver, en cas de très fortes pluies, de véritables inondations. Il fallut donc renforcer les rails du « métro » et, aux endroits où il devait circuler en tranchées, prévoir des écoulements. Ces précautions ne suffirent d'ailleurs pas : à deux reprises avant 1920 les voies furent inondées et endommagées. Pour la même raison, on dut prévoir des écoulements d'eau dans la ville (chose que l'on ne fait pas au Caire) et l'on décida de renforcer les fondations des maisons bien que l'on construisit sur un sol qui à première vue ne l'exigeait pas. D'autre part on avait sous-estimé les résistances des propriétaires sur la future ligne du « métro ». Au nord de l'Abbassiah, à Demerdash, il fallut recourir à de longues procédures d'expropriation qui retardèrent terriblement les travaux, et du même coup l'essor de la ville. Il fallut encore obtenir du gouvernement la prolongation du « Métro ». Ce dernier devait s'arrêter à « Pont Limoun », à la hauteur de la gare Ramsès. Mais il fut prolongé jusqu'au centre ville : il s'agissait de rendre Héliopolis le plus proche possible du centre.

Néanmoins, et c'est le plus étonnant, la compagnie réussit à mener de front l'essentiel des travaux et à ouvrir la ville au public dès 1908 ; cela au prix de la construction d'une centrale électrique provisoire et de transports d'eau par caravanes d'ânes, avant le forage de puits artésiens puis le branchement sur une usine d'épuration au bord du Nil.

Historique général

L'année 1906 fut celle de l'installation, et des préparatifs. On amena — à dos d'âne — les matériaux, et on prépara le tracé des routes. En 1907 fut ouverte l'usine de briques silico-calcaires qui seront essentielles pour les constructions. En même temps que la Société elle-même achevait les principales routes d'accès, ses filiales entamèrent les premières séries de villas et d'immeubles. On travailla très rapidement à l'achèvement des deux lignes de tramways tandis que le « métropolitain », simple train électrique, ne progressa que très lentement. Les deux voies de tramways furent ouvertes à la circulation le 10 mai 1908, et au début de 1909. En même temps s'éleva le Palace Hotel; on acheva la centrale de Choubrah pour fournir l'électricité domestique, celle des tramways étant fournie par la sous-station de Demerdash. En 1909 Héliopolis commençait réellement à exister : rues et avenues atteignaient 29 kilomètres, près de 10 kilomètres d'égouts étaient achevés et près de 50 kilomètres de canalisation d'eau placés. 168 bâtiments divers étaient terminés, dont les deux hôtels : le Palace et l'Héliopolis House. En même temps — dans le but évident d'attirer de la clientèle — on ouvrait le champ de courses (qui sera intégralement refait) et le Club House. A cela vint s'ajouter en 1910 un aérodrome où se déroulèrent les toutes premières exhibitions. On put enfin ouvrir le métro, et on assista alors à un certain afflux de population vers Héliopolis. Cette activité prometteuse continua en 1911 et 1912. Le Golf attira une importante clientèle, le Luna Park — un des tous premiers du genre — fut très fréquenté. En même temps, on ouvrit des écoles. On en comptait cinq en 1911. Les églises se multiplièrent, et — après de très nombreuses tractations — Empain obtint que l'évêché soit installé à Héliopolis. La Cathédrale fut achevée en 1913.

A partir de là commence une période relativement stationnaire. Quatre-vingt-dix-neuf parcelles ont été vendues en 1913, et cent vingt sept, cinq ans plus tard. Néanmoins les travaux continuent. Les égouts d'Héliopolis sont raccordés au collecteur du Caire, permettant de supprimer les champs d'épandage. Les plantations d'arbres s'intensifient et globalement les recettes des services sont en hausse. Mais, avec la guerre, il faut fermer le Palace. Si le métro reste bénéficiaire, c'est grâce à la présence des troupes. De plus l'énergie électrique devient plus chère : les arrivées de charbon sont difficiles. Tout cela contribue à rendre bien maussade le tableau des années 15, 16 et 17. Ainsi que le dit le rapport du conseil d'administration de mai 1917 : « la situation est passable ». Sans doute la population fixe a-t-elle augmenté, mais la Société tire une bonne partie de ses revenus de la revente de l'électricité en surplus et de la création d'une minoterie.

Avec la paix cette période va s'achever et la ville va retrouver son élan d'avant guerre. La Société tire avantage des services rendus pendant la guerre. Elle est relativement bien indemnisée de son occupation par les troupes anglaises et peut dès lors discuter avec le gouvernement un très important projet de logements pour fonctionnaires, projet qui sera réalisé à partir de 1921. Les ventes d'immeubles, proprement dites, ne reprendront qu'en 1919 ; mais, dès 1918, l'activité recommence. Des terrains, et surtout des villas prêtes, construites par la Société pendant la guerre, sont vendues. En 1919 tous les immeubles sont occupés, et on peut compter 14 écoles. Il y a 1500 élèves, là où en 1913 on en comptait 300. Malgré de graves difficultés, dont une longue grève et une inondation du métro, l'année 1919 marque le nouveau départ. En 1920 les ventes de terrains s'accélèrent. Près de 250 logements sont en cours d'achèvement. Mais surtout Héliopolis se « soude » petit à petit au Caire. Le rapport de 1922 de l'Assemblée Générale remarque que « la création d'Héliopolis n'a fait qu'anticiper le mouvement de la ville, allant d'emblée au site le plus favorable ». Le Palace Hotel est réouvert pour la saison d'hiver. Une longue parenthèse est fermée, « terminus ad quem » de notre étude.

Evaluations

Il est relativement difficile de sortir de ces généralités pour proposer des chiffres précis. La plupart des chiffres publiés — tant en ce qui concerne les bâtiments que la population — sont hautement fantaisistes, et souvent au-dessus de la réalité pour d'évidentes raisons publicitaires. Néanmoins nous avons pu aboutir par recoupements à des chiffres relativement précis (33).

En ce qui concerne les bâtiments, il est possible d'en évaluer la progression entre 1911 et 1922 à partir des logements en immeubles construits et occupés. On aboutit au graphique n° 1 qui permet de faire apparaître progression et temps d'arrêt. Les résultats confirment les analyses précédentes. Mais ils ne sont pas absolument fiables : les années 1916-1918 voient par exemple l'occupation temporaire des logements jusqu'alors inoccupés d'où la chute de l'année 1919.

Les difficultés et la stagnation apparaissent plus clairement si l'on compare les immeubles ou les villas construits par la Société et par les particuliers. Nous avons retenu l'exemple des villas, particulièrement caractéristique, car il a fallu de graves difficultés pour que la Société se décide à remplir elle-même les lots « vides » destinés aux habitations particulières. Or l'écart — qui se creuse entre 1912 et 1918 — va ensuite s'atténuer : preuve du départ nouveau pris par la construction ; ceci apparaît nettement sur le graphique n° 2. Les années 1918-1919 voient une reprise des ventes ; les particuliers achètent même plusieurs maisons de la Société. L'accroissement de l'année 1921 vient de l'intégration, dans les biens de la Société, des villas appartenant à la Société des Travaux Publics du Caire, décomptées à part jusqu'alors.

On peut dire d'autre part que les infrastructures essentielles ont été rapidement achevées : il existait 140 habitations ouvrières en 1911... il y en aura 176 en 1921. Il y avait 29 immeubles à « destination diverse » en 1911 (hôtels, ateliers, églises, etc...) il y en aura 45 en 1921. Au total l'ensemble de ces chiffres nous fait apparaître ceci : la ville a d'abord été construite par la Société. Les années d'après guerre voient par contre une grande activité sur les chantiers privés. Les années 1918-1920 voient même baisser le nombre de logements de la Société en exploitation (1516 en 1918, 1497 en 1920).

Que représente donc la ville ainsi créée? La Société tenait un compte précis des habitants, quitte à en publier d'autres sur les plaquettes publicitaires. Mais nous avons pu retrouver les chiffres fournis par le service des Domaines, et ils figurent au graphique n° 3.

L'essor de la population est ici particulièrement net et il est continu. La guerre représente bien un léger tassement, mais l'augmentation persiste grâce aux troupes et à l'arrivée de certains réfugiés. Cette augmentation continue pourrait être encore vérifiée, si besoin était, par le nombre total des abonnements vendus pour les tramways et le métro. Là encore la courbe est ascendante de façon continue et n'apporte aucune contradiction.

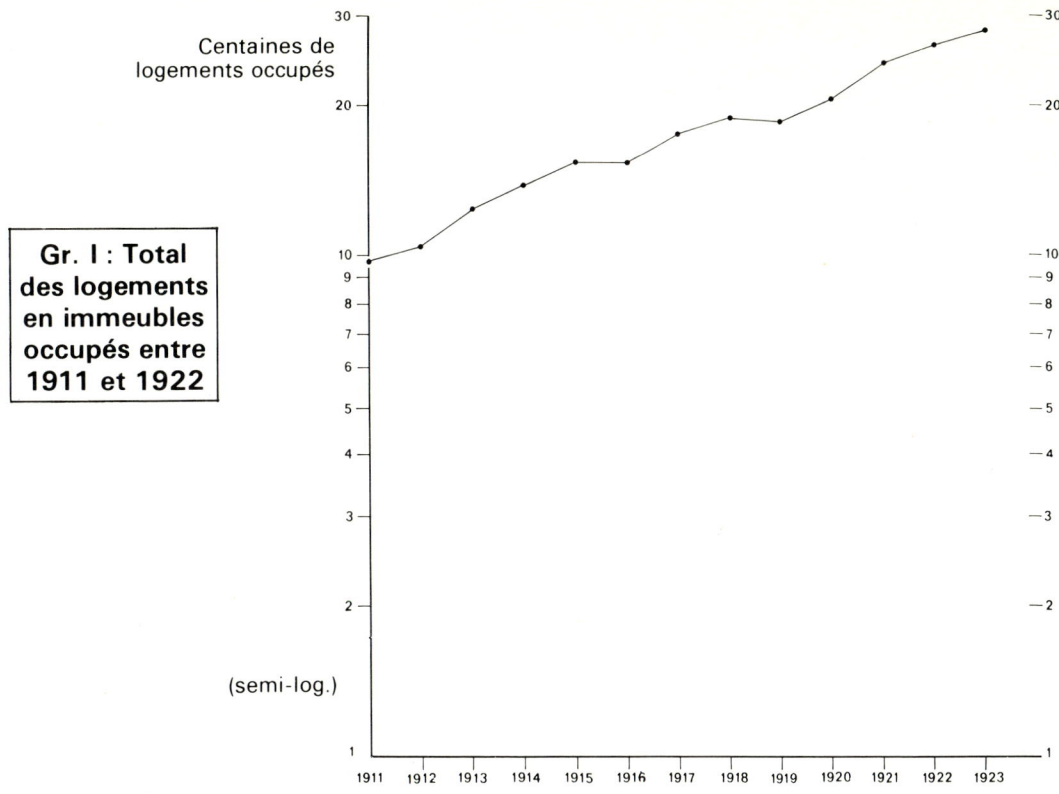

Gr. I : Total des logements en immeubles occupés entre 1911 et 1922

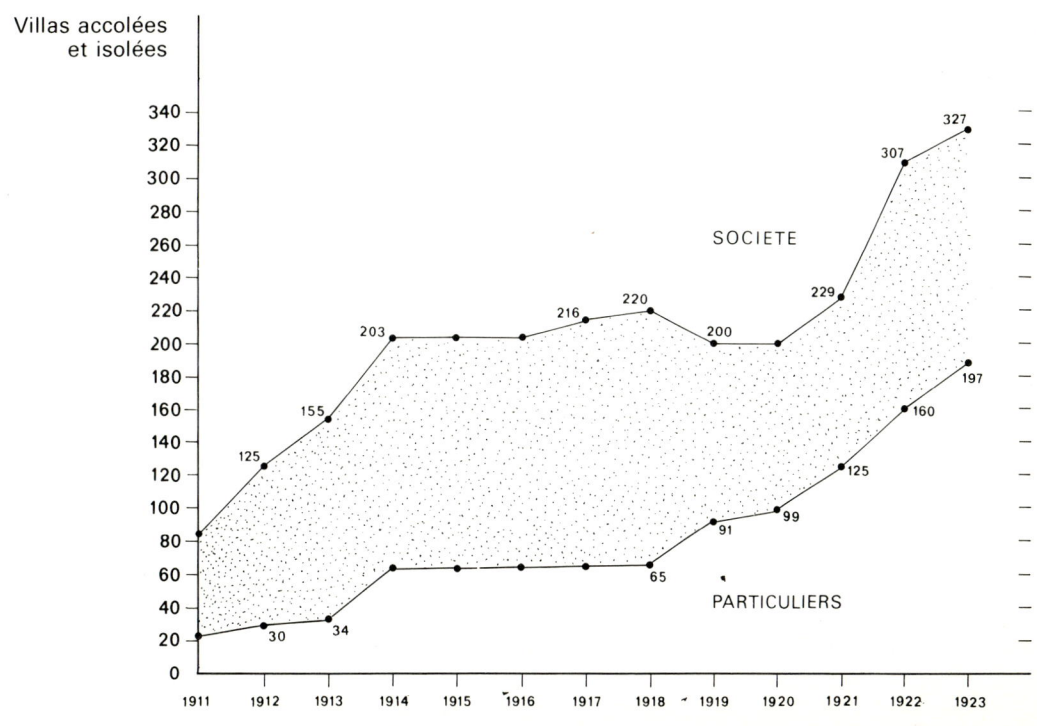

Gr. II : Constructions de la Société et Constructions particulières — 1911 à 1923.

Ainsi donc la ville d'Héliopolis compte en 1922 près de 12 000 habitants. Son essor est modeste si on le compare à ce qui suivra: 24 000 habitants en 1928 et plus de 30 000 en 1930. Après le coup d'arrêt de la guerre, le pari est gagné.

On peut compléter cette étude, en comparant, en pourcentage, l'évolution d'Héliopolis et celle de la ville même du Caire. La comparaison est bien sûr quelque peu excessive, mais nous pouvons en tirer l'essentiel: Héliopolis a-t-elle grandi au même rythme que Le Caire ou a-t-elle attiré à elle une partie de la population de la Capitale? Nous ne disposons pas pour établir ce calcul de chiffres précis. Suivant une étude de la Direction Générale en date de 1932, nous nous sommes contentés d'établir une comparaison pour les années 17 – 27, années les plus parlantes, vu l'extrême faiblesse de la population d'Héliopolis auparavant. Nous avons fait paraître, au graphique n° 4, quatre données: population et nombre de logements construits au Caire d'une part, population et nombre de logements construits à Héliopolis d'autre part, le tout sur une double échelle. Malgré l'aspect hasardeux d'une telle comparaison, les résultats font néanmoins apparaître deux choses. D'une part l'accroissement d'Héliopolis vient avant tout d'un déplacement de la population du centre ville, son augmentation étant proportionnellement largement supérieure à celle du Caire. D'autre part, les logements se remplissent, et l'écart entre population et logements construits à Héliopolis se creuse. Mais la ville d'Héliopolis atteint ainsi un indice d'habitants par logement correct, ce qui n'est certainement pas le cas au Caire, sur la voie du surpeuplement.

Les trois phases que nous avions fait apparaître dans l'historique général de la ville se sont donc vérifiées. Au début des années 1920, Héliopolis n'est plus une tentative négligeable. Passée au travers de crises nombreuses, la ville est née. Les résultats d'ensemble sont encourageants. Mais il est vrai qu'il a fallu changer pour cela la tactique prévue tout d'abord. Héliopolis est devenue une ville où on loue plus que l'on achète. La progression globale ne doit pas cacher le changement de politique, ou les indécisions.

1.2.2. Vendre ou louer?

Les efforts publicitaires dépensés pour convaincre la population du Caire de s'installer à Héliopolis ont pourtant été impressionnants. Les plaquettes ont succédé au « Petit Guide Illustré » de 1910, et, nous l'avons vu, on n'hésitait pas à faire appel à des célébrités. D'autre part, en 1909, des séries d'articles paraissaient dans la *Bourse Egyptienne, Les Pyramides, l'Egypte* et le *Progrès*. En même temps on organisait fêtes sur fêtes. En mars 1909 une immense « kermesse orientale » attira par exemple des centaines de visiteurs; en 1909 – 1910 et 1911 se succédèrent des exhibitions aériennes. Chaque année la dernière semaine de février et la première de mars vit la « Grande Quinzaine d'Héliopolis », avec « courses de chevaux, corso carnavalesque, fête vénitienne, gymkhana, courses de dromadaires, batailles de fleurs », mais aussi, par exemple en 1912, un « grand concert wagnérien, deux représentations de chants, chœurs et danses arabes, des chants sauvages (sic) grecs, un festival Debussy, et deux représentations de Thaïs ».

Tout cela coûtait très cher à la Société, qui fournissait les locaux, les appointements, les médailles, les coupes, etc... Mais évidemment, il s'agissait de faire venir des foules (européennes) du Caire, de leur montrer que la ville d'Héliopolis était bien vivante... et qu'il était temps d'acheter.

Vendre

Beaucoup parmi les anciens habitants d'Héliopolis regrettent aujourd'hui que leurs parents n'aient pas acheté une villa à l'époque où c'était possible. Pourtant, durant des années, on ne trouva que très difficilement des acquéreurs, et ce malgré des prix de vente extrêmement bas. Selon la localisation, le mètre carré de terrain à bâtir viabilisé se vendait, en 1912, entre 65 et 250 piastres le mètre carré. Les parcelles de plus de 500 m$_2$, situées dans le quartier des villas, à l'Est de la ville, ne dépassaient pas 150 piastres. Les zones les plus chères étaient celles qui bordaient l'avenue des Pyramides, entre l'Héliopolis Palace et la Cathédrale. Tout cela restait tout de même très bas comparé aux terrains de la ville même du Caire, rarement inférieurs à 3 Livres le mètre carré. De plus, de nombreux avantages pouvaient être octroyés qui rendaient l'acquisition encore plus abordable.

Les terrains étaient payés soit au comptant soit à terme. On appliquait alors en général le système suivant. L'acquéreur versait au comptant – au moment de l'achat – 20 % de la valeur du terrain à titre de garantie, en s'engageant à édifier, dans un délai maximum de 3 ans, une construction à déterminer. Une fois la maison bâtie, la société passait l'acte de vente, restituait la garantie de 20 % et faisait un prêt égal à la totalité du montant du prix de vente du terrain, portant intérêt à 4 %. En dehors du prix de vente du terrain, la société pouvait aussi prêter à 6 %

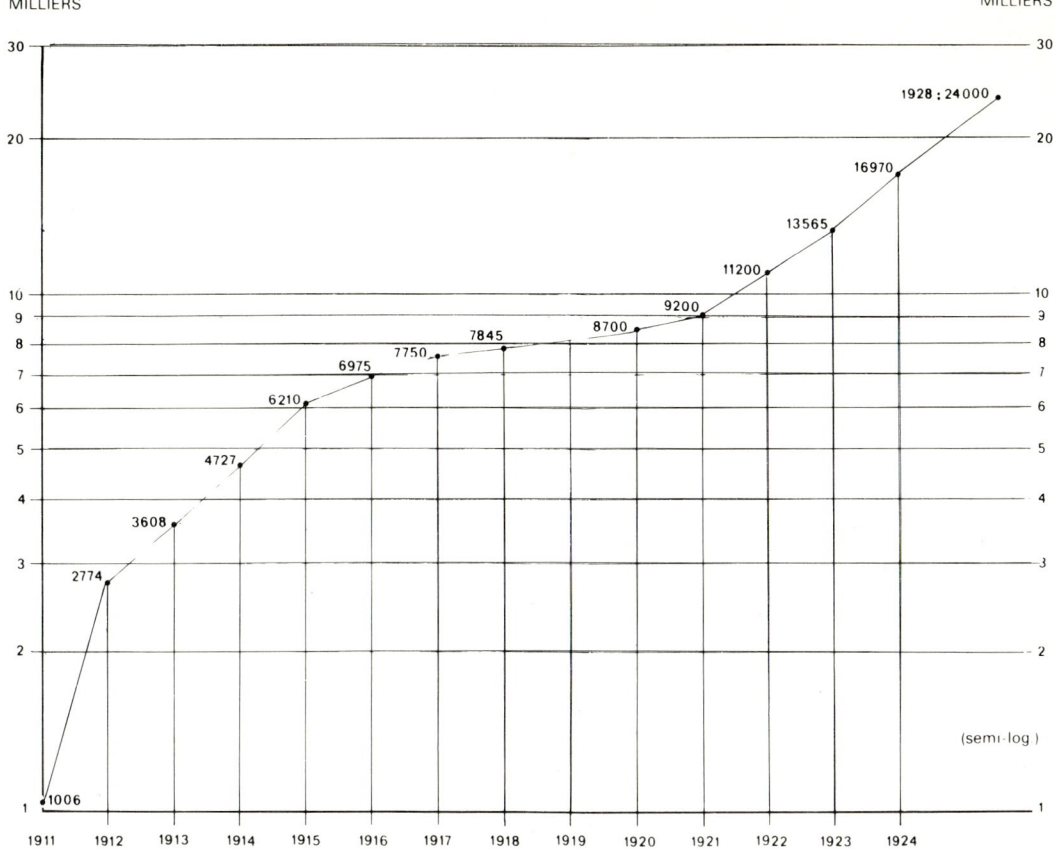

Gr. III : Population totale d'Héliopolis 1911-1923.

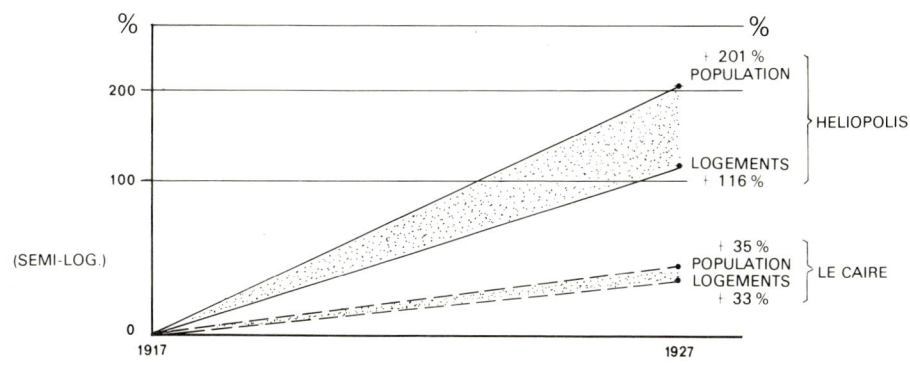

**Gr. IV : Héliopolis-Le Caire, 1917-1927
Augmentation relative (note Direction Générale).**

pour la construction. Finalement — les modalités ayant quelque peu varié au cours des années — l'acheteur pouvait se borner à ne payer à la société que l'intérêt du prix d'achat, sans avoir déboursé le prix total du terrain. Le prêt était d'autre part calculé sur une période de 15 ans ou 30 ans, période qui pouvait être doublée en cours de route, sans variation de taux. En définitive, pour l'achat d'une maison relativement coquette et d'un terrain estimés, par la Société, à 2 250 L.E., le capital nécessaire de départ était de l'ordre de 350 L.E., et — dans le cas d'un prêt sur 15 ans — le remboursement représentait à peu près 40 L.E. par an pour le terrain et autant pour une maison de 200 m² de surface au sol.

Cela signifie que pour acquitter le prix d'un appartement ou d'une villa l'acquéreur devait verser à la société des mensualités variant entre 4 et 20 L.E. selon la taille du logement (34).

Si l'on tient compte, pour apprécier le prix de revient réel, des salaires versés à la même époque, on se rendra compte qu'un tel achat restait hors portée de l'ouvrier qui, même spécialisé, ne dépassait pas 40 piastres par jour mais néanmoins était fort accessible à toute la clientèle petite bourgeoise. Il est vrai qu'acheter supposait d'une part disposer d'un certain apport personnel, et d'autre part avoir confiance dans la réussite de l'affaire.

Avant la première guerre mondiale, la Société faisait donc d'énormes efforts pour vendre ses terrains, mais aussi ses constructions, prêtant aux mêmes conditions pour des appartements déjà achevés. On alla même jusqu'à mettre au point un système de location — vente (inspiré de ce qui se faisait pour les habitations ouvrières européennes) selon lequel, grâce à un loyer un peu plus élevé, on pouvait devenir en vingt ans propriétaire de son logement. Dans ce cas, la société vendait presque à perte se rattrapant sur les revenus des services : autant dire que les trois concessions étaient essentielles. Malgré tout, les ventes ne progressaient pas beaucoup. Et lorsque, dans les rapports du Conseil d'Administration ou dans les publicités, on trouve d'importantes superficies de terrains vendues, il faut les reconsidérer. Ainsi, pour la seule année 1912, 13 245 mètres carrés de terrain à bâtir sont déclarés vendus. Mais, sur ce total, 4 678 mètres carrés le sont pour la somme symbolique d'une piastre le mètre carré... Il s'agit des terrains « vendus » aux frères des écoles Chrétiennes et à la Communauté grecque Orthodoxe pour établir des écoles. De même la Cathédrale et son terrain seront donnés — bâtis — à l'évêché. A cela il faut encore ajouter que plusieurs terrains sont « vendus » à des filiales contre des titres de participation.

Aussi nous a-t-il paru intéressant de faire apparaître graphiquement un ensemble de données : la superficie vendue, les sommes touchées pour cette superficie, et le nombre de parcelles vendues. Les deux premières données sont figurées au graphique n° 5. Elles permettent de faire ressortir qu'avant 1918 (sauf une exception qui ne veut rien dire vu la faible superficie) le terrain se vendait à moins d'une livre le mètre carré. D'autre part l'ensemble des deux graphiques permet de rendre évidente l'extrême lenteur du démarrage — en même temps que la reprise des années 1919 après la stagnation des années 14 - 18 précédées par une période de vente à prix faibles.

Quoi qu'il en soit, si l'on prend une moyenne de 6 parcelles par lot, et un total de 300 lots, on voit qu'il restait de la place... En 1920 une part extrêmement faible de la future ville a été vendue.

Louer

Dans ces conditions, il a bien fallu se résoudre à changer de politique. Tout d'abord acheteurs comme locataires préféraient les appartements aux villas (35). Il y avait à cela de nombreuses raisons. D'une part, la maison en construction, isolée dans le sable et sans voisinage, n'inspirait qu'à peine confiance. On préférait l'immeuble situé près du « centre » même si la différence de prix était somme toute réduite. De plus la taille des maisons isolées, souvent supérieure à 200 m² au sol, imposait un important entretien. Enfin, il était difficile de se décider à construire : « Le but de la société était de vendre des terrains en obligeant les particuliers à construire dans des conditions déterminées. Celles-ci ont paru trop dures, et les ventes furent résiliées » (36).

Mais il y a des raisons plus internes, au changement de cap. « Escomptant une hausse des prix, la société a estimé préférable de construire elle-même et de louer villas et appartements d'autant plus qu'en ouvrant de nombreux chantiers à la fois, elle a pu passer des marchés importants et obtenir dans des conditions favorables les capitaux nécessaires » (37). Du coup, la compagnie a décidé, dès 1911, de ne plus rechercher la vente à tout prix de ses terrains si l'on ne pouvait dépasser 1 à 2 livres le mètre carré. Le but est d'augmenter d'abord la population, et de susciter alors un mouvement de plus-value. Finalement, le conseil d'administration décide de limiter les ventes de terrains à des zones bien déterminées et relativement restreintes de façon à grouper toutes les constructions nouvelles en quartiers successifs dans lesquels routes, égouts, canalisations électriques et autres seront définitivement complétés.

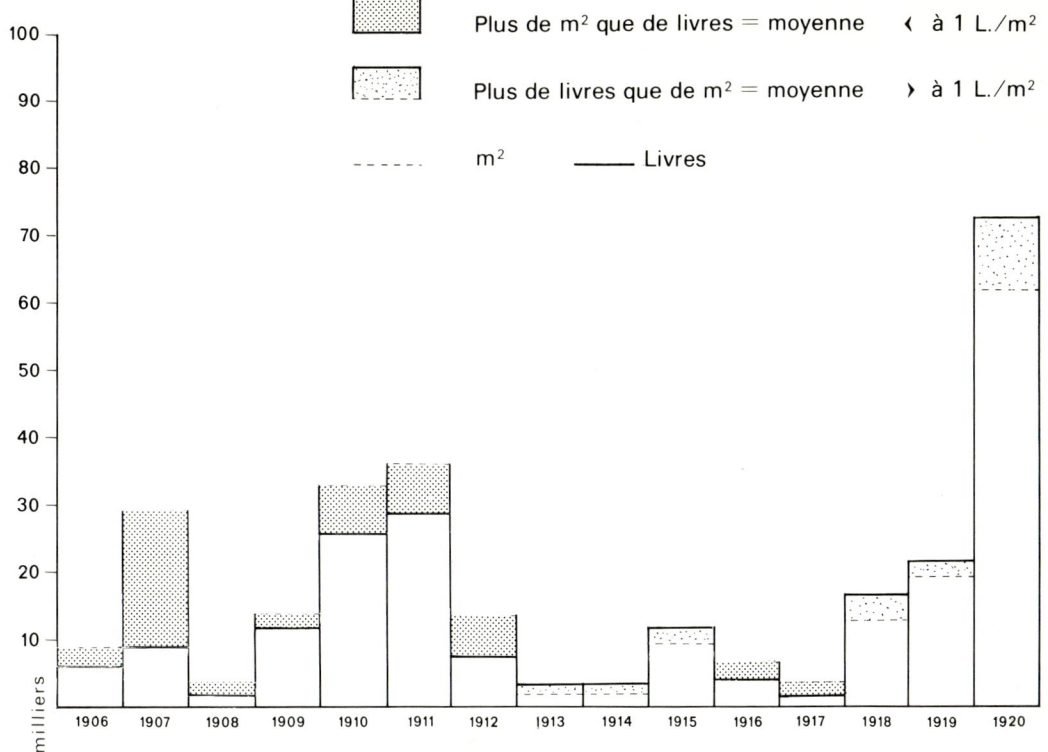

**Gr. V : Vente de terrains : 1906-1920.
Mètres carrés et prix payé en L.E.**

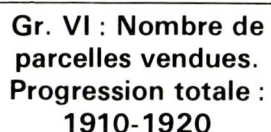

Gr. VI : Nombre de parcelles vendues. Progression totale : 1910-1920

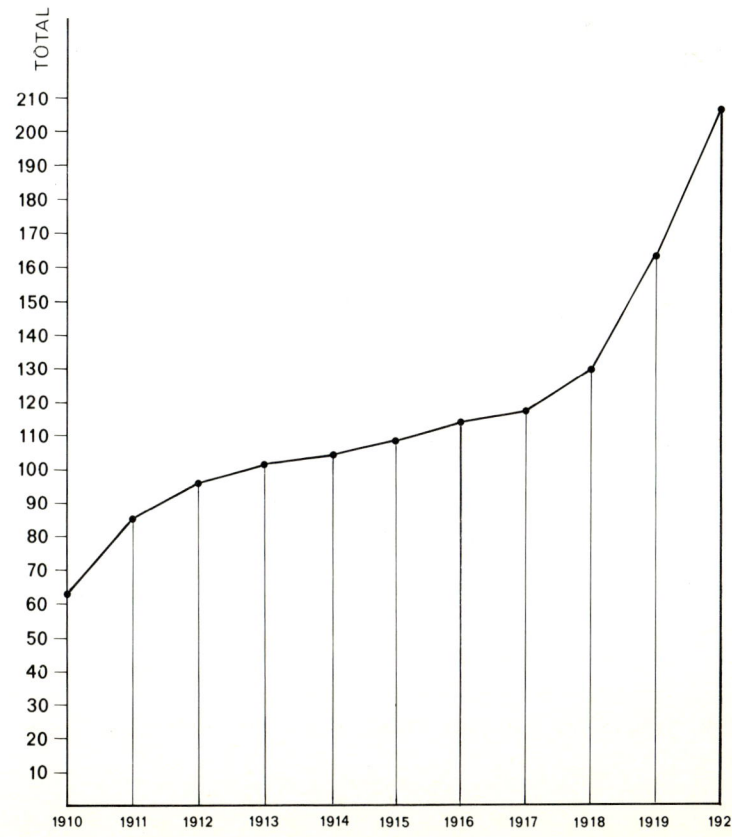

La transformation qui s'est produite ici est fondamentale et change du tout au tout la raison d'être de l'Héliopolis Oases Company. Elle accentue encore les différences que nous avons fait apparaître avec les autres entreprises de spéculation immobilière.

« Le principe de la Société a été d'attirer à elle: 1) Ceux qui placent avant toute autre considération l'hygiène et la salubrité de leur habitation; 2) Ceux à qui la hausse des loyers au Caire en rend le séjour trop onéreux » (38).

Il y a déjà là un changement de ton. La cité-miracle, surgie des sables, aux luxueux hôtels, a dépouillé tout orgueil. « Notre société a tenu à résoudre le problème du logement à bon marché aussi bien que celui de l'appartement et de la villa grand confort » (39). La politique suivie est donc extrêmement simple. Il faut, à partir de 1911–1912, construire beaucoup de logements — quitte à les laisser vides. On les laissera se remplir et on parviendra ainsi à un accroissement important de la ville. On a pu voir — avec le cas des villas isolées — que cette politique a porté ses fruits.

On peut compléter cette analyse par la comparaison entre le nombre de locaux de la compagnie réellement occupés et le nombre total de locaux "en exploitation", c'est-à-dire entièrement terminés. C'est ce que nous avons cherché à faire paraître dans le graphique n° 7, en faisant ressortir en grisé les locaux restés vides. Si nous effectuons le calcul du coefficient d'utilisation des locaux, nous verrons qu'en 1918, la Société a gagné son pari: 1,5 % seulement ne sont pas occupés, chiffre qui tombe à 0,5 % en 1920. Bien sûr pendant ce temps les constructions sont stationnaires (et même en baisse par revente d'appartements à des particuliers), mais la politique de location a porté ses fruits en attirant des clients qui sans cela ne seraient jamais venus à Héliopolis.

Du coup, d'ailleurs, des particuliers se sont mis à construire des immeubles locatifs. Le graphique n° 8 en fait nettement apparaître l'essor. Nous l'avons prolongé jusqu'en 1929 pour montrer que le départ des années 20–22 va faire plus que se poursuivre: la location est une forme essentielle de l'habitat à Héliopolis. Grâce à elle la stagnation fut limitée.

Du fait que les appartements étaient plus faciles à louer et à vendre que les villas, la société porta son effort sur eux. Mais il ne pouvait être question d'abandonner le programme des villas: en effet Empain voulait obtenir une ville, avec ses quartiers. Il dut pour cela se résigner à les louer à des prix très largement inférieurs à ceux pratiqués au Caire. En ville, une villa avec terrain se louait en moyenne, en 1912, autour de 15 livres par mois. La Société en proposait — de vingt types différents — à des prix croissant de 4 à 18 livres. Pour les appartements, les prix étaient tout aussi variés. Pour un appartement de 5 pièces, avec salle de bain (exceptionnel au Caire en 1911), cuisine, large véranda et cellier on payait 50 L.E. de loyer annuel et 36 L.E. pour un 4 pièces (au minimum 80 L.E. en ville). Quelques très beaux appartements de sept pièces principales se louaient à 12 L.E. par mois. En outre, il était possible de trouver des logements avec petits jardinets (nommés: Garden City, cf. infra) au prix de 30 L.E. par an. Ce sont ces logements d'ailleurs qui eurent la plus grande clientèle, et il en reste encore de fort nombreux aujourd'hui. Ajoutons à cela l'existence « d'habitations ouvrières » dont le loyer ne dépassait pas 60 piastres par mois. Partout les logements étaient équipés d'eau, d'électricité et rapidement de tout à l'égout. Ajoutons enfin, dernier détail, qu'au prix de la location ne s'ajoutait pas l'impôt sur la propriété bâtie: la Société en assurait elle-même la charge (40).

La Société put ainsi passer un cap difficile. L'année 1917, par ailleurs une des plus mauvaises, fut par exemple très satisfaisante. Les appartements furent presque tous loués et 32 villas de plus qu'en 1916. Les administrateurs en furent eux-mêmes étonnés: « L'exercice 1917 a donné un excellent résultat auquel nous ne nous attendions pas » (41).

Il faut dire que la gestion du service était extrêmement minutieuse mais aussi très sage. Les propriétaires surent ne pas augmenter exagérément leurs loyers. Tandis que la période 1914–1922 vit globalement les loyers du Caire augmenter de 60 % ceux de la Société ne dépassèrent pas 30 % (42). Dans l'ensemble les locaux étaient maintenus en bon état et les baux étaient clairs et rigoureux (il s'agissait en général de baux de deux ans renouvelables). La preuve de la réussite — preuve qu'une population stable est attirée vers la nouvelle ville — nous l'avons cherchée dans la stabilité des locations.

Le plus souvent le locataire reste plus de quatre ans en moyenne. Lorsque les locaux de la société furent presque tous loués (à partir de 1919) on enregistra une moyenne de 40 à 80 nouvelles locations par an. Sur un total dépassant 1 500 c'est là un résultat extrêmement positif qui prouve que la Société a su donner satisfaction à sa clientèle. Dans de rares cas, il y eut des variations supérieures. C'est que certains immeubles n'étaient pas appréciés. Nous reviendrons sur ce problème en seconde partie.

Pour compléter et renforcer la construction, la Société fit, nous l'avons dit, appel au gouvernement. A deux reprises furent signés des accords pour le logement des fonctionnaires. En échange de divers avantages consentis

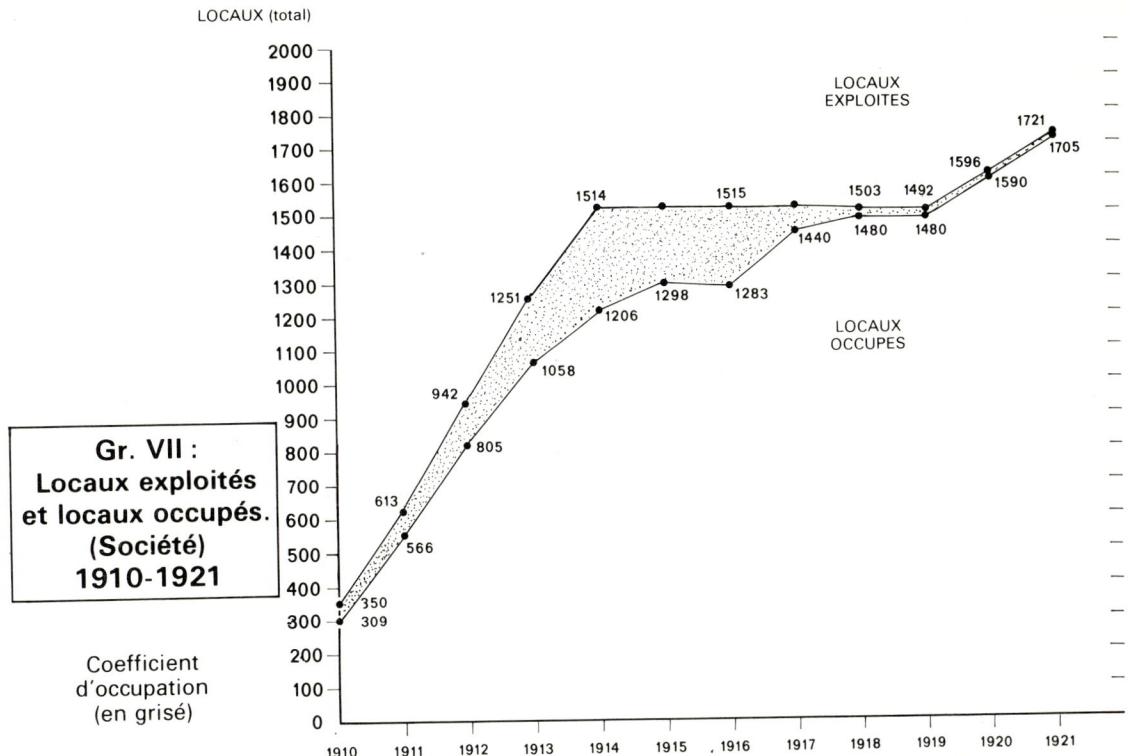

Gr. VII :
Locaux exploités et locaux occupés. (Société)
1910-1921

Coefficient d'occupation (en grisé)

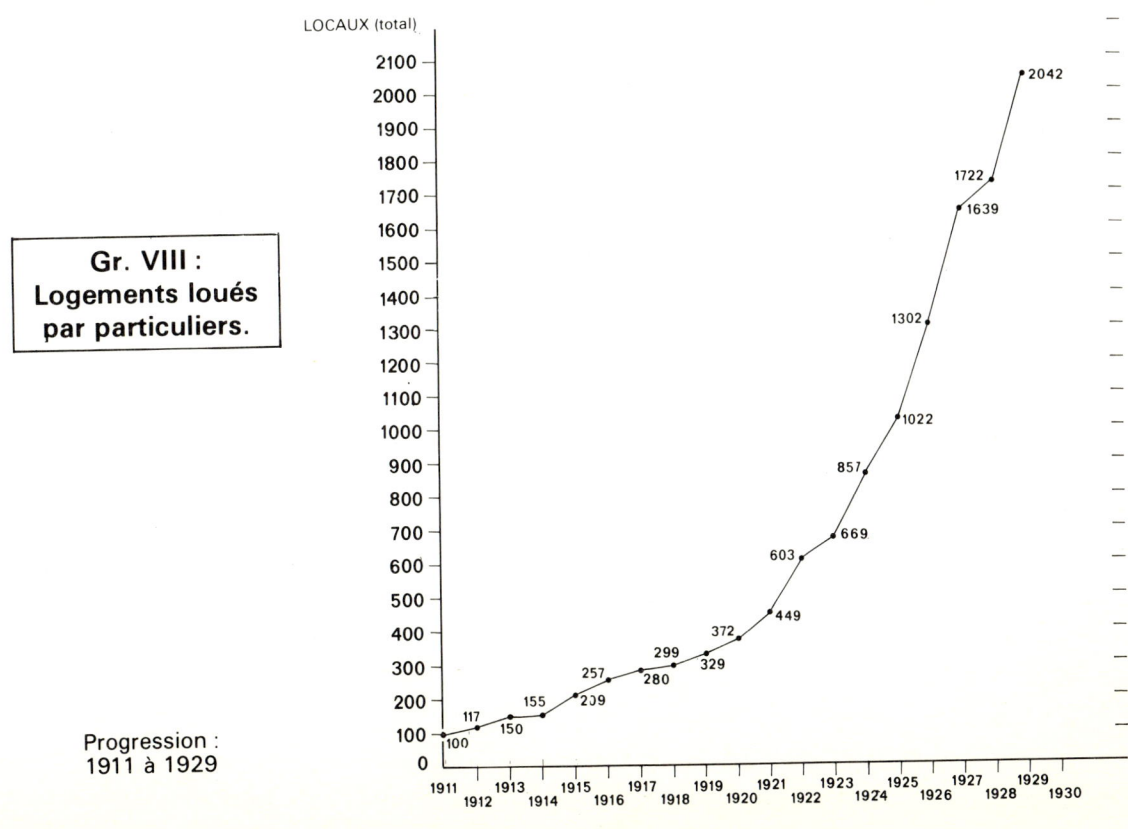

Gr. VIII :
Logements loués par particuliers.

Progression : 1911 à 1929

par l'Etat (augmentation de la surface constructible, reprise en main de certains services publics) la Société proposait de construire des villas et des immeubles qu'elle s'engageait à louer par priorité aux fonctionnaires du gouvernement à des prix extrêmement réduits. Un tel choix aboutissait évidemment à accentuer le caractère "populaire" d'Héliopolis — encore que la plupart des fonctionnaires logés fussent des cadres supérieurs. Mais cela permit de remplir la ville. Le premier accord, du 9 juillet 1907, porta sur la construction de 400 villas. Cet accord ne put être tenu par la Société qui négocia en janvier 1911 une révision. Le gouvernement s'abstenait de demander la construction d'aucune maison, mais, en échange, la Société s'engageait à loger le nombre de fonctionnaires prévus, en villas et appartements déjà construits moyennant une réduction de 20 % sur les loyers publics. La Compagnie ne pouvait être contrainte à construire que si aucun logement du type prévu n'était disponible. Cette révision de contrat montre à l'évidence que le problème majeur de la compagnie était de remplir ses appartements vides. L'acceptation du projet par le gouvernement contribua à sortir d'affaire une entreprise en difficulté.

Le second contrat — de 1921 — n'aura pas les mêmes raisons d'être. La Société négociera alors une véritable commande. Voulant relancer la construction et ne disposant pas de l'assurance qu'elle trouverait acquéreur, la Société sut — grâce aux habitations de fonctionnaires — se donner un débouché solide. Ici il ne s'agissait plus de faire "du remplissage" mais d'assurer la reprise des constructions.

Nous pouvons maintenant affirmer — ayant vérifié ce fait à plusieurs reprises — que le développement d'Héliopolis s'est déroulé en trois étapes: la première va de l'origine à 1912 – 1914. C'est à strictement parler la période de premier établissement: on réalise les infrastructures, en construisant chaque année un certain nombre d'immeubles. La seconde étape couvre la période de la première guerre mondiale. Les constructions sont suspendues. Le nombre de locaux reste pratiquement stationnaire. Mais au total, il y a une progression nette dans l'utilisation de ces locaux. La troisième étape est celle qui est marquée par le nouveau départ de la construction, et particulièrement par le démarrage de la construction privée. Les résultats de l'exploitation du service location font apparaître très nettement cette progression à travers le chiffre des bénéfices (43).

Les causes de la prospérité des années suivant la guerre mondiale sont à chercher dans une crise générale du logement en Egypte. De plus la rareté des logements disponibles permet une hausse des cours des loyers. En même temps — et pour les mêmes raisons — les locaux des particuliers — relativement insignifiants en 1914 — augmentent. Lorsqu'en 1931 le chef du service location analyse les causes de la chute relative des bénéfices de son service, il note : « La cause principale de diminution de notre exploitation est le grand nombre d'immeubles nouveaux construits par des particuliers, sur des terrains du reste vendus par nous » (44). Si l'on s'en était tenu aux objectifs de départ, il n'y aurait pas eu à s'inquiéter, au contraire...

Si le service de location est devenu aussi important c'est, nous l'avons vu, à la suite de l'échec des ventes de terrain. Or si nous considérons la période 1911-1931 nous pouvons faire ressortir ceci :

1) le montant total des ventes est devenu pratiquement égal au bénéfice des locations ;
2) le bénéfice des locations va aller décroissant à partir de 1923, par contre celui des ventes va croissant à partir de 1920 ;
3) à partir de 1918 un certain nombre d'immeubles de la compagnie (dont des villas et un palais) sont vendus à des particuliers ;
4) alors qu'il y avait 2 logements en moyenne par parcelle vendue en 1910, il y en a 4,5 en 1932.

Ainsi donc le mouvement inverse est amorcé, la période 1920-1923 marquant clairement le retournement. On peut en donner une dernière preuve. On a mis environ 15 ans pour arriver au chiffre des 2 000 premiers logements vers 1921. La seconde tranche de 2 000 logements sera construite en 7 ans (vers 1928), tandis qu'il s'est édifié 2 300 logements entre 1928 et 1931.

Voilà donc la limite chronologique de notre étude fixée : la période 1905-1921/23 pendant laquelle la ville s'organise, naît, mais aussi dépasse les cadres fixés tout d'abord.

CHAPITRE II

UNE ENTREPRISE COLONIALE

Les transformations apportées au projet original et l'ampleur prise par la réalisation méritent une approche un peu détaillée du fonctionnement interne de la Société, car elle n'a rien d'une simple affaire commerciale. Elle se présente comme une sorte de municipalité dont le Maire (Directeur Général) n'aurait qu'un pouvoir assez réduit du fait de la personnalité du Président (du conseil d'administration : Empain). Effectivement la Société est gérée simultanément du Caire et de Bruxelles (ou Paris, en particulier pendant la guerre). Les bureaux européens reçoivent un double de toute la correspondance et font corriger tout ce qui paraît mal fait, depuis les plans jusqu'aux prix des loyers. Il y a même deux sous-services d'architecture : l'un à Paris, l'autre au Caire. Ce dernier entérine le plus souvent les décisions prises en France — par des hommes qui parfois n'ont jamais vu l'Egypte. De même toutes les décisions financières sont prises après avis de « l'administrateur-délégué » dont le bureau est à Paris.

Cette structure « multinationale » est évidemment à replacer dans le contexte colonial. Seule la situation dominée de l'Egypte pouvait permettre à la H.O.C. de fonctionner ainsi. L'étendue même de ses pouvoirs en est une preuve : la Société d'Héliopolis était une Société à monopoles.

Mais il faut aller plus loin pour comprendre le caractère « colonial » de l'entreprise : elle était aussi un organisme vivant et un édifice financier.

2.1. LA STRUCTURE

2.1.1. Les activités liées au projet initial

Destinée à vendre des terrains viabilisés, la H.O.C. était conçue à l'origine comme devant comporter un service de ventes et d'autre part comme commanditaire des travaux d'aménagement auprès d'entreprises indépendantes. Empain devait s'assurer la collaboration de quelques architectes, ainsi de Jaspar ou de Marcel, mais il entendait laisser l'essentiel des responsabilités à des sous-traitants. Au cas où il le faudrait, il était prévu de créer des filiales qui prendraient en main certaines constructions essentielles. Ainsi fut créée l'Héliopolis Palace Company. L'infrastructure administrative devait être assez réduite. Bien sûr il y avait les services publics mais ils devaient être mis à part, et surtout Empain comptait sur son habitude de ce type de gestion.

Pour obtenir malgré tout une ville qui ait une certaine unité, Empain jouait sur les cahiers de charge, que nous étudierons en seconde partie, et qui comportaient une série de clauses essentielles pour fixer l'allure générale de toutes les constructions.

La construction

Il en fut tout autrement. Bien sûr la compagnie délégua ses pouvoirs pour les constructions à de nombreux entrepreneurs. Mais d'une part il s'avère que le plus souvent ces entrepreneurs construisaient pour la Société, et d'autre part la marge de liberté des constructeurs fut extrêmement réduite. Le plus souvent le choix des entrepreneurs se faisait par suite d'appels d'offres. Les entrepreneurs présentaient les devis et on choisissait, en général le moins cher, mais aussi celui en qui on avait le plus confiance. Ainsi – pour la période qui nous intéresse – l'ingénieur Ayrout obtint-il de la Société une bonne part des commandes et bien des maisons d'Héliopolis furent son œuvre. Du coup la Société entretint un corps d'inspecteurs chargés de surveiller les travaux, de veiller au respect des normes, et surtout à celui des délais. La même minutie présidait aux autorisations de transformations, et chaque fois (et ce jusqu'en 1947) il fallait que le dossier remonte à Bruxelles. En cas d'irrégularité, et surtout de retard, la Société semble avoir été implacable. D'autant que les retards – à une époque de crise, où nombreuses furent les faillites dans le bâtiment – étaient chose courante. Une énorme partie des dossiers du Contentieux, conservés aux archives du Caire, porte sur ces problèmes (1). Les amendes fixées par les cahiers de charge étaient pourtant fort importantes : un retard en 180 jours (chose relativement usuelle) entraînait la somme de 360 L.E. Nous avons vu que cela représentait une bonne partie du coût d'une villa.

Il peut paraître étonnant que, devant ces problèmes, la Société n'ait jamais eu elle-même de service de construction. Empain en donna souvent pour raison qu'il travaillait pour l'Egypte et pour faire vivre ses entrepreneurs... Mais, quelles que soient les allégations philanthropiques, il y eut certainement le souci du moindre coût. On évitait ainsi, par exemple, la création d'un lourd service d'architecture qui aurait exigé plusieurs architectes, alors que les bureaux du Caire n'en comptèrent qu'un. De même ce système permit de limiter manœuvres et ouvriers aux services traction, électricité, eau et entretien.

Le service « Vente de Terrains » avait donc pour fonction de décider des zones à bâtir, de vérifier les constructions, de promouvoir un véritable cadastre et de veiller au respect des normes. L'architecture elle-même était surveillée, mais il s'agissait surtout – nous le verrons – de contrôler le décor. Précisons qu'il n'existait pas de service d'urbanisme proprement dit. Sur ce plan, les choix d'ensemble incombèrent à Empain et à ses architectes-conseils.

Un second service, celui des « Domaines » faisait lui aussi partie intégrante du projet initial. A l'origine chaque particulier devait prendre à sa charge l'entretien de la parcelle de rue sur laquelle il construisait. Mais très rapidement la Société fit face, seule, à cette obligation. De même les travaux concernant les égouts auraient dû être relativement réduits. La Société avait opté au départ pour un système de bacs avec champs d'épandage. Mais – quoi qu'en aient dit les dépliants publicitaires – ce système s'avéra tout à fait insuffisant et d'énormes travaux devinrent nécessaires que la H.O.C. prit totalement en charge (cf. chapitre III). Tout cet ensemble, routes et égouts, exigeait un personnel considérable pour une dépense qui n'était couverte qu'en cas de réussite complète de la ville.

Les services publics

Il restait enfin les trois services publics – qui auraient dû rester indépendants les uns des autres, et surtout du reste de l'entreprise. En effet, la concession des transports était accordée pour soixante dix ans. Or l'ensemble aurait dû être loti bien avant. Empain concevait donc l'ensemble sous deux aspects : terrains d'une part, services publics de l'autre.

Ces services étaient gérés de la même façon que tous ceux que possédait Empain en Europe et en Afrique : de Bruxelles. Les archives du Caire ont gardé la trace de télégrammes chiffrés envoyés à Bruxelles et donnant le décompte mensuel de toutes les sommes encaissées journalièrement par les tramways. Mais très rapidement (dès 1909) l'ensemble fut réorganisé et on créa trois services placés sous l'autorité de la Direction Générale.

A elle seule la concession des transports publics était essentielle. Elle devait faire fonctionner d'une part le chemin de fer électrique, comportant les derniers raffinements techniques, et dont les trains se succédaient toutes les dix minutes (parfois plus souvent aux heures d'affluence), et d'autre part les tramways électriques. A l'origine, l'un allait du centre à la gare centrale et l'autre de l'Abbassiah à Héliopolis. Après de nombreuses discussions avec le gouvernement, Empain obtint l'autorisation de lier les deux voies en faisant emprunter aux tramways les voies de la Société des Tramways du Caire, dont il était – ne l'oublions pas – administrateur-fondateur. Du coup il fallait gérer deux lignes allant du centre du Caire à Héliopolis, l'une en un peu plus de dix minutes et l'autre en près de trois quart d'heures. Cela signifiait entretenir ouvriers, receveurs et wattmen, mais aussi ouvrir un bureau pour les nombreux abonnements.

Les deux autres services, l'eau et l'électricité, étaient eux aussi essentiels. La compagnie assurait ainsi à la fois l'éclairage public, et l'éclairage privé. La Société fixait elle-même le prix du kilowatt-heure (un peu moins cher qu'au Caire). Pour ce faire deux centrales fonctionnaient, l'une à Demerdash pour les tramways et surtout une autre à Choubrah au bord du Nil. La puissance de cette dernière était telle que l'on pouvait revendre du courant industriel. Quant au service des eaux il assurait à la ville une très importante provision journalière pouvant aller de 5 000 à

20 000 mètres cubes, ce qui permettait un large arrosage des plantations, et permit même de vendre de l'eau d'irrigation (chapitre III).

Si la Société décida au départ d'assurer seule la totalité de ces services, ce fut très certainement dans le but de sauvegarder sa totale liberté, mais aussi d'assurer au plus vite une certaine rentabilité. L'eau et l'électricité permirent, longtemps, de pallier les faiblesses d'autres secteurs et de compenser ainsi les pertes. C'est même certainement la raison qui fit agglomérer aux autres ces services à l'origine indépendants, donnant à la H.O.C. sa structure définitive de véritable société d'aménagement.

2.1.2. Les activités liées aux réorientations

Si le regroupement des services s'imposait, c'est que, dès l'explosion de la crise économique de 1907, il apparut aux responsables que la H.O.C. devait se charger de bien d'autres fonctions. Si administrativement Héliopolis fut rapidement intégrée dans la ville du Caire, la Société — propriétaire de l'immense majorité des terrains, et concessionnaire des services publics — possédait en fait tous les pouvoirs. Aujourd'hui encore le hall de la société nationalisée de Maṣr al Gadïda reste administrativement le point central de la vie héliopolitaine. A l'époque, pour tout problème administratif, il fallait aller au siège du boulevard Abbas. Le Conseil d'Administration — et singulièrement son président — possédait les pleins pouvoirs pour fixer l'avenir de la ville que ce soit pour les festivités, les loisirs, les pôles de la construction ou le maintien d'un directeur de l'Héliopolis Palace... Ces pouvoirs immenses étaient dus à la conjonction du rôle de propriétaire et de celui d'administrateur, Empain vivant à l'époque au moins un mois par an au Caire.

La Société comme propriétaire

Avec la création d'un important service de location, la Société dut gérer la totalité des locaux — logements et locaux commerciaux — qu'elle construisait. Nous en avons étudié l'importance. Précisons que ce service est devenu, autant par son nombre d'employés que par son budget, un des plus importants. Il se chargeait de la location proprement dite, mais aussi de l'entretien des appartements. Ainsi faillait-il réparer les logements au moment d'un changement d'occupants. De plus, comme les baux permettaient aux locataires d'exiger le badigeonnage de leur maison à chaque renouvellement, on se doute que la plupart ne manquait pas d'en profiter.

Mais le fait d'avoir à diriger de nombreuses constructions contraignit très rapidement, avant 1910, la compagnie — toujours dans l'optique d'une recherche du moindre coût — à créer sur place, dans la partie Nord-Ouest de la ville, trois usines : l'une fabriquait les briques silico-calcaires (base des constructions), la seconde des agglomérés et la troisième fabriquait du gaz. Les deux premières virent leur activité s'arrêter entre 1925 et 1930 lorsque les grandes constructions de la compagnie s'achevèrent. Aisi la H.O.C. pouvait fournir au moindre coût le matériel aux entrepreneurs en évitant d'encombrer les transports qui n'auraient pu y faire face.

C'est dans cette optique aussi qu'en 1912 fut prévue une cimenterie, à partir d'une découverte de marne bleue.

Ainsi la Société se comportait de telle façon que toutes les activités se déroulant sur ses terrains lui soient liées d'une façon ou d'une autre. De plus, les stipulations des cahiers de charge forçaient les acheteurs à se fournir sur place auprès de la Société vendeuse du terrain.

Une prise en charge générale

Mais dès que la ville eut pris forme — et même avant — il fallut encore offrir aux habitants les infrastructures sociales essentielles. On ne pouvait compter sur une aide de l'état — extrêmement récalcitrant, nous l'avons vu, avant 1920. Du coup on dut construire une poste, un central téléphonique, un dispensaire. L'ensemble de ces services fut repris, mais la Société fit, gratuitement, l'apport des bâtiments, et surtout dut payer d'importantes contreparties à l'ouverture prolongée des bureaux, qui ne fermaient que le dimanche après-midi (chapitre III).

La ville ainsi organisée, il fallut aussi créer un service de nettoyage. La Société entretint des balayeurs pour les rues, et surtout — chose étonnante mais qui s'explique bien, vu l'obsession « hygiénique » des promoteurs — un véritable corps de cinq hommes pour la lutte contre les moustiques. L'exemple est caractéristique. Voulant qu'Héliopolis se distingue — par sa netteté — du reste du Caire, la Société veilla à ce que les plantations et les réserves d'eau placées sur les terrasses ne soient pas des nids à moustiques. Le corps des « chasseurs » ainsi organisé avait chaque jour une partie de la ville à désinfecter, surtout lorsque des villas étaient inhabitées.

Il restait le ramassage des ordures ménagères. Pendant longtemps (jusque vers 1935 semble-t-il) la compagnie entretint un corps spécialisé chargé d'effectuer ramassage et incinération des ordures dans un lot spécialement prévu au Nord de la ville. Ce ne fut que plus tard, dans un souci d'économie — malgré la taxe qui était jusqu'alors perçue — que la Société laissa effectuer ce travail par les corporations traditionnelles qui s'en chargent au Caire depuis des siècles.

L'Héliopolis Oases Company fournissait donc à elle seule la plupart des services publics. Mais il y avait plus encore.

Toutes les concessions commerciales, toutes les autorisations pour ouvrir un débit de boissons devaient obtenir l'aval du Conseil d'Administration. De même c'est la Société qui louait les emplacements dans le marché couvert construit près de la mosquée. Enfin et surtout c'est elle qui assurait une bonne part de la sécurité publique.

Pour ce qui est du service d'incendie, on se contenta, d'abord, de cent cinquante bouches desservies par les pompiers de l'Abbassiah. Mais rapidement fut créé un véritable poste de pompiers. De même la Société construisit de ses deniers un poste de police. Mais il fut entendu dès le début que la nuit ce seraient les dix sept employés du corps de garde de la Compagnie qui veilleraient à la sécurité des biens et des personnes. A côté de ce corps de garde, la compagnie entretenait aussi des gardiens pour les villas inhabitées et bien sûr des concierges pour les immeubles de rapport.

Ainsi donc, les fonctions remplies par la Société dépassent largement le cadre d'une entreprise de spéculation. Si l'on ajoute encore que tous les programmes culturels et toute la politique sportive étaient gérés par le Conseil d'Administration, on comprendra mieux que l'on puisse comparer le résultat auquel on aboutit à une véritable municipalité, tout à fait analogue à celle des « villes nouvelles actuelles ». Pour l'obtention d'un permis de construire, pour l'achat d'une carte d'abonnement au « métro », pour le paiement de l'électricité, du loyer ou de l'eau, pour une plainte pour vol, on devait aller dans l'immeuble de l'avenue Abbas. Si Empain a largement débordé de son projet initial, ce fut pour donner naissance à un véritable complexe urbain, et, par l'ampleur des services assurés, l'entreprise finit par s'assimiler à une société à monopoles.

2.2. LES HOMMES

2.2.1. Le Personnel

La H.O.C. occupait du personnel à plusieurs niveaux et en plusieurs endroits. Il y avait d'une part ceux qui travaillaient dans les locaux du boulevard Abbas. Ce sont ceux qui apparaissent sous le titre « employés » dans les relevés de la Société. Mais il y avait aussi tous les employés et ouvriers travaillant dans les deux usines électriques, l'usine d'eau, les ateliers de réparation, l'usine de briques etc... Aussi étonnant que cela puisse paraître, nous n'avons pu trouver de relevé détaillé, à une même date, de l'ensemble de ce personnel. Les notes diverses prouvent, de plus, qu'au début une part importante des petits ouvriers et manœuvres n'était pas comptabilisée. On peut néanmoins faire une remarque : le nombre d'ouvriers a crû très notablement au cours de la période, mais celui des employés au siège n'a que fort peu augmenté. On en décompte 65 en 1908, et environ 80 en 1918 (2). Pour ce qui est des ouvriers, la compagnie en comptait entre 250 et 400. Les chiffres sont imprécis même à l'époque. Une note des années 1913 est ainsi rédigée : « La Société occupe dans ses ateliers, usines, services de voirie et d'eau *environ* 375 ouvriers » (3). Quoi qu'il en soit, nous pouvons évaluer l'effectif total des salariés de la H.O.C. aux environs de 450, dont 70 employés au siège (4). Il est impossible de faire la moindre comparaison avec la situation actuelle : Héliopolis comptait à l'époque dix fois moins d'habitants. Néanmoins l'on peut dire que le total semble relativement réduit eu égard au grand nombre d'activités ; et d'autre part que la progression a été relativement lente. La société s'est pourvue dès les années 1908-1909 d'une infrastructure fort solide

Répartition

C'est la politique de recrutement qui a permis de limiter l'accroissement du personnel. Dans l'ensemble on a veillé à ne pas multiplier les postes de responsabilité. Le service des voies ferrées est par exemple le seul qui compte quatre ingénieurs. On n'en trouve, sinon, qu'un aux Domaines, deux au service électrique, et un au service des eaux. Par contre, on a choisi une forte charpente de conducteurs de travaux et de contremaîtres, ouvriers spécialisés, venus d'Europe le plus souvent. Cela permit d'employer de nombreux ouvriers locaux, sans gonfler le nombre d'employés. Par exemple, les sous-services voies ferrées et tramways comptaient au total quatre ingénieurs, un dessinateur, un opérateur, un monteur, deux comptables, un magasinier et trois surveillants, soit treize personnes qui encadraient cent dix wattmen et receveurs, vingt trois contrôleurs et soixante quinze employés divers. On le voit, la Société avait veillé à ce que l'encadrement soit le plus léger et le plus rentable possible.

C'est d'ailleurs la raison qui nous interdit de connaître exactement le nombre d'ouvriers travaillant pour la Société. Chaque service devait en tenir un état séparé et journalier. Quoi qu'il en soit, partout le service de base était réduit au minimum : seize personnes au service électrique, dix au service des Domaines, sept au sous-service d'architecture, treize à la comptabilité et aux magasins et seulement douze au service général, y compris trois huissiers et deux chauffeurs. Ce service ne comptait d'ailleurs que trois dactylographes, ce qui est extrêmement réduit, semble-t-il. Le tout en 1910.

Il est sûr, d'autre part, que l'on veillait de très près à la spécialisation des salariés engagés. La compétence semble avoir été assez générale. Ainsi le service des sports était-il dirigé par un officier anglais à la retraite, qui avait passé sa vie à entraîner des équipes militaires. Empain en le faisant nommer avait veillé à ce qu'un britannique obtienne ce poste.

Le seul point sur lequel la Société ne soit pas parvenue à comprimer son personnel — en le regrettant — fut la garde des immeubles : « Il est impossible de se passer d'un grand nombre de gaffirs et de boabs vu la disposition des locaux et les mœurs du pays » (5). Le « boab » (bawwäb) a pourtant certainement plus de travail à Héliopolis que dans nombre d'autres places puisque de jour il est chargé de descendre les ordures, de nettoyer les escaliers et les terrasses et d'entretenir les trottoirs, tandis que de nuit il veille sur la porte.

Origine

Cette politique d'emploi se vérifie si l'on étudie l'origine du personnel. Sur les soixante cinq employés recensés en 1908, vingt ont été recrutés directement en Europe, par contrats signés à Bruxelles ou Paris. Il s'agit de presque tous les postes de responsabilité : directeur, sous-directeur, secrétaire, chef comptable, mais aussi tous les ingénieurs à une exception près. Dans la plupart des autres cas, le recrutement s'est fait soit sur recommandation écrite auprès d'un responsable, soit sur recommandation directe d'un des responsables, soit enfin par transfert d'une autre entreprise plus ou moins liée au groupe. Si l'on en croit les critiques faites à la Société cette politique de recrutement extrêmement fermée s'est poursuivie jusque dans les années 1950... Toujours est-il que sur les soixante cinq employés, cinq seulement portent des noms véritablement locaux : il s'agit des deux chauffeurs et des trois garçons de bureau... Il en serait tout à fait autrement si l'on tenait compte des ouvriers, des bawwäb, des ajusteurs etc... Mais même alors on se rendrait compte qu'un nouveau clivage apparaissait : l'absence presque totale de musulmans... On peut préciser encore que dans toute notre période on ne dénombre aucune femme employée.

Il nous est donc possible de définir à peu près la structure administrative de la H.O.C. : deux blocs inégaux, l'un formé d'ouvriers, l'autre d'employés. Ces deux blocs sont strictement hiérarchisés, selon un système qui est à la fois celui de toutes les entreprises coloniales, et celui de toutes les entreprises industrielles, les deux se superposant. On peut le saisir bien sûr dans les salaires, mais aussi dans les logements (ainsi le directeur dispose-t-il d'un véritable palais, boulevard Cléopâtre), les bureaux ou les cartes de libre parcours distribuées par la compagnie (ainsi le seul ingénieur recruté au Caire n'a droit de voyager qu'en seconde classe).

De telles remarques sur la composition sociale de la Société sont extrêmement logiques, simplement caractéristiques de l'aspect fondamentalement colonial de l'entreprise. Avant les années 1920, le capitalisme national était à peu près inexistant et les affaires belges, pas plus que françaises ou anglaises, n'étaient ouvertes aux autochtones. Il est d'autre part certain que la ségrégation volontairement entretenue permit d'éviter, pour quelques années, de violents accrochages. La Société d'Héliopolis ne présente sur ce point guère d'aspects originaux.

2.2.2. Les Conditions de Travail

Elle n'en présente, semble-t-il, guère plus pour les conditions quotidiennes de travail qui étaient extrêmement sévères. Jusqu'en 1919 toutes les journées de travail étaient établies sur la base (usuelle à l'époque) de dix heures effectives par jour ouvrable. Au-delà « le personnel est tenu d'effectuer les heures supplémentaires qui pourraient lui être demandées par suite des nécessités de service » (6). (Tout le personnel n'avait pas deux journées entières de repos non interrompu par mois, mais, dans tous les cas, les heures supplémentaires étaient payées).

Au total, il semble bien que, par suite de la réduction au minimum des agents de service, l'ensemble du personnel avait des tâches au moins égales à celles d'ouvriers équivalents en Europe. A la suite de diverses remarques des bureaux de Bruxelles, la direction cairote essaya même de comprimer encore, mais elle n'y parvint pas. Si l'on considère quelques « états signalétiques », qui décrivent les tâches du personnel, il apparaît que c'était effectivement difficile. A eux seuls, deux « chaîneurs » établissaient le tracé des alignements des rues, des trottoirs etc... C'étaient les mêmes qui établissaient le mesurage des parcelles et effectuaient les modifications aux tracés. De même, chaque ouvrier chargé de l'arrosage devait arroser deux fois par jour une zone de 7 500 mètres carrés, tout en aidant le cas échéant au goudronnage.

Dans les bâtiments du boulevard Abbas comme dans les autres, le pointage fut organisé dès les premiers jours de l'entreprise et un homme fut chargé de la surveillance de l'assiduité. La discipline, dans son ensemble, était extrêmement sévère, et, jusqu'en 1919, seuls les chefs de service pouvaient prendre les décisions concernant les absences injustifiées et la vérification des journées de maladie. Par la suite un véritable conseil fut organisé.

Pour compenser cette rigueur, la Société pouvait offrir à ses ouvriers des salaires supérieurs à ceux qu'ils pouvaient espérer trouver ailleurs et surtout une série d'avantages indirects exceptionnels à l'époque. Jean Vallet dans sa « *Contribution à l'étude de la condition des ouvriers de la grande industrie au Caire* » (op. cit.) est, malgré ses engagements nettement marqués, relativement favorable à la H.O.C. auprès de laquelle il a enquêté en 1911. Mais avant toute généralité il faut rappeler deux points :

1) il existe, sur les 430 ouvriers et employés que compte Vallet, près de 180 européens pour lesquels les conditions sont très variables. Un ouvrier grec émigré ne gagne guère plus qu'un autochtone, et dans la vie quotidienne, tout lui coûte plus cher ;

2) il faut absolument faire la différence entre les agents temporaires payés à la journée et les agents permanents. La première catégorie nous échappe presque totalement car elle ne bénéficie pas des conventions qui régissent les seconds, et d'autre part — on l'a dit — ils ne sont très souvent même pas décomptés officiellement.

En réalité pour beaucoup d'entre eux, l'intégration dans la Société se faisait en deux temps (sauf pour les employés du siège). On entrait d'abord à la journée puis, sur avis favorable du contremaître et du chef de service, on pouvait être titularisé.

Malgré tout, même les agents à la journée pouvaient toucher les heures supplémentaires, et le cas échéant bénéficier de certains avantages sociaux.

Globalement, les salaires que l'on pouvait toucher en travaillant à Héliopolis semblent avoir été légèrement supérieurs à ceux que l'on pouvait en moyenne espérer au Caire. Un plombier touchait en moyenne 18 piastres/journée, la Société en offrait 20 ; un forgeron à 20 piastres/journée au Caire pouvait en toucher 25 à Héliopolis, et un manœuvre 6 piastres alors que les salaires moyens étaient de 5 (7). On peut d'autre part donner une comparaison précise avec les salaires versés par une autre grande société l'« Egyptian State Railways and Telegraph ». Un chaîneur gagnait 8 piastres dans cette dernière et 10,5 à l'H.O.C.... Un gardien 5 piastres et 7 à Héliopolis etc...(8).

Mais les différences essentielles tiennent dans les avantages indirects. La Société des Oasis assurait à ses agents une assistance médicale gratuite lorsque l'accident ou la maladie étaient liés au travail et à prix réduit pour la famille. Un médecin était même payé par la Compagnie pour faire les visites. Pendant les maladies, les agents payés au mois avaient droit au demi-traitement pendant les deux premiers mois (pour les autres, qui n'avaient droit à rien, la compagnie se réservait de leur allouer un secours égal à la moitié du salaire) (9).

De la même façon les règles qui présidaient au calcul des heures supplémentaires étaient strictes et valables pour tous, ce qui était relativement exceptionnel à l'époque.

Il y avait enfin le logement. Tous ne pouvaient sans doute pas en profiter. Néanmoins la possibilité d'être logé sur place à des prix très bas pour des logements corrects existait (à partir de 20 piastres/mois), et toute une catégorie du personnel était logée gratuitement — dans la seconde Oasis — soit en maisons « ouvrières » soit en appartements. Ils ne payaient que l'eau. D'autre part, si l'employé, payé au mois, n'habitait pas Héliopolis ou n'était pas logé par la Compagnie, il bénéficiait d'une indemnité de logement incluse dans son salaire.

Au total, l'ouvrier de l'Héliopolis Oases Company n'était pas mal traité en comparaison avec ce qui se passait ailleurs. Cela ne signifie pas pas qu'il pouvait vivre correctement. La Société estimait elle-même qu'il fallait — à une famille composée de quatre personnes (la plupart en comportait plus) près de 16 piastres/jour pour vivre — et, nous l'avons vu, nombreux étaient les ouvriers qui ne dépassaient pas dix piastres. Il fallait avoir une certaine spécialisation (maçon, menuisier, etc...) pour dépasser le seuil des 25 piastres qui assuraient un minimum décent. Néanmoins la petite différence qui existait entre la Société des Oasis et la plupart des autres suffisait à en faire une entreprise assez recherchée et à lui assurer une certaine fidélité dans le personnel.

2.2.3. Tension et luttes

Les avantages concédés ne pouvaient cependant pas masquer les inégalités de traitement ni mettre la société à l'abri de mouvements de grande ampleur comme ceux des années 1920 qui culminèrent avec l'appel à la grève générale le 17 avril 1919. Les dirigeants de la H.O.C. ne voulurent y voir qu'une marque de la fièvre nationaliste, portant le sceau d'agitateurs professionnels et il est certain que l'aspect strictement politique n'était pas négligeable. Mais il serait plus exact d'y voir la conjonction du mécontentement politique diffus et d'une évidente crise sociale qui a fourni des armes essentielles aux grévistes. On ne peut aussi négliger la hausse constante du coût de la vie que les statistiques officielles (10) (établissant leurs calculs sur les indices de prix de gros et de détail) fixent — entre 1914 et 1922 — aux alentours de 35 %, et 30 % pour la nourriture seule.

Or les salaires étaient restés relativement stables. La société d'Héliopolis (qui avait une certaine politique d'augmentation) prévoyait une augmentation de 5 millimes tous les deux ans pour le personnel engagé depuis plus de quatre ans, et ce pour les salaires inférieurs à 18 piastres/jour. La hausse des salaires se serait donc traduite, entre 1914 et 1922, par 20 % pour un ouvrier engagé depuis plus de quatre ans en 1914 et gagnant alors 13 piastres/jour. Au total, même dans les cas favorables, dont celui d'Héliopolis, la période se traduisait par une baisse effective du pouvoir d'achat, baisse d'autant plus sensible que les salaires étaient plus faibles.

Problèmes spécifiques

Sur ce fond de crise sociale, un certain nombre de problèmes spécifiques à la Société se greffaient. Ils étaient dominés par la double tension entre ouvriers et employés d'une part, salariés au mois et journaliers d'autre part. Il s'avère que la première opposition semble avoir recouvert une différenciation ethnique: les Européens possédant tous les postes clés, les Egyptiens étant le plus souvent relégués aux ateliers. La seconde opposition recouvrait une différenciation religieuse, les non-musulmans étant systématiquement favorisés. Une plainte — en date du 27 septembre 1919 (archives du Caire) — établie par une trentaine d'ouvriers du service transport s'en prend à un contrôleur « qui crée des malentendus entre les musulmans et les chrétiens ». Il y avait sous ce type de comportement toute une stratégie — certainement consciente — de pouvoir, consistant à isoler les uns des autres les ouvriers. Cette opposition se doublait encore de difficultés d'ordre linguistique. La majorité des ouvriers était illettrée et ne parlait bien sûr que l'arabe. Or la seule langue utilisée était le français. Même les ordres de services étaient rédigés dans cette langue, qui était bien sûr indispensable pour faire la plus petite carrière.

Cette situation bloquait certainement toute possibilité de dialogue, et même de compréhension... possibilité de toute façon limitée par le caractère terriblement hiérarchisé de la compagnie et par le caractère double de son pouvoir, partagé entre la Direction Générale au Caire et le Conseil d'Administration dont le siège était officiellement Bruxelles. Nous ne connaissons absolument pas les tensions qui pouvaient exister entre ces deux pôles. Il y en eut certainement, la Direction se plaignant parfois des décisions imposées de l'extérieur, mais au total les rapports semblent avoir été corrects. De même les archives semblent livrer les preuves d'une bonne entente entre le Directeur Général et son Sous-Directeur (et futur Directeur Général) V. Pêcher.

C'est de toute façon au bas de l'échelle que se déroulèrent les seules épreuves de force que nous connaissons. Les employés n'apparaissent pas comme fauteurs de troubles. Bien sûr leurs salaires étaient très largement supérieurs, et de plus ils étaient sous contrat... Par contre, au niveau des ouvriers, les extrêmes disparités, tant dans les salaires que dans les statuts, ne pouvaient qu'entraîner des tensions, surtout au service « Transports », le plus lourd.

Historique des grèves

Le 10 mars 1919 éclata au Caire une série d'émeutes. Le 11 mars les tramways du Caire étaient en grève et le dimanche 16 mars, la grève débuta aux chemins de fer de l'Etat. L'Egypte affrontait le premier des grands mouvements qui devaient perturber sa vie politique et sociale au XXème siècle.

Au départ, la Société d'Héliopolis parut épargnée. Le « métropolitain » circula normalement, et les tramways ne durent s'interrompre en partie que durant une dizaine de jours à la suite de l'arrêt des Tramways du Caire dont il fallait emprunter les lignes. Il y eut, semble-t-il, pourtant, des tentatives de pression. Dans la nuit du 22 au 23 mars les cables électriques reliant Choubrah à Héliopolis furent sabotés. Néanmoins l'ensemble du personnel fut fidèle à sa direction.

Mais, à partir du mois d'avril, la compagnie fut gagnée à son tour par l'agitation, et, le 20, la grève fut générale. Entre temps la direction avait préparé des positions de repli: la grève ne dura que neuf jours... contre plus d'un mois dans la plupart des autres sociétés. Il est vrai que, de toute façon, le grand mouvement tirait alors à sa fin en Egypte: la grève générale déclarée officiellement le 17 avril prit fin à partir du 23, à la suite de la démission du gouvernement.

Mais le phénomène ne devait pas s'arrêter là. Le 12 août 1919 la grève reprit. Celle-là fut dure. Le Métro fut bloqué, ainsi que les tramways. Les usines ne cessèrent pas de fonctionner, mais à un rythme extrêmement réduit.

Il fallut faire intervenir le Gouverneur du Caire, car les tensions dégénérèrent souvent en violences. La compagnie assura au bout d'une semaine un service réduit de métro avec l'aide des receveurs, et certains des ouvriers non grévistes furent molestés. La force nouvelle du mouvement tenait dans la création d'un Syndicat qui permit de tenir tête à la Direction.

Finalement, avec l'intervention de l'Etat et la satisfaction limitée donnée aux revendications, cette seconde grève s'acheva le 17 septembre. Ce fut la seule qui secoua sérieusement la Société.

Mais les tensions ne prirent pas fin pour autant. Tout au long du reste de l'année, des grèves larvées apparurent. Les 17 et 18 avril 1920 une nouvelle grève générale éclata. Là encore l'intervention du gouverneur du Caire parvint à stopper le mouvement.

A partir de là, et pendant près de trois ans, la situation resta tendue et conduisit le gouvernement à prendre des mesures sévères, la dernière étant la parution de la loi du 9 septembre 1923 sur la grève condamnant à de lourdes amendes tout fauteur de troubles (11).

La période 1919-1920 se marque donc par une montée des violences à l'abri de laquelle aucune entreprise ne se trouvait, et la violence est ici révélatrice des défauts de structures.

Revendications et résultats

Le durcissement de la situation transparaît dans le durcissement des revendications, et, à travers elles, une certaine politisation du mouvement peut être analysée. Tandis qu'au début, les revendications étaient exclusivement corporatistes, celles du mois d'août sont nettement plus générales. Ainsi l'article 12 des revendications du personnel précise que « toute demande d'engagement du personnel devra être au préalable adressée au Syndicat » (12).

En avril les ouvriers de la compagnie demandaient la réduction du travail à 8 heures par jour, une augmentation de salaire, une indemnité supérieure en cas de maladie, le libre parcours sur tout le réseau, et une indemnité en cas de renvoi. La direction donna une suite favorable dans l'ensemble : réduction de la journée à 8 heures 30 pour les transports, un abonnement gratuit sur une ligne, dix pour cent d'augmentation, une augmentation de l'indemnité maladie et la couverture totale du salaire en cas d'accident de travail (13).

Dans l'ensemble, le personnel parut satisfait. Mais le service des transports (ayant constitué le syndicat) se montra de plus en plus exigeant. Au mois d'août les revendications dépassèrent largement le cadre primitif : augmentation des heures supplémentaires, augmentation « d'au moins 30 % du salaire actuel », indemnité à la famille en cas d'accident de travail, retraite, augmentations annuelles indexées, et surtout création d'une Commission dans laquelle le Syndicat serait représenté pour la discipline et l'embauche. Enfin « tout personnel engagé par la Société après cinq années de service régulier à la journée doit être passé au mois » (art. 13).

Le problème posé par ces revendications n'était pas tant leur coût, car la Société en accepta une bonne part, que la façon dont elles étaient présentées. En aucun cas la Société ne voulait discuter exclusivement avec un Syndicat, d'autant qu'il est vrai que les représentants de ce syndicat ne faisaient pas partie du personnel... Quoi qu'en ait dit la Direction (14) l'existence d'un Syndicat, capable de réunir les ouvriers, qui — illettrés pour la plupart — ne pouvaient se défendre, remettait en question sa politique. Et le durcissement de la direction répondit à cette initiative.

Du coup les violences se firent fréquentes (15), et la Société mit sur pied un véritable service de renseignements, dont on trouve la trace dans les archives, pour ficher les divers « provocateurs ».

Finalement la direction accepta de négocier sur des bases que les ouvriers furent forcés de reconnaître : réduction à 8 heures 30 pour tous les services, augmentation des heures supplémentaires, création d'une indemnité de vie chère représentant 25 % du salaire pour les revenus entre 10 et 35 piastres, augmentation de l'indemnité maladie et création d'une caisse de retraite. En échange la Société refusa énergiquement toute échelle de salaire « contraire à tous les principes d'économie politique » (16), toute intrusion syndicale dans la vie administrative, et tout passage réglementé du salaire journalier au salaire mensuel. Enfin, ces concessions n'étaient accordées qu'au personnel dont la fonction avait un caractère permanent.

Après de nombreuses manœuvres pour intimider les ouvriers, tant du côté syndicat que du côté direction, ces contrepropositions furent acceptées et la Société put repartir. Les mouvements de grèves se soldaient — pratiquement — d'une façon extrêmement positive pour la plupart des ouvriers. Les agents obtinrent de plus un engagement écrit de la Direction concernant la reprise de l'embauche, et l'interdiction des révocations pour faits de grèves... interdiction que la Direction s'empressa de tourner ce qui déclencha les derniers incidents jusqu'en avril 1920. Malgré tout, les grèves aboutirent à un résultat moins corporatif : la création d'un « bureau d'enquêtes » pour les sanctions infligées aux ouvriers, sanctions qui furent sérieusement codifiées, avec possibilité d'appel. Ainsi en décembre 1919 deux « wattmen » furent suspendus par leur chef de service mais réintégrés après enquête. L'arbitraire qui présidait à toute la discipline interne avait nettement reculé.

Par contre, on ne peut qu'être frappé par l'absence d'écho profondément novateur des diverses positions syndicales. A aucun moment par exemple, la prédominance choquante de la langue ne fut attaquée. Si les plaintes d'ouvriers étaient rédigées en arabe et traduites au siège, les revendications syndicales étaient elles-mêmes rédigées en français. D'autre part la structure de l'entreprise ne fut jamais critiquée.

Politique

Pourtant l'écho politique de ces grèves ne peut être oublié. Nous avons insisté — à l'inverse des administrateurs de la société — sur l'aspect interne des mouvements. Cela nous permet en effet de faire ressortir les forces et les faiblesses de la structure de la compagnie. Force: la H.O.C. fut proportionnellement moins touchée que les Tramways du Caire et les autres entreprises comparables (qui furent immobilisées deux fois plus longtemps). De même les violences furent assez limitées, et le personnel resta dans son ensemble fidèle. Faiblesse: la stratification sociale qui est à l'origine des seuls heurts violents ou la systématisation des oppositions socio-confessionnelles qui n'eut pas toujours l'effet attendu.

Mais, bien sûr, de tels mouvements eussent été impossibles sans l'effervescence générale qui secoua alors le pays. Les dates coïncident exactement avec les grands mouvements qui se succédèrent entre mars 1919 et le mois de décembre de la même année, après l'arrivée de Milner en Egypte. La création d'un syndicat regroupant les travailleurs du service transport fait écho aux multiples syndicats qui apparaissaient alors pour mobiliser l'opinion. Quant au fait que ce furent les ouvriers subalternes qui s'agitèrent, il s'explique très bien par le fait qu'il s'agissait justement d'Egyptiens. Enfin une plainte comme celle de septembre 1919 dont nous avons fait état ne peut s'expliquer que dans le climat extraordinairement œcuménique qui a sous-tendu tout le mouvement nationaliste. La société d'Héliopolis fut donc en butte comme toutes les autres au réveil du nationalisme égyptien. Coloniale dans sa structure, centralisée et hiérarchisée comme toutes les entreprises européennes, elle dut, alors, affronter les mêmes problèmes que toutes les sociétés étrangères, même si les conditions de travail qu'elle offrait étaient nettement meilleures, et si le tableau que nous avons dressé nous permet de nuancer quelque peu l'image simpliste que l'on donne parfois de l'exploitation coloniale (17).

2.3. L'ARGENT

2.3.1. Structure financière: Les Pouvoirs

Si l'entreprise coloniale n'est pas synonyme d'exploitation brutale, elle n'en est pas moins, dans sa forme comme dans ses buts, d'origine capitaliste. Mais, là aussi, la Société d'Héliopolis pose des problèmes. En effet l'ampleur prise par l'affaire a exigé la mobilisation d'énormes capitaux pour effectuer les infrastructures nécessaires. Dans ces conditions, la rentabilité immédiate que l'on aurait pu espérer d'une simple affaire de spéculation foncière a été impossible. Pour comprendre les mécanismes il nous aurait fallu remonter à l'ensemble du groupe Empain, chose irréalisable ici. Il s'est donc agi surtout de présenter l'édifice financier et de signaler les problèmes.

Une puissance financière

Le premier capital émis — en 1906 — était de quinze millions de francs-or, dits au pair, à parité fixe avec la livre égyptienne. Il était représenté par 60 000 actions de 250 francs chacune. Ces actions furent intégralement souscrites par vingt deux personnalités ou groupes. Par la suite (15 mars 1907) ce capital initial fut doublé et porté à 30 millions. Cinq ans plus tard (26 février 1911) il fallut encore le multiplier par 3,33 en le portant à 50 millions. On dut une dernière fois l'augmenter en 1920 en le portant à 52 625 000 francs.

Les rapports de la compagnie parlent eux-mêmes de « l'importance (l'énormité?) des capitaux ainsi investis » (18) et les contemporains furent très sensibles au phénomène d'appels successifs de fonds, d'autant que la Société appelait la totalité des actions, à la différence de ce que faisaient bien des affaires de spéculation. Il faut voir bien sûr dans cette soif de capitaux une preuve de plus des difficultés que rencontra l'entreprise, et les rapports diplomatiques ne se firent pas faute de le noter : « le capital social étant absolument insuffisant pour une entreprise de cette envergure... la société se trouve maintenant acculée à la nécessité de faire appel au crédit public » (19). Il est certain que ces augmentations successives n'étaient pas prévues au départ. Un rapport financier en date de 1954 précise que « dès 1907 le capital dût être doublé » (20). Les raisons nous importent peu ici. Le résultat par contre est assuré : la H.O.C. n'est pas une simple filiale aux capitaux très secondaires.

Il n'est pas question de comparer les sommes ici investies avec les grandes opérations financières dans lesquelles l'Europe s'engage alors dans l'empire ottoman : rien à voir avec les engagements consentis pour le Bagdad Bahn ou les emprunts turcs. Mais il ne s'agit pas d'emprunts. Il s'agit d'un capital engagé dans une affaire immobilière... Sur ce point il devient tout à fait possible de la comparer avec les grandes compagnies européennes. Si la H.O.C. ne dispose pas bien sûr de grandes capacités financières (comparable à celle des banques) (21), son capital nominal la place parmi les importantes entreprises industrielles. N'oublions pas qu'en 1914, en France, seule la Compagnie de Suez dispose d'un capital nominal dépassant cent millions de francs. Les grandes affaires françaises : Société des aciéries de Longwy (de Wendel), Société Schneider, Compagnie générale d'Electricité n'atteignent pas ce chiffre. Certes la France reste sur ce plan loin derrière les entreprises américaines ou allemandes. Il n'empêche qu'avec un capital de 50 millions de francs-or, la Société des Oasis ne peut absolument pas être négligée (22).

On peut vérifier ce fait, de façon précise, en la comparant aux autres sociétés anonymes à actions travaillant en Egypte. Si l'on tient compte du capital permanent (capital nominal et obligations) elle se situe parmi les dix plus grandes entreprises, loin derrière Suez mais devant la Société des Raffineries et Sucreries d'Egypte ou l'Anglo Egyptian Bank : sixième rang par l'importance de son capital nominal et huitième en tenant compte des obligations (23). Parmi les sociétés immobilières (qu'il s'agisse d'investissements en milieu rural ou urbain) la Société se trouve placée au premier rang. Par les capitaux qu'elle a exigés, la H.O.C. a enfin pris place parmi les toutes premières entreprises du groupe Empain qui dans l'ensemble ne dépassent pas les 20 millions de francs chacune ; la Société Anonyme des Tramways du Caire — considérée comme essentielle — n'a un capital que de dix millions de francs.

Sous-estimer l'importance de la Société d'Héliopolis serait donc une erreur. Malgré le fait que son influence ait été relativement circonscrite, elle représente néanmoins une grande puissance financière, d'où la nécessité absolue, pour le groupe dans son ensemble, de la sauvegarder, et d'en garder le contrôle.

Participants et Pouvoirs

Il nous a été à peu près impossible, dans l'état de nos sources, de définir clairement comment s'est réparti le capital appelé. Il est juste possible de faire ressortir — à partir du premier acte d'association et d'une série de renseignements divers — quelles furent les principales parties prenantes.

Lors de la création de la Société, sur 60 000 actions, près de 33 000 revenaient directement ou indirectement à Empain. Au Caire même, la finance égyptienne n'était représentée que par Boghos Pacha Nubar, lequel ne possédait que 2 600 actions. Il est probable par ailleurs qu'un bon nombre d'actions furent écoulées par la suite sur les places du Caire et d'Alexandrie (sans doute — d'après des rapports de 1929 — dans les 5 000) mais l'ensemble est resté réduit.

L'avantage que tirait la Société de son ancrage international était une assez grande sûreté dans le recouvrement du capital, et cela se fit nettement sentir lors de la crise de 1907 et après. Il est néanmoins difficile de connaître la répartition du portefeuille entre les divers Etats européens. En octobre 1906 Valdrôme écrit au ministre des affaires étrangères, Pichon : « une partie notable des capitaux importés en Egypte provient, paraît-il, de l'épargne française, bien qu'elle soit offerte le plus souvent par l'Allemagne et la Belgique » (24). Il est en tout cas certain, comme l'écrivait un journal égyptien, « que le public boursier d'Europe s'intéress(ait) à la géniale création du baron Empain » (25). Outre la finance belge évidemment représentée — la Grande Bretagne était partie prenante, mais nous n'avons pu savoir jusqu'à quel point, les transactions s'opérant par le biais de la National Bank of Egypt. Néanmoins, dans l'acte initial, les Britanniques sont représentés par cinq financiers, dont un seul vivait au Caire. Il est vrai qu'ils ne possédaient qu'environ 3 000 actions.

Finalement, en dehors des capitaux belges, ce sont les français qui furent certainement mis le plus à contribution. Au départ la Banque de Paris et des Pays Bas n'était qu'à peine représentée (640 actions). Mais les notes à usage interne que nous avons pu consulter pour les années suivantes la font apparaître comme un des principaux correspondants. Il est certain, en tout cas, qu'après l'absorption — en 1911 — de la Société Française d'Entreprise en Egypte la part des capitaux français devint importante. D'autre part Paris eut de plus en plus tendance à devenir le pôle de décision de toute la gestion financière. La banque Bénard et Jarislowsky eut très souvent à gérer de fortes sommes au nom de la Société des Oasis. Tout cela reste difficile à évaluer, mais l'origine européenne de la majorité des fonds paraît indéniable.

Il n'empêche que, quelle que soit la répartition des capitaux, le pouvoir est resté de façon absolument continue aux mains d'Empain. Lors de la tentative de rachat de la H.O.C. par les Allemands, les banques françaises et anglaises voulurent forcer le conseil d'administration à accepter les conditions proposées, mais Empain à lui seul put faire échouer la tentative (26). Il est vrai qu'à l'origine il disposait en son nom propre de 10 120 actions, son frère de 4 000, et des sociétés liées à son groupe (Société des Tramways du Caire) (Société des chemins de fer économique etc...) en détenaient encore 19 040. Cela ne signifie pas qu'il gardait en portefeuille l'intégralité des actions souscrites, mais — s'il se réservait de les écouler sur le marché financier au moment d'une hausse des cours — il restait néanmoins propriétaire de la majorité des « parts de fondateur » réparties au prorata de la première souscription et donnant le pouvoir réel et d'énormes avantages en cas de dissolution de la Société (27). Il y eut ainsi une continuité du pouvoir, continuité d'autant plus importante que la H.O.C. n'était pas une Société totalement indépendante.

Le Contrôle

Il est impossible de dresser la liste de toutes les sociétés anonymes par actions que contrôlait Empain. Nous pouvons seulement — tant qu'aucune étude générale ne sera publiée sur le groupe — restituer l'ensemble égyptien dans son contexte. En 1905 le groupe Empain est déjà — nous l'avons signalé en introduction — un des premiers d'Europe avec un domaine d'activité qui s'étend de la Russie à l'Espagne, et jusqu'à la Chine.

La nouvelle entreprise est néanmoins originale. Il ne s'agit pas d'une filiale de la « Compagnie des Chemins de Fer Réunis », centre belge de la fortune. Par ses caractéristiques originales, et par l'importance des capitaux mis en jeu, il s'agit d'une société à part entière qui est gérée de façon indépendante et doit — à ce titre — être rentable. Ce n'est que plus tard que la H.O.C. sera considérée au même titre que d'autres sociétés et gérée par des « administrateurs-délégués ».

Mais cela ne signifie pas une absence totale de liens. Si nous ne trouvons aucune trace de contrôle de la part d'une des grandes entreprises belges d'Empain, la Société est par contre intégrée au groupe par le biais de la Banque Ed. Empain de Bruxelles. C'est ce lien direct à la banque (fondée en 1881 et devenue plus tard Banque Industrielle Belge) qui explique que toutes les décisions soient prises de Bruxelles.

Ce phénomène est essentiel : La Société des Oasis fut dès sa fondation agrégée à un véritable holding. Alors que l'on a, aujourd'hui encore, tendance à négliger, voire à condamner, le banquier, « non point pionnier mais suiveur » (28), l'exemple d'Héliopolis montre que, dans le développement d'entreprises industrielles, Empain a su se servir de la puissance colossale des banques pour le drainage de l'épargne.

A une époque où, pour beaucoup, l'activité bancaire se réduisait au commerce de l'argent, Empain avait compris le rôle que devait jouer la « haute banque » dans les affaires industrielles : elle était le régulateur financier des sociétés dont il était l'animateur.

Ce lien à la Banque est donc un lien direct existant entre la Société des Oasis et le cœur du complexe financier d'Empain. Vu l'importance des capitaux en jeu, la banque permet d'assurer l'avenir, à travers toutes les crises passagères. Mais il ne s'agit pas de compensation sur pertes, sauf exceptionnelles. Il s'agit seulement de pouvoir, le cas échéant, aider dans un passage difficile. Ainsi, non seulement la société dut accroître son capital, mais il fallut encore en 1910 et 1911 émettre pour 15 millions de francs d'obligations. Il semble bien que, dans les conditions de méfiance déjà analysées, seule la Banque Empain put se charger d'un tel fardeau (29).

A une époque de faillites généralisées en Egypte, l'entreprise d'Héliopolis se trouva donc en position de force. C'est sa structure qui lui permit d'appeler des capitaux jusqu'à ce que la période d'exploitation soit atteinte. Contrôlée par une banque, elle était protégée — en amont — par l'ensemble du réseau des entreprises Empain. Cela nous interdit de saisir l'ensemble des rouages de la gestion. Il faudrait pour cela se situer au niveau de l'ensemble des activités du groupe. C'était hors de nos capacités, et nous aurions dépassé très largement les limites de notre étude.

2.3.2. Structure financière : Les Filiales

Complexe en amont, la structure financière de l'Héliopolis Oases Company ne l'était pas moins en aval. Nous avons affirmé que cette société n'était pas une simple société secondaire du groupe Empain. On peut en chercher la confirmation dans un rapide tableau de ses filiales. Car il y en avait de nombreuses, liées non pas à l'ensemble du groupe, mais exclusivement à la H.O.C. Même si la politique qui explique leur création est celle — beaucoup plus générale — que menaient partout les grands industriels, leur gestion était liée — de même que leur existence — à la réalisation du complexe urbanistique d'Héliopolis. Il existait tout un réseau de filiales qui avait un double objet : drainer des fonds supplémentaires, et assurer la sécurité de la société-mère contre les défaillances toujours possibles. Leur intégration dans l'ensemble relativement indépendant de la Société des Oasis se faisait par le biais d'une prise de parts majoritaires dans le capital nominal de chacune.

Le Réseau

Si la H.O.C. fut fondée officiellement en 1906 le projet de création des Oasis date, nous l'avons vu, de 1904 et l'achat des terrains ainsi que l'acte de concession furent signés en mai 1905. Or en août de la même année fut créée à Bruxelles la « Société Anonyme des Travaux Publics du Caire », destinée à travailler à Héliopolis. C'est dire que la politique de création de filiales par Empain était largement préméditée. La constitution de filiales permettait de compenser les risques, en accentuant encore la politique d'assurance que nous venons d'étudier.

Immédiatement après, furent créées de nouvelles filiales : en mars 1906 la « Société Anonyme des Terrains du Caire et de sa Banlieue » ; en avril 1906 la « Cairo Suburban Building Land Company » ; en 1907 la « Société française d'entreprises en Egypte ». Puis ce sera la création en 1908 de l'« Egyptian Mail Steamship Company Limited », et en 1909 de « l'Héliopolis Palace Hotel du Caire ».

De toutes ces sociétés, la H.O.C. possédait en portefeuille une part importante des titres. Et la répartition du portefeuille de ces sociétés filiales accentuait leur interdépendance. Ainsi la Société des Travaux Publics du Caire avait-elle en portefeuille les titres suivants : Société des Terrains du Caire..., Cairo Suburban..., Egyptian Mail..., Société Française d'Entreprises... et Héliopolis Palace... (30). Le système était donc volontairement clos sur lui-même. Dans certains cas, les fondateurs n'étaient pas directement liés à la famille Empain, mais on les retrouvait toujours au Conseil d'Administration d'Héliopolis. Ainsi en fut-il de la Société des Terrains du Caire, fondée par François Rom, Maurice Dutilleux et Frédéric Jacob Fils, tous trois collaborateurs d'Empain en Egypte.

Le fait que ces créations aient été en bonne partie réalisées en même temps que s'organisait la H.O.C. ne doit pas nous induire en erreur. Il s'agit bien d'une société-mère et de ses filiales. Nous pouvons en chercher la vérification dans leurs durées de vie. La plupart de ces sociétés ne vivront que le temps d'aider la société-mère à se sortir d'affaire et d'apporter des capitaux frais. Ainsi la Société Française d'Entreprises fusionnera le 8 mars 1911 ; la Société des Terrains du Caire et de sa Banlieue se dissoudra en 1920, et en 1920 encore — la Société des Travaux Publics verra son actif transféré à la H.O.C., contre cession de 10 500 actions de capital de cette dernière. L'Héliopolis Palace sera liquidée en 1927. Quant à l'Egyptian Mail Steamship elle ne vivra que pour peu de temps. Son exemple permet de vérifier d'ailleurs le fonctionnement de l'ensemble puisque son échec n'affecta pas du tout les autres entreprises.

Très exceptionnellement, Empain mit parallèlement à contribution d'autres entreprises de son groupe pour renforcer Héliopolis. Ainsi la Société des Tramways du Caire (fondée en mars 1895) créa-t-elle en 1906 une filiale, la « Cairo Public Motor Car Services Company » qui fut elle-même partie prenante dans plusieurs filiales de la H.O.C. et dans la réalisation de la ville. Mais c'est le seul cas d'une filiale du groupe, travaillant à Héliopolis sans être filiale de l'Héliopolis Oases Company. Dans tous les autres cas, le contrôle n'est effectué que par cette dernière société. D'autre part, toutes les filiales ont en commun d'aider exclusivement au développement de la cité. La seule qui fit faillite avait d'ailleurs une mission particulière. Il s'agissait d'établir une liaison directe entre Marseille et Alexandrie assurée par deux navires luxueux : le « Cairo » et l'« Héliopolis ». C'est sur ce bâteau que se déroula le voyage publicitaire que nous avons cité plus haut. L'échec de la ligne fut sans appel. Mais les capitaux d'origine anglaise engagés dans cette affaire furent seuls à essuyer d'assez lourdes pertes...

Les Fonctions

Ce dernier exemple nous permet de définir les deux premières fonctions des filiales : appeler des capitaux nouveaux d'origine variée et effectuer des travaux que la Société ne pouvait pas toujours prendre intégralement à sa charge. A cela s'ajoute bien sûr l'intérêt juridique (indépendance en cas de faillite) qui recouvre en partie l'avantage plus général de la répartition des risques.

En effet les nouvelles sociétés se chargeaient, sous leur propre responsabilité, d'effectuer d'importants travaux d'aménagement. Ainsi la Société des Travaux Publics a-t-elle loti, outre l'hôtel, quatre vingt dix immeubles et soixante trois villas. C'est grâce à ce système qu'Héliopolis a pu naître : il est de fait qu'en 1910 le capital avait été entièrement absorbé par la construction du chemin de fer électrique, de l'usine d'électricité, des routes etc... On pouvait se demander comment la ville elle-même surgirait : « Voilà... une société au capital de 30 millions qui n'a pas encore atteint son but de construire une ville nouvelle mais qui, d'ores et déjà, a épuisé la presque totalité de son capital social à doter l'emplacement de la future ville, d'eau, de lumière, d'égouts, de rues, et à la relier par une voie de communication coûteuse à la population qu'il s'agit de déplacer. Il est peu vraisemblable que ce qui reste de son capital initial permette de faire face... à la nécessité absolue de construire des immeubles » (Ribot, (31)). Ce furent justement les filiales qui apportèrent l'argent frais : « Bien que le capital de la Société d'Héliopolis ait été porté de 15 à 30 millions, elle n'aurait pu, par ses seuls moyens exécuter son programme. Elle a en conséquence créé des filiales qui se chargeront contre certains avantages de l'exécution d'une partie de ce programme » (32).

Il est néanmoins difficile de chiffrer exactement l'apport des capitaux ainsi obtenus. L'importance en capital nominal de chacune de ces sociétés fut très variable. La société des Travaux Publics avait un capital de 6 millions de francs; la Société des Terrains du Caire représentait — à partir de 1908 — un capital de 4,5 millions et l'Héliopolis Palace de 4. La seule société de capitaux égyptiens, la Cairo Suburban avait un capital de 160 000 LE soit 4 147 680 francs. Les capitaux étaient diversement placés en Belgique, en Angleterre, ou en Egypte même. Seule, l'Egyptian Mail fut spécifiquement créée pour attirer un financement britanique. Quant à la Société Anonyme Française d'Entreprises en Egypte, elle eut pour objet de contourner la fermeture du marché français. Ce n'est donc pas un hasard si elle fut la seule à disposer d'un capital important de 20 millions de francs. Les deux fondateurs en étaient d'une part André Berthelot qui travaillait au métro parisien avec Empain et usait de tout son poids auprès du Ministère français, et d'autre part l'architecte Marcel, qui fut un des deux architectes d'Héliopolis.

Mais il est extrêmement difficile de tirer de ces chiffres une évaluation sérieuse de l'apport réel en capitaux. Ainsi la Société Française — constituée de 20 000 actions ordinaires donnant droit à 25 000 « parts bénéficiaires » (33) — voit 12 000 de ces actions souscrites directement par la H.O.C. qui détient la majorité des titres. Finalement un rapport de l'Ambassade de France, en date de 1911, estime à 5 millions de francs (et non 20) les titres placés par ce système en France, par l'intermédiaire de la Banque de Paris et de Pays Bas et de la Banque Française pour le Commerce (34).

L'apport réel en capital serait donc très inférieur à l'apport nominal. On peut en prendre un second exemple avec la Société Anonyme des Terrains du Caire, dont le capital est représenté par 60 000 actions. Sur ces 60 000, 30 000 reviennent à la H.O.C. contre apport de 20 feddans de terrains à bâtir à Héliopolis. L'apport en capital réel est donc ici certainement inférieur à 1,5 millions. Il en va de même pour les autres sociétés. Du coup aussi, les augmentations en capital dues aux absorptions de filiales sont difficilement mesurables. Ainsi la grande augmentation de 1911 vient de la fusion avec la Société Française dont la H.O.C. détenait déjà l'essentiel du capital. Il ne faut pas surestimer la fonction financière. Importante elle le fut certainement, mais peut-être pas essentielle.

Il est vrai que l'existence de filiales avait un dernier avantage pour la société-mère. Dans l'évaluation des ventes de terrains et d'immeubles faite chaque année par la Société d'Héliopolis, il n'était pas donné au public et aux actionnaires de précision. L'existence de filiales permettait donc — surtout durant les premières années — de donner l'impression de ventes, même si ces dernières ne correspondaient qu'à un transfert de propriété. L'établissement d'une carte (Planche 3 : Vente aux filiales) permet de vérifier ce point: nous avons représenté la superficie totale vendue en 1908, mais en faisant apparaître les ventes effectuées au profit des filiales et les ventes réelles aux particuliers. Une vingtaine de parcelles seulement ont été ainsi vendues et encore les deux plus importantes le sont-elles à Empain et Boghos Nubar. Cela explique, entre autres, que du jour où les ventes réelles se développèrent la Société récupéra l'avoir de ses filiales. C'est aussi la raison pour laquelle la compagnie se livrait à des amortissements sur les titres de filiales qu'elle détenait dans son portefeuille : elle les amortissait au même titre que les terrains.

Un Ensemble

L'ensemble de cette analyse nous permet de replacer en aval la H.O.C. comme nous l'avons située en amont. Raccrochée à un holding, elle forme quant à elle une véritable entreprise de concentration horizontale. La présence des mêmes hommes, dont Empain, dans tous les conseils d'administration contribue à unifier les politiques suivies. Du même coup, pour connaître, à chaque période, la situation précise de la société-mère, il faudrait connaître exactement la situation des filiales. Cela s'est avéré impossible, néanmoins on peut insister sur l'ensemble ainsi formé et sur son importance financière. Les observateurs avaient quelque raison « de se demander à quelle époque ces énormes capitaux (pourraient) commencer à être rémunérés, si c'était jamais possible » (35). Un capital de plus de 60 millions de francs-or fut engagé dans une réalisation qui était certainement d'un rendement beaucoup moins assuré que s'il se fut agi de simples emprunts d'Etat, du moins pouvait-on le penser avant-guerre (36). Il est vrai

42

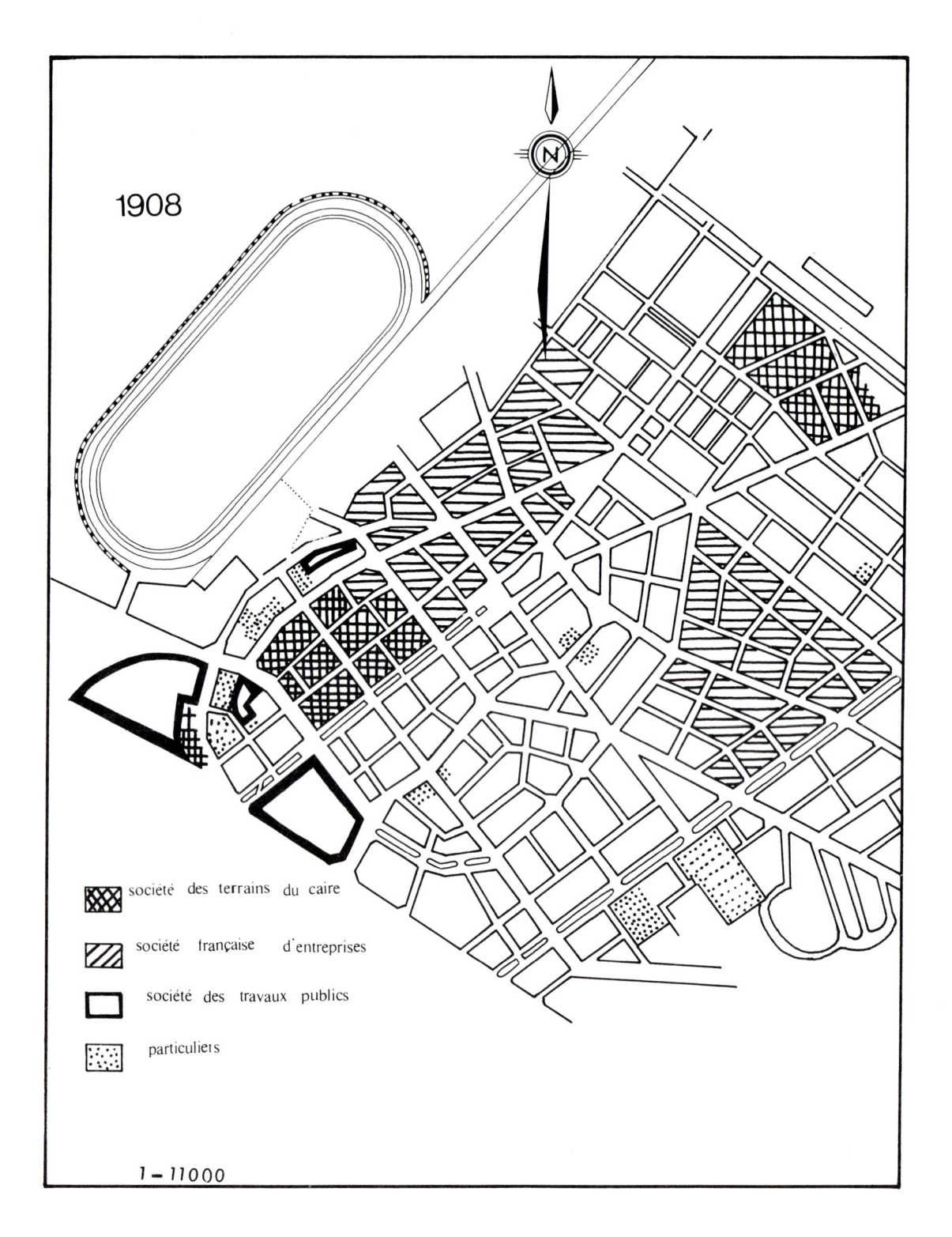

Planche 3 — Vente réelle et vente aux filiales

que la structure mise en place permettait de diviser les risques et que le lien direct à la banque centrale de l'organisme pouvait permettre de franchir les difficultés passagères.

2.3.3. Bénéfices et profits

L'ensemble de l'analyse que nous venons de mener explique la solidité que nous dirons structurelle de l'entreprise, solidité qui lui permit de traverser la succession de crises que nous avons signalées. Cette force lui permit aussi d'attendre que l'on atteigne la période d'exploitation. Dès 1911 apparurent des revenus réguliers qui petit à petit augmentèrent au même rythme que l'accroissement de la ville. De ce jour il y eut, sous une forme ou sous une autre, des bénéfices. Très théatralement, Edouard Empain fit procéder en 1912 à une première distribution de dividendes... Réponse aux critiques, qui d'ailleurs ne fut suivie d'aucune autre pendant dix ans... Mais les bénéfices sur exploitation persistèrent ; malgré les guerres balkaniques, la stagnation économique de l'Egypte et la guerre mondiale, la société consolida — par amortissements et réserves — sa situation financière (37).

Aussi, lors de l'Assemblée générale ordinaire du 15 mai 1923, le rapport du Conseil d'Administration estime-t-il que la Société « est entrée en régime de rendement normal ». On précise alors que la Société d'Héliopolis doit être assimilée « à une compagnie minière ... qui ... comporte une période de premier établissement durant laquelle les actionnaires abandonnent le dividende annuel afin de le capitaliser en installations dont ils recueilleront plus tard le revenu ». Il aura donc fallu à la H.O.C. près de dix huit ans pour devenir « rentable ». Cette durée est à la fois longue — si l'on tient simplement compte du projet initial —, et brève si on compare les résultats obtenus avec ceux de la plupart des entreprises qui lotirent de telles superficies.

Les petits porteurs

Pour l'épargnant moyen le placement en emprunts d'état avait en général pour avantage — outre une apparente sécurité (pas toujours si évidente ...) — des rendements fort élevés. Or, dans le cas de la Société d'Héliopolis, il fallut attendre de longues années avant qu'un dividende n'apparaisse. Bien plus, la forme prise par la gestion semble avoir conduit à immobiliser pour une longue durée d'importants capitaux. Outre que cela signifiait une grande confiance dans la stabilité politique du pays, cela voulait dire que les actionnaires acceptaient que la plus grande partie des bénéfices réalisés fussent consacrés à compléter l'aménagement du domaine, au lieu de leur être distribuée.

Bien sûr, entre la faillite — qu'aurait sans doute entraînée une autre politique — et des capitaux momentanément non rentables il n'y avait pas à hésiter. De plus, dans le cas d'une société par actions dont les titres sont cotés en bourse, la gestion menée aboutissait à consolider la situation financière, et, par-même, à faciliter la négociation des titres sur le marché.

Le silence des actionnaires devant la rétention effectuée par la direction, et les réserves accumulées, ne peut s'expliquer qu'ainsi : ce qui compte avant tout c'est la valeur d'échange du titre, et cette valeur est liée à la qualité de la gestion. On calcule non sur la rentabilité elle-même du capital placé, mais sur la plus-value spéculative d'une opération en bourse. Evidemment les cours ne seront stables que lorsque la Société paraîtra tirée d'affaire... En témoignent les énormes variations subies par l'action de l'Héliopolis Oases Company entre 1908 et 1925 à la bourse du Caire. L'action de capital à 250 F monte en 1910 à 278 F et en 1911 à 285. Malgré les travaux entrepris, malgré la distribution de dividendes effectuée pour rassurer la clientèle, cette action tombe alors en chute libre jusqu'à la guerre : entre 125 et 117 Francs, prix plancher qui témoigne du scepticisme qui régnait alors devant la stagnation des constructions particulières. Parallèlement les obligations émises ne trouvent que difficilement preneur et c'est la Banque Empain qui doit s'en charger. A l'explosion de la guerre, les cotations sont suspendues. D'après les allusions contenues dans les correspondances consulaires, une certaine confiance semble néanmoins revenir. Et à partir de 1919, la hausse sera extrêmement sensible. En 1928 le journal *l'Epargne* (Bruxelles) analyse ainsi la situation : « Voici une affaire qui — après avoir végété au début — a, depuis, grâce à des circonstances exceptionnelles, pris une envergure que des cours quintuplés reflètent de la façon la plus éloquente ».

Ainsi, bien que la Société d'Héliopolis n'ait rien eu d'une simple affaire de spéculation immobilière ou boursière, dont il se serait simplement agi d'écouler les actions, le petit actionnaire ne pouvait compter que sur ce type d'opération. Effectivement, même lorsque les dividendes seront devenus réguliers, ils resteront ridicules, si l'on tient compte de la dévaluation apparue entre temps. Il est évident que le portefeuille du petit actionnaire a eu plutôt tendance à perdre de la valeur : les francs des années 1914-1915 étaient des francs-or au pair égyptien : en 1920, obligations et dividendes seront payés au cours officiel... Le petit actionnaire qui a placé ses fonds dans la Société d'Héliopolis aurait certainement nettement mieux fait d'acheter des lingots, même si la Société — à la différence de beaucoup d'autres — a su traverser la dure période des crises et de la guerre.

Grands capitalistes et profits

Il reste que les promoteurs de l'entreprise qui avaient investi en elle des sommes considérables ne pouvaient se contenter de tels profits. Il a bien fallu qu'ils trouvent dans l'opération d'autres avantages. Nous avançons ici sur un terrain très délicat. L'absence d'archives privées nous interdit de saisir les rouages qui ont pu soutenir l'intérêt d'hommes que l'aspect esthétique de la réussite ne pouvait suffire à combler, vu l'énormité des enjeux. On ne peut d'autre part pas chercher de comparaison avec les grandes firmes multinationales actuelles dont le pouvoir échappe souvent aux actionnaires (techno-structure). Il s'agit d'une affaire dominée par un capitaliste et non par une direction plus ou moins indépendante. L'ensemble dans lequel la H.O.C. était intégrée permettait certainement des profits qui nous échappent : nous n'avons disposé ni des documents de la banque Empain, ni de ceux des filiales. S'il y a eu des opérations plus ou moins cachées, elles le sont restées pour nous... Les avantages que nous avons pu saisir sont ceux découlant de la gestion, il est probable qu'il y en eut d'autres.

Bien sûr la banque Empain, et Empain lui-même, ont spéculé comme tout actionnaire et tout propriétaire sur la ville et sur les titres. Divers souvenirs recueillis montrent Empain faisant vendre des actions au bon moment, mais aussi les rachetant lorsqu'une spéculation trop grave faisait s'écrouler les cours (38). D'autre part nous avons pu évaluer les propriétés personnelles du promoteur d'Héliopolis à 89 appartements ou villas en 1919, ce qui représentera près de dix ans plus tard une énorme plus-value (39). A cela s'ajoutaient encore les jetons de présence et autres rémunérations d'administrateurs, plus des avantages divers tels que la prime d'émission qui revenait à la banque centrale du groupe. Tout cela représente peu de choses au regard des bénéfices escomptés.

Un certain nombre d'indices peuvent pourtant nous mettre sur la piste d'autres avantages.

Parmi les premières choses qui frappent l'observateur de la comptabilité d'Héliopolis, il y a le fait qu'elle fut tenue — dès le début en double : livres égyptiennes au Caire, francs belges à Bruxelles (et, de plus en plus, francs français). Jusqu'à la guerre cela n'avait pas grande importance. Mais, avec la guerre, l'ensemble du système international se détraqua, et le calcul de change devint essentiel. Nous en avons une preuve dans une série de procès qui marquèrent l'année 1924 et dont la presse financière internationale se fit largement l'écho. Il s'agit du remboursement des obligations qui s'effectuait depuis 1923 au change officiel. La Société prit prétexte que les obligations avaient surtout été vendues sur la place de Bruxelles pour expliquer sa décision, et ce bien que l'obligation ait été négociée en francs-or. La chute du franc-belge consécutive à la guerre permit à la Société — bien que tout ait été investi en Egypte — de ne rembourser guère que la moitié du prêt et d'accroître ainsi ses capacités financières (40).

A partir de là, nous avons fait deux remarques :

1) sur le très court terme, le phénomène du change a pu rapporter d'assez fortes sommes dès 1914. Nous n'avons pu globalement chiffrer les opérations ainsi effectuées, mais il existe des traces — aux archives du Caire — de nombreux bénéfices au change (41). Ainsi, en décembre 1917, 1 500 000 francs sont transférés à Paris rapportant 130 000 francs. Du coup s'explique que, dans les produits et revenus nets de l'année 1921, le change représente 25 141 LE sur un total de 104 681. Ces chiffres ne sont plus négligeables : d'importantes masses d'argent liquide étaient en permanence transférées, en fonction des divers cours de change proposés. Ainsi s'expliquent deux choses : d'une part la docilité des banques intéressées dans l'affaire (Banque de Paris et des Pays Bas surtout), d'autre part le niveau très élevé du ratio de liquidité générale... La liquidité élevée assurait la solvabilité à court terme, mais aussi la possibilité d'affaires fort intéressantes ;

2) à long terme, l'écart croissant entre les cours de change permit de dissimuler une part non négligeable de l'actif. Effectivement on mit en place à partir de 1920 un bilan en livres égyptiennes. Si l'exercice 1920 comportait une conversion, ce ne fut plus le cas après. Or cela faussait grandement les évaluations contenues dans les bilans : le poste « change » à lui seul passa de 23 163 LE dans un projet de bilan refusé par Empain, à 11 892 (exercice 21) (42). Cette façon d'agir avait été jugée dangereuse par les conseillers financiers d'Empain qui considéraient « qu'un procès éventuel ne serait pas assuré » (43). Un bilan en livres égyptiennes seules était effectivement faux puisque les obligations, une grosse partie des disponibilités, et certains comptes débiteurs étaient en francs français, en francs belges, ou en livres sterlings. De plus calculer les actifs immobilisés aux taux de change d'alors n'avait pas de sens puisque c'étaient sur des francs-or qu'avaient eu lieu les estimations précédentes. Enfin si l'on remboursait les dettes en francs belges et non en francs-or ou en livres égyptiennes, il y aurait irrégularité du fait que les dettes étaient payables au domicile du siège, au Caire. Le tout entraînant un bénéfice au change pour une opération non réalisée.

Malgré ces mises en garde, le président du conseil d'administration fit transformer les bilans et affronta les procès qui en découlèrent. Il est vrai que — du coup — d'importantes sommes d'argent pouvaient être récupérées et réinjectées dans le circuit bancaire, sans pour autant toucher au capital.

S'il y eut d'autres opérations de ce type, on comprend que la H.O.C., tout en n'étant pas une affaire à haut rendement, n'en resta pas moins — en partie grâce à l'énormité des capitaux et à la politique suivie — intéressante pour les promoteurs.

A plus long terme encore, le mode de gestion choisi pouvait présenter des avantages. Sans doute les réserves plus ou moins légales, constituées durant les permiers exercices, ne pouvaient être de véritables sources de revenus. Elles étaient certainement réinjectées dans le circuit. Si l'on avait suivi la progression de la Société jusqu'à la fin il est fort probable qu'on les aurait retrouvées. De toute façon, nous avons vu que les besoins en financement étaient assez importants en eux-mêmes pour expliquer une capitalisation de ce type. Reste qu'une partie de ces bénéfices — non partagés entre actionnaires — a pu être renvoyée pour un éventuel partage entre fondateurs lors de la liquidation de l'affaire (44). Il est vrai que d'autres combinaisons étaient sans doute possible mais nous n'avons pu les mettre à jour.

Les avantages tirés à court terme de l'aventure — pour les grands capitalistes — sont donc liés à la gestion de l'affaire et à la structure du groupe. Des profits spéculatifs ou bancaires existèrent — de façon perceptible — dès 1914. Bien évidemment cette conclusion est fragile. Elle n'a rien d'exhaustif et laisse la place à bien d'autres explications... et à bien d'autres profits.

Cependant l'essentiel reste : entre 1920 et 1930 plus de vingt mille personnes choisirent d'habiter cette banlieue du Caire qui avait bien des caractères d'une ville. L'entreprise urbaine avait réussi. L'entreprise capitaliste aussi. Il fallait que les habitants viennent, que les services soient utilisés pour assurer les bénéfices. Cela nous conduit à dire que la Société d'Héliopolis — bien que typiquement capitaliste — n'a pas été avant tout une entreprise « de traite ». Ses capitaux, elle les a trouvés pour l'essentiel à l'étranger, et, certes, les bénéfices y sont très certainement retournés. Mais il ne semble pas y avoir eu drainage de fonds nationaux dans des proportions scandaleuses. Les revenus capitalistes furent assurés du seul fait que le Caire était un champ privilégié : le terrain n'avait rien coûté, les services étaient moins chers qu'en Europe. La création était possible. A cause de son coût, une réalisation de cette importance eut été beaucoup plus difficile de l'autre côté de la Méditerranée. Un cas comme celui d'Héliopolis permet, de plus, de montrer que profits bancaires et investissement productif n'étaient pas contradictoires. La banque couvrait les risques encourus et l'entreprise permettait à la banque de substantiels profits spéculatifs. Un fait nous semble assuré : en cette période de mise en place du capitalisme, banques, entreprises industrielles et grands projets publics pouvaient aller de pair, sans que cela signifie pour autant une ponction accrue dans le pays colonisé. Simplement une œuvre de ce type-là était plus facile à mener à bien dans les colonies, lorsqu'existait un marché.

Est-ce à dire que la compagnie d'Héliopolis n'avait rien de « colonial » ? Nous avons vu ce qu'il en était avec la structure sociale que reproduisait la Société... Au niveau financier, elle fut coloniale au sens où le sont aujourd'hui bien des « multinationales » : capitaux importés puis récupérés, bénéfices exportés, profits de transferts.

construire en plein désert

DEUXIÈME PARTIE

LA RÉALISATION URBAINE

Depuis la mise en place de la Révolution Industrielle, le problème de la ville n'a cessé de se poser en Europe. Philosophes, architectes et hommes politiques ont proposé toutes sortes de solutions à une crise du logement devenue, au fil des ans, de plus en plus insupportable. Taillant dans le vif, Napoléon III et Haussmann entreprirent d'adapter Paris en écartant du centre les logements populaires et en créant de grands axes. Beaucoup préconisèrent par contre de créer de nouveaux pôles mieux adaptés à la vie moderne. Les uns y parvinrent, comme en Angleterre le « Mouvement des Cités-Jardins », mais la plupart ne firent qu'imaginer les beautés de la ville idéale, « progressiste », d'où la misère et l'insalubrité seraient bannies... Au même moment, de l'autre côté de l'Atlantique, une société nouvelle adaptait à une situation nouvelle les modèles européens. Des villes se créaient dans les campagnes du Nord-Est, dans l'Indiana ou le Michigan. Mais ces entreprises n'eurent que très rarement de véritables promoteurs. Elles eurent des apôtres tel Arthur Penn à Philadelphie, et des patrons tel Pullmann...

Rien d'étonnant, dans ces conditions, que le mouvement ait atteint le Caire, entré dans l'ère industrielle avec Ismaïl et tenu en main par des Anglais préoccupés d'ordre et de salubrité. Le cas d'Héliopolis s'inscrit dans tout ce mouvement. Mais son originalité vient du fait qu'elle fut l'œuvre d'un promoteur qui s'inspira de tout ce qui existait alors, et dont le but fut en priorité d'obtenir d'importants profits.

Ce lien au grand capital est un fait majeur. Les cités ouvrières françaises et allemandes, les cités-jardins anglaises furent des réalisations ponctuelles de patrons ou de visionnaires. Nous venons de le voir : Héliopolis peut être approchée comme n'importe quelle entreprise... il est possible d'en étudier la structure et les bilans. Rien de commun entre elle et New Harmony — un des tout premiers exemples de ville créée, et rien de commun entre elle et la cité Krupp. Il s'agit en un sens du même but urbanistique, mais l'idéologie et la forme de la réalisation diffèrent en tous points.

C'est la raison pour laquelle nous avons étudié en première partie non la ville, mais l'entreprise. La plupart des monographies, pour la période 1830-1920, insistent sur les projets, à la rigueur sur les résultats. Mais on aborde ce sujet avec une totale ignorance du mécanisme de l'opération. Au fond l'extraordinaire, dans le cas d'Héliopolis, ce fut d'être une réussite urbaine et une opération financière. Il est possible que le lieu de l'implantation n'y ait pas été étranger : nous l'avons montré, les profits étaient plus assurés aux colonies. Il n'empêche que c'est bien le seul cas présentant cette unité... et pour un moment : en 1925 Ernest May ne parvint pas à réaliser son nouveau Francfort, les tentatives de Gropius échouèrent aussi, et les projets de Le Corbusier restèrent en carton.

A Héliopolis il n'y eut pas, c'est vrai, de grand créateur (d'où peut-être le silence total des livres d'histoire de l'architecture). Il n'y eut sans doute aucune œuvre géniale. Néanmoins la ville a été créée, elle a disposé de beaucoup plus de services que la plupart des autres cités, et elle a eu une unité architecturale évidente... Chaque jour — par son existence — elle atteste de la nécessité d'une gestion rigoureuse dans une telle conception.

Si donc nous avons pu convaincre de l'utilité de notre première partie, si nous avons su montrer qu'il n'y avait absolument pas deux problématiques divergentes, au contraire, et qu'il fallait passer par là pour analyser maintenant la création urbaine proprement dite, nous aurons réussi à nous mettre au niveau où se plaçait Empain : réaliser un rêve grandiose, mais avec un solide empirisme qui contraste avec les rêveries merveilleuses mais jamais réalisées de bien des théoriciens de l'urbanisme.

Aussi nous reste-t-il à étudier la création elle-même. Nous l'avons fait, en nous situant sur trois plans évidemment complémentaires, qui forment la trame de notre seconde partie : l'urbanisme, l'architecture et la vie sociale.

Nous avons tâché — dans ce travail qui se veut exclusivement monographique — de réduire au maximum la part de synthèse et d'étude comparative. La raison en est simple : le cas d'Héliopolis nous a convaincu que l'histoire de cette nouvelle forme d'urbanisme — colonial ou pas — reste en grande partie à écrire, sur des bases solides, et non pas à partir des utopies qui régnèrent à la fin du XIXème et au début du XXème siècle.

CHAPITRE III

FORMES DE LA VILLE

Avec la Révolution Industrielle et l'explosion démographique, le premier recours fut la banlieue. Les Anglo-Saxons — par réaction contre les concentrations urbaines souvent insalubres — optèrent pour la maison individuelle entourée de verdure, et « avant de devenir un cauchemar la banlieue fut un privilège » (1) ... Mais la prolifération pavillonnaire parut très tôt dangereuse. Il fallut penser à des moyens de limiter l'expansion désordonnée des villes, et deux grandes solutions furent proposées : la cité-satellite et la cité-jardin. Cette dernière devait être une « ville-verte » autonome et gérée communalement. La cité-satellite — bien qu'étroitement liée à une métropole — devait éviter le piège de la cité-dortoir. Il n'est pas évident que les divergences entre les deux modèles aient été aussi profondes qu'on l'a dit. Néanmoins l'opposition majeure devait tenir dans l'indépendance des centres. La cité-satellite — telle qu'elle fut définie par Taylor — (2) devait avoir certaines fonctions pour n'être pas seulement un lieu de repos nocturne. On devait pouvoir la traverser à pied et y trouver des activités. La cité-jardin devait par contre être un centre de vie et de travail. Il devait y avoir des possibilités variées de travail, sur place.

Mais les grandes cités-jardins furent proches des métropoles (Londres) et les villes-satellites eurent très tôt tendance à s'entourer d'une ceinture verte. Aussi ne pouvons-nous raisonner à partir de ces deux modèles opposés. Il nous faut essayer — à partir des fonctions assurées — de définir le rôle réel que put jouer Héliopolis. Mais il est certain que les promoteurs étaient tout à fait au courant des diverses expériences tentées en Europe et aux Etats-Unis. Dans la presse égyptienne de nombreux articles se faisaient — dès 1900 — l'écho des habitations économiques et des « cités-jardins », et c'est dans ce contexte qu'Héliopolis se développa.

C'est pour essayer de replacer clairement le plan de la ville dans cet ensemble de données que nous avons choisi d'étudier les diverses fonctions assurées, avant même d'étudier la réalisation matérielle.

3.1. UNE VILLE ?

3.1.1. Les fonctions quotidiennes

Pour saisir exactement la capacité d'autonomie d'Héliopolis — et donc pour pouvoir en évaluer le caractère strictement urbain — il faut étudier non tant quelques fonctions générales que la façon précise dont la vie quotidienne put être assurée. Dans une banlieue quelconque les services suivent la population et s'installent « à la demande ». Les services publics sont ceux de la métropole et en sont un prolongement. Nous avons déjà vu combien ils furent, ici, essentiels, assurés par la Société elle-même. La politique menée en ce qui concerne la totalité des fonctions que nous qualifierons de quotidiennes (des services publics aux commerces) est extrêmement instructive : elle permet de voir clairement jusqu'à quel point on pouvait vivre à Héliopolis sans recourir au Caire.

Services Publics

De tous les services publics, le plus important — dans le désert choisi — était celui de l'eau. On songea d'abord à creuser des puits artésiens mais on dut renoncer à trouver de l'eau dans le sous-sol d'Héliopolis même. Plusieurs possibilités existaient : soit travaux et exploitation seraient concédés à la Compagnie des Eaux du Caire, soit la Société effectuerait elle-même les travaux essentiels en concédant l'exploitation, soit — enfin — la totalité resterait à la charge de la Société d'Héliopolis. Après des hésitations (la décision finale ne fut prise qu'en janvier 1907) (3) il fut décidé que la Société aurait « grand intérêt à pouvoir régler elle-même ce service sans sujétion d'aucune sorte vis-à-vis d'une autre Compagnie ». Du coup l'exploitation de l'eau fut un service véritablement municipal. Il fonctionna en un premier temps à partir de deux grands réservoirs d'où était acheminée l'eau, puis par un captage sur la nappe phréatique du Nil, obtenu par des puits artésiens d'une centaine de mètres de profondeur. L'ensemble de l'énergie électrique nécessaire aux pompes et au refoulement était fourni par l'usine de Choubrah. Les services de la compagnie assuraient la mise en place des canalisations : une cinquantaine de kilomètres en 1922. La consommation qui, au début de l'exploitation, fut de 44 000 m^3 passa à 700 000 en 1914 et 1 800 000 en 1923. Les diverses publicités publiées ne tarissent pas d'éloges sur la qualité de l'eau distribuée (4), en oubliant que très rapidement le Caire fut branché sur la même eau. D'autre part, une analyse de 1911, restée confidentielle, mettait en garde contre les traces de nitrites « indiquant une contamination récente » (5). Néanmoins l'analyse bactériologique fut, peu après, favorable et le resta : l'eau put servir à l'alimentation. Quant à l'eau d'arrosage, ce fut le plus souvent l'eau de refoulement de l'usine électrique de Choubrah qui servit.

La distribution d'électricité comme celle de l'eau était assurée par la Société, qui fournissait le courant à des prix assez nettement inférieurs à ceux de la ville du Caire, d'autant qu'il y avait la possibilité d'obtenir des abonnements préférentiels pour les gros consommateurs et les appareils électriques (cuisinières, chauffe-bains, glacières) rares à l'époque. La plupart des circuits étaient aériens, à part les cables de haute tension venant de Choubrah qui étaient enterrés. La totalité du courant utilisé provint à partir de 1912 de cette usine, construite, on l'a vu, spécialement par la Compagnie. Ainsi la cité assurait à elle seule son alimentation pour ce qui concernait les deux services fondamentaux de l'eau et de l'électricité.

Il en fut de même pour les autres services essentiels. Ainsi les 40 kilomètres de rues furent macadamisés, munis de bordures et de trottoirs et entretenus par les soins de la Société. Le téléphone fut installé par les soins de la Compagnie du Téléphone, sous la direction de la Société ; jusqu'en 1930 il n'y eut pas de central, et Héliopolis fut reliée au Caire. Puis on construisit au centre de la ville un grand central qui fonctionna exclusivement pour Héliopolis. De même deux bureaux de poste fonctionnèrent à Héliopolis dès 1910, l'un rue de la Poste, l'autre avenue de la Mosquée. Le bureau central était même ouvert le Dimanche matin et assurait six levées journalières.

Quant au dernier service public — non moins important — que devait assurer la Compagnie : les égouts, il posa de nombreux problèmes. En premier temps on chercha à évacuer à Héliopolis même les eaux usées ; on créa à l'Ouest de la ville des lits bactériens avec champs d'épandage et fosse de décantation. Deux ou trois fois par semaine il fallait enlever les boues flottantes de cette fosse. On les déversait alors sur un terrain spécial pour les faire sécher. Un telle opération était à l'origine d'odeurs désagréables tout autour et parfois même — selon le vent — dans toute la ville. De plus, au sortir de la fosse septique, les eaux d'égouts étaient distribuées dans les lits bactériens et dégageaient encore une odeur fort importune. On planta des eucalyptus en double haie pour pallier cet inconvénient, mais cela ne suffit pas. Devant les plaintes réitérées (6), et surtout devant l'augmentation du volume des eaux (près de 600 m^3 par jour en 1912), il fallut trouver d'urgence des solutions. On tenta de faire évacuer à l'autre bout de la concession les boues de la fosse de décantation, puis on créa des puits de dispersion (puits perdus). Mais ils se colmatèrent. On opta alors pour la création d'étangs temporaires d'infiltration, mais le système avait pour résultats — outre les moustiques — l'existence d'étangs d'eau sale sur la route de Qubbah, ce qui n'était pas une excellente publicité pour Héliopolis. On dut se résoudre — à la fois au niveau gouvernemental et au niveau de la direction — à raccorder les égouts au réseau général du Caire qui s'était doté d'un collecteur en 1909. De ce jour, Héliopolis n'eut plus a souffrir de ses eaux usées. Mais elle y perdit un peu de son autonomie.

Services sociaux

Il n'empêche que la cité ainsi organisée peut apparaître aux yeux de l'observateur comme relativement indépendante du Caire. Fournissant son eau et son électricité, ayant son propre système d'évacuation (les fosses subsistèrent sous forme d'équipement de secours en cas de trop plein) elle ne pouvait être assimilée à un quelconque faubourg du Caire. La direction, veillant à ce que se développent certains services sociaux essentiels, accentua cette indépendance. Il fallut, pour ce faire, attendre plusieurs années. Mais, entre 1920 et 1930, Héliopolis pouvait disposer d'une structure largement suffisante pour sa population tant sur le plan scolaire qu'hospitalier ou religieux. Il n'y eut pas, avant les années 1930, d'enseignement secondaire assuré à Héliopolis. Mais les écoles primaires fleurirent. Leur nombre (23 en 1929) s'explique par la multiplicité des confessions, mais témoigne aussi de l'importance des choix offerts. On comptait alors pour les garçons deux écoles catholiques (toutes deux tenues par les Frères des Ecoles Chrétiennes) l'une gratuite, l'autre payante ; deux écoles grecques-orthodoxes (séminaire et orphelinat) et trois écoles musulmanes (dont deux du gouvernement). Ces dernières furent les plus longues à être créées. Pour les filles, il y avait le Pensionnat et l'Ecole du Sacré Cœur, l'Ecole Italienne, le Collège Notre Dame de la Délivrance, l'Ecole Notre Dame des Apôtres et une Ecole de filles du Gouvernement. Enfin, chaque communauté disposait d'une école mixte : anglaise, israélite, grecque-catholique, arménienne, américaine, etc... Ces écoles étaient le plus souvent liées à l'existence d'un lieu de culte, ou d'une Mission. Là aussi Héliopolis offrait le plus grand choix : cinq églises ou chapelles catholiques (dont la basilique, siège de l'évêché), une église grecque catholique, une copte-catholique, une maronite, un temple israélite, une église anglicane, une de la mission américaine, une grecque orthodoxe, une copte-orthodoxe, et une puis deux, puis — en 1930 — trois mosquées.

La direction de la Société favorisa de tout son poids ces créations, consciente qu'il pouvait y avoir là un frein dans le peuplement de la ville. Elle fit don des terrains, parfois déjà bâtis (ce fut le cas pour la cathédrale et l'évêché). Pour les écoles religieuses, le terrain ne fut vendu que symboliquement. Seules les écoles du gouvernement ne furent pas favorisées, on verra plus loin pourquoi. Toujours est-il que les établissements laïcs furent très rares. La situation topographique de ces diverses œuvres — qui permettaient à Héliopolis d'assurer la fonction essentielle de l'enseignement, fonction qui permettait à la plupart des familles de s'installer sans problèmes à Héliopolis — fut volontairement calculée. Nous l'avons fait ressortir sur la carte des fonctions (Planche 4 : Carte des fonctions). Elles se situent pour la majorité dans un axe Sud-Ouest-Nord-Est qui délimite de façon assez précise le quartier des villas au Sud-Est et celui des habitations plus populaires au Nord. Placées au point de rencontre des deux grandes zones de la ville, elles témoignent de la politique volontaire d'aménagement menée par la Direction. En 1922, près de 1 900 élèves fréquentaient ces écoles.

Outre ces services, Héliopolis se dota dès 1915 d'un dispensaire, fondé par l'Association Internationale de Secours d'Urgence, où travaillaient deux médecins et des infirmiers, dispensaire qui put traiter les cas d'accidents survenus dans la ville. En outre, de nombreux dentistes, pharmaciens et médecins s'installèrent à Héliopolis.

Au total, les services sociaux essentiels furent assurés. Bien sûr il ne pouvait s'agir de couvrir toutes les fonctions qu'une ville comme le Caire pouvait offrir, mais il n'était pas besoin d'y aller pour la vie de tous les jours.

Commerces

Cette constatation se vérifie si l'on considère l'importance et la variété des commerces installés à Héliopolis. Les nombreux documents sont extrêmement contradictoires sur ce plan. Tantôt on considère que la ville ne possède pas tous les magasins nécessaires (« Conçue pour être une ville résidentielle dont les habitants trouvaient au Caire toutes leurs occupations, *voire leur ravitaillement* »)(7), tantôt on affirme le contraire (« Nous avons trop de magasins pour une ville comme Héliopolis »)(8).

Si l'on considère l'année 1912, pour une population d'environ 2 500 habitants permanents, la ville disposait d'une boulangerie (européenne) (et deux « arabes »), d'une boucherie, d'une pâtisserie, d'une laiterie, d'une épicerie, d'une pharmacie, d'un débit de tabac et d'un salon de coiffure. S'y ajoutaient deux magasins de vêtements, une quincaillerie et deux bazars. Au cours des années suivantes le nombre des commerces s'accrut.

Il nous faut distinguer ici trois types de locaux commerciaux. D'abord les magasins à l'Européenne installés de façon continue le long du boulevard Est (bd. circulaire), sous les arcades: c'est là que se situent tous les magasins précédemment cités. Il y a ensuite les locaux commerciaux destinés au petit commerce de détail populaire : soit emplacements dans le marché couvert loués par la Société, soit petits locaux situés sur l'avenue de la Mosquée. Nous n'avons pas la liste complète de ces commerces. Nous pouvons seulement dire qu'en 1917, il y en avait un peu plus de cent, dont treize inoccupés (sauf pendant l'occupation anglaise car certains furent réquisitionnés). C'est dans cette seconde catégorie que l'on peut discerner un troisième groupe de locaux destinés aux petits ateliers privés d'artisanat. Cet ensemble était de toute façon très strictement réglementé et limité aux rues signalées précédemment.

Ainsi, du point de vue commercial, Héliopolis ne disposa certainement pas avant les années 30 d'une infrastructure solide, mais il existait malgré tout le minimum nécessaire. Il est certain que pour tout ce qui concernait les achats importants il fallait aller au Caire. Mais c'est là une situation fort logique vu la structure du commerce de

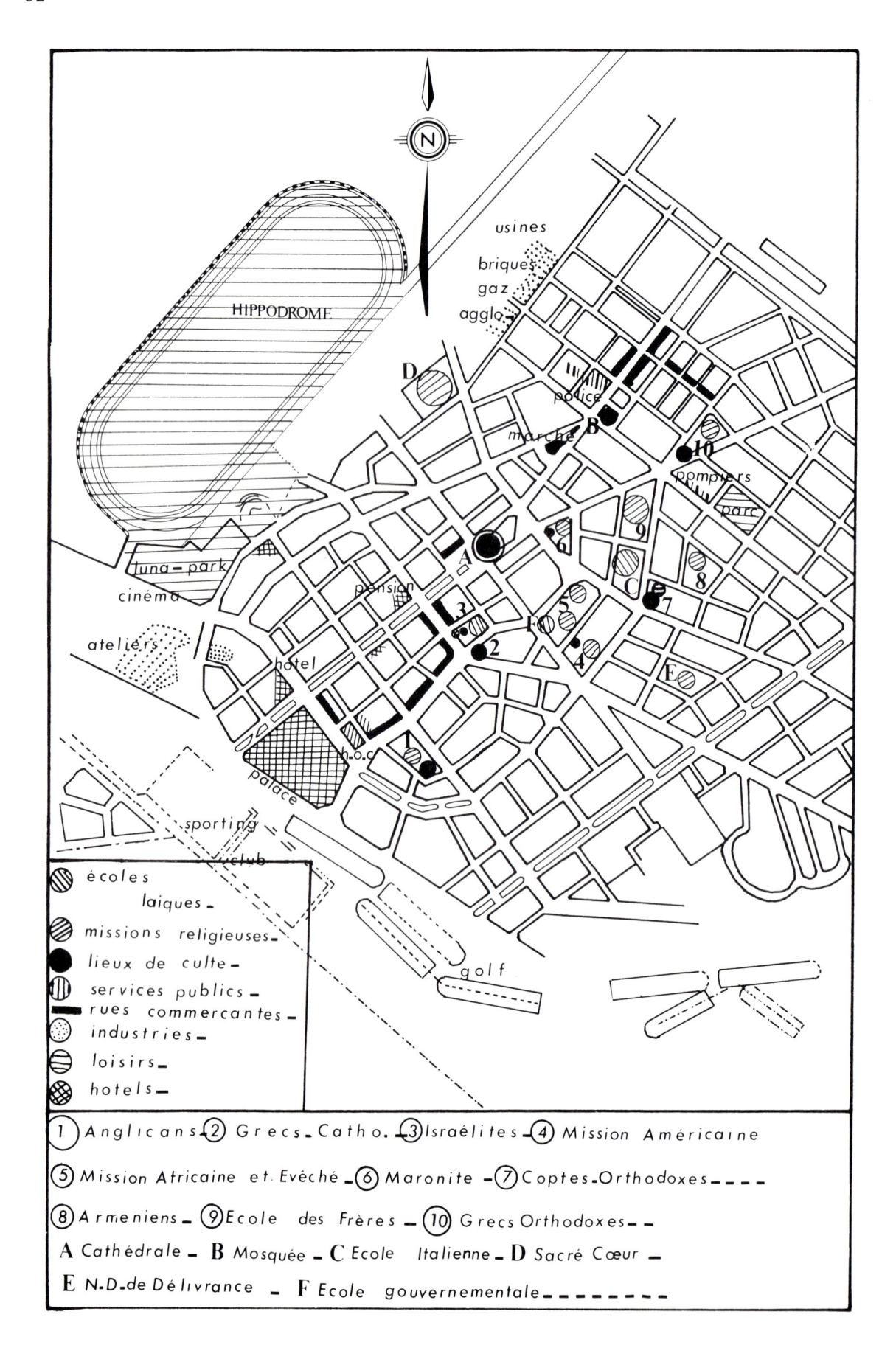

Planche 4 — Carte des fonctions

détail dans une ville où maintenant encore certains achats ne peuvent s'effectuer que dans des quartiers très restreints.

Il existait enfin une infrastructure hôtelière très soignée. Alors que la ville ne disposait que de quelques magasins, il y avait quatre bars, deux restaurants, un « grill room » (qui servait aussi d'hôtel) sans compter la Pension Bellevue, l'Héliopolis House et l'Héliopolis Palace. Dès 1912 fut ouvert un cinéma. Ces commerces répondaient à l'ambition résidentielle de la cité et proposaient des prix très variés, propres à attirer une assez large clientèle. Ainsi la pension Bellevue ne proposait que des pensions complètes mensuelles (10 L.E. par mois), tandis qu'une chambre à l'Héliopolis House coûtait 60 piastres par personne et par jour en hiver, prix très largement inférieurs à ceux du Palace, hôtel le plus luxueux d'Egypte avec ses 84 salles de bains privées, ses ascenseurs pour 20 personnes, ses hammams, ses salles de billard et ses appartements particuliers. L'ensemble était établi à côté du golf, évidemment destiné d'abord à la clientèle du Palace.

Les fonctions de loisirs furent donc certainement les mieux assurées à Héliopolis: hôtels, bars, restaurants, casino, mais aussi clubs, champ de courses, terrain d'aviation, cinéma puis théâtre (1930) ainsi que le premier véritable Luna Park du Proche Orient. Les autres fonctions représentaient simplement le minimum nécessaire pour une cité qui était par ailleurs, en ce qui concernait ses ressources (eau, électricité) totalement autonome. Dans sa politique de développement, la Direction veilla de très près à l'essor des points d'attraits touristiques, mais elle fit aussi en sorte que tous les commerces se trouvent représentés.

3.1.2. Diversification des activités

L'existence d'une importante infrastructure hôtelière est fondamentale. A l'origine, le projet d'Empain semble avoir été de créer — sur des terrains salubres, hors de la zone humide du Delta — une véritable station résidentielle. Aux yeux des observateurs il en restait quelque chose, même vingt ans après: « Cité de luxe, Héliopolis l'est bien, et s'il était besoin d'un modèle de ce genre, c'est là qu'il conviendrait de le chercher: situation, plan, installation et jusqu'aux moindres détails d'aménagement, tout est calculé pour y rendre la vie facile et douce » (9). Sans doute le jugement est-il excessif et le journaliste n'a-t-il visité qu'une petite partie de la ville ou bien a-t-il jugé sur le seul aspect verdoyant de l'ensemble. La liste des fonctions que nous venons de dresser prouve qu'il y avait bien autre chose à Héliopolis qu'un simple groupement de villas de luxe. L'existence de tous les services publics cités (auxquels s'ajoutent les transports) suffisait à fixer sur place une importante population moyenne et même prolétaire. Héliopolis fut pour certains un lieu de travail comme d'habitation. Mais sans doute insista-t-on surtout sur ce dernier aspect, d'autant que les habitations populaires étaient occupées d'abord par ceux qui assuraient la vie quotidienne de la ville.

Fonction résidentielle

Dans la conception de la ville, l'aspect résidentiel fut privilégié. Il s'agissait « d'offrir un ensemble construit suivant les exigences du progrès et répondant aux prescriptions de l'hygiène la plus stricte » (10). Il n'était pas question de réaliser seulement un quartier. L'ensemble devait former un groupe de constructions aérées, claires et ventilées; le choix du site illustrait ce désir. Pour parvenir à la réalisation du projet, il fallut donc concevoir — outre les réglementations d'urbanisme — un plan général de plantations qui donna à la ville l'aspect d'*une véritable oasis* (Planche 5 et 6: une ville verte). Dès 1906, on amena à dos de chameaux — puis par camions — le limon du Nil qui fut épandu sur le sable pour amorcer les pelouses et les parterres. Il fut décidé que 8 % du sol serait consacré aux parcs, jardins publics et plaines de jeux et que toutes les avenues seraient bordées d'arbres. Un tel choix conduisit à faire d'Héliopolis une véritable « ville-verte », aux vastes jardins intérieurs, la cité étant elle-même isolée — outre le désert — par une ceinture continue d'espaces plantés. A l'Est de la ville vers le désert, ce fut le quartier des palais aux vastes parcs; au Sud — derrière l'Héliopolis Palace — ce fut le Sporting Club, et à l'Ouest l'Hippodrome. En son centre la ville était traversée par l'avenue des Pyramides plantée de jacarandas, d'hibiscus, de dattiers, avec des corbeilles de gueules de loup, de géraniums et d'agaves. Nous nous trouvons donc devant de véritables plantations programmées de façon à susciter une impression de fraîcheur propre à attirer la clientèle aisée.

Une telle entreprise posait de nombreux problèmes, du fait de la condition particulière que représente un désert. Malgré des soins attentifs, certaines plantations furent quasiment expérimentales. La société créa elle-même une pépinière dans laquelle — outre les boutures diverses — elle fit des expériences de plantations sur sable. On choisit de n'irriguer quotidiennement que la pépinière et le Sporting Club. Ailleurs on veilla à un arrosage bi ou tri-hebdomadaire. Sur les voies, les deux types d'arbres qui prirent le mieux furent les jacarandas et les casuarinas.

Avenue des Pyramides

Quartier des villas

Planches 5 et 6 — Une ville verte

Les Eucalyptus — plantés boulevard Abbas en massifs — poussèrent correctement tout en s'avérant trop voraces pour être généralisés. Rapidement les pins (boules et parasols) apparurent plus tenaces, et ils furent plantés un peu partout. Mais on tenta aussi de faire venir des mûriers, des pistachiers et même des peupliers. Toutes ces plantations se doublèrent d'arbustes colorés plantés autour des massifs, isolés ou en haies vives le long des jardins: hibiscus, ficus et plantes grimpantes comme les capucines, les jasmins, le chèvrefeuille et les bougainvilliers, qui — bien que de pousse plus lente — fournirent des couleurs d'une grande richesse (11).

Dès 1915, la ville avait perdu son aspect de désert, les jardins commençant à être fleuris et les arbres à faire de l'ombre. Chaque partie d'Héliopolis était plantée contribuant à rendre réaliste l'image de l'oasis. En cela on avait évité le piège de la cité ouvrière morne accolée à des villas luxueuses. Une certaine unité se dégageait, créée par l'existence d'une zone verte continue. Une telle réalisation correspondait effectivement, à l'époque, aux « exigences du progrès ». Dans toute l'Europe la « banlieue-jardin » servait de modèle. L'aménagement, dans un site vierge, d'un espace reposant et aéré rapprochait Héliopolis de ce rêve du citadin du XIXème siècle. Ceci dit, nous sommes loin d'une cité comme celle du Vésinet réalisée entre 1856 et 1875 par l'architecte Olive, cité qui eut bien une gare et une église, mais fut un véritable parc planté de chênes, de pins et de peupliers avec des maisons entourées de pelouses, au milieu de lacs artificiels. La fonction résidentielle d'Héliopolis est indéniable, mais elle n'est pas exclusive. On peut en effet appeler banlieue résidentielle tout faubourg urbain aux activités limitées à l'usage de la population locale, cette dernière trouvant son travail à l'extérieur. Nous pourrons le vérifier, il est certain que la plupart des habitants d'Héliopolis travaillait au Caire. De même la densité par habitants à l'hectare (entre 300 et 500; 375 en 1920) rapprochait Héliopolis plus d'une banlieue que d'un centre, banlieue à l'anglaise que les fonctionnaires aisés rejoignaient le soir après le travail. Néanmoins l'autonomie de la ville, que nous avons mise en évidence, lui donne des caractères propres qui la différencient des quartiers suburbains.

Fonction touristique et industrielle

L'existence des équipements hôteliers et touristiques suffirait à dissocier Héliopolis de Maadi ou Garden-City, autres ensembles de la même période. Garden-City, au Sud du nouveau centre du Caire, présentait un plan de type organique aux rues sinueuses. Mais il ne s'agissait que d'un quartier d'habitation. Maadi — plus récent — avait un plan plus rectiligne, mais là encore il n'y avait que des villas et quelques commerces d'intérêt local.

Utilisant les atouts du site (sécheresse du désert) les promoteurs envisageaient dès 1915 la construction d'un sanatorium, idée qui ne vit pas le jour mais que l'on retrouve encore dans un texte de 1929: « Nous croyons fermement qu'avec son extension plus au fond dans le désert, Héliopolis deviendra à l'avenir la ville la plus recherchée par les malheureux nés dans des conditions d'infériorité physique. On pourrait envisager l'organisation de cures de santé loin de tout élément contagieux. En effet l'atmosphère très spéciale du désert entourant Héliopolis est la condition nécessaire et assez rare pour le traitement de certaines affections pulmonaires » (12).

Si ce projet ne fut pas réalisé, la Société mit en place tout un ensemble hôtelier — en particulier le Palace — qui devait faire d'Héliopolis une ville de repos et de plaisir. Bâtiment énorme et démesuré, cet hôtel visait rien moins que d'être le pendant du Mena House, situé quant à lui au pied des Pyramides. Il s'agissait d'amener, à l'autre bout du Caire, une clientèle riche et cosmopolite attirée par un luxe exceptionnel, par d'immenses terrains de sports et par des chasses inhabituelles dans le désert. Dans le même esprit fut créé un casino.

L'essor fut lent et difficile. En 1911 l'attaché français pouvait noter: « Au plus fort de la saison et pendant quelques jours l'hôtel a abrité 120 voyageurs. Actuellement il y en a une quinzaine » (13), le tout pour 450 chambres. Pourtant, rien n'avait été négligé, ni le luxe, ni les possibilités de distraction y compris les voyages organisés aux Pyramides, aperçues de loin sur la terrasse de l'hôtel. Le fait que l'on insistât — dans tous les dépliants publicitaires — sur le passé d'Héliopolis était bien sûr à rapprocher de la volonté d'attirer la clientèle sur une terre riche en symboles (arbre de la Vierge, puits de Moïse).

Mais — malgré la guerre qui entraîna la fermeture temporaire du Palace — les clients de passage devinrent assez nombreux à Héliopolis (fait qui s'accentua avec la création de l'aéroport). On venait y chercher un dépaysement commode que l'existence de terrains de sports exceptionnels rendait plus attirant encore. Dès 1910 fut ouvert un vaste hippodrome. Sa piste — à l'origine en sable — fut transformée plusieurs fois, gazonnée après guerre et entourée d'arbres et de fleurs. A peu près à la même époque fut entièrement organisé le Sporting Club avec des « links » de golf, dessinés par un spécialiste anglais venu tout exprès, un polo, plusieurs courts de tennis, des terrains de hockey et de cricket, des jeux de squash rackett ainsi qu'une piscine.

Si les fêtes (exhibitions aériennes, Semaine d'Héliopolis, etc...) furent organisées à des fins publicitaires, ces infrastructures furent prévues dès l'origine, et témoignent de la volonté de faire de la nouvelle ville autre chose qu'un faubourg-jardin: une sorte de station climatique de luxe au même titre qu'Helouan les Bains. L'existence de telles fonctions rend très originale la création d'Empain lui assurant un type d'activité indépendant de la métropole.

L'ensemble du tableau que nous venons de dresser nous amène à considérer que coexistaient à Héliopolis des fonctions extrêmement diverses. Outre les activités liées à l'aspect strictement résidentiel de la ville, on peut discerner un rôle touristique et une véritable fonction industrielle liée au fait que la Société assurait elle-même les services quotidiens. A cela on peut encore ajouter que, sur le terrain de la pépinière, on cultiva du birsïm (sorte de luzerne), du foul (fève), du maïs et de l'orge. Il y eut même deux feddans cultivés en coton qui donnèrent de bons résultats. Les cultures avaient une double raison d'être: fournir l'alimentation nécessaire à la cavalerie de la Société et entreprendre de véritables cultures d'oasis qui auraient pu fixer une part des manœuvres travaillant à mi-temps pour la compagnie.

Sans doute activités agricoles et activités industrielles furent-elles très réduites. Les secondes étaient à peu près exclusivement liées à la fonction de construction et donc à la Société elle-même: usine de briques silico-calcaires, agglomérés, gaz ou ateliers des services transports, eau et électricité. Ces bâtiments mis à part, on trouve seulement deux ateliers de menuiserie, un atelier de ferronnerie, une lampisterie (tous liés à la société). Il semble qu'en 1920, outre les divers petits ateliers de mécanique et de menuiserie privés, il n'y ait guère eu qu'une fabrique d'eau gazeuse (d'ailleurs destinée au Luna Park) qui ait représenté une réelle activité industrielle privée.

Ainsi peut-on vérifier, au niveau de l'ensemble des activités, ce que nous avions fait apparaître pour les fonctions quotidiennes. Sans doute, services et commerces à l'usage de la population locale dominaient-ils largement. Si l'on n'était ni commerçant ni employé de la compagnie, vivre à Héliopolis signifiait le plus souvent travailler au Caire. D'où l'impression que « chaque soir elle (Héliopolis) emprunte sa population au Caire pour la lui restituer à l'aube » (14). Pourtant — toute dépendante qu'elle fut — Héliopolis fut aussi une station autonome. Par tous ses caractères elle échappe d'emblée aux définitions ordinaires: ville verte comme une « cité-jardin », banlieue active comme une « ville-satellite », centre de loisir comme une station de luxe, et enfin « cité-ouvrière » comme celles réalisées alors en Europe ou aux Etats-Unis.

3.1.3. Ville ou Banlieue ?

Vu les fonctions exercées par la nouvelle ville, il ne pouvait s'agir de créer un pôle d'attraction destiné à appeler à lui une population importante et détachée du Caire. A part les riches touristes étrangers, attirés à Héliopolis par l'aspect parfaitement occidental du confort offert dans un cadre désertique bien oriental, les habitants permanents ne pouvaient — dans l'ensemble — considérer la cité que comme une banlieue, du fait des possibilités réduites de travail sur place. Ceci dit on était loin d'une cité-dortoir. On l'a vu, nous sommes en présence d'une réalisation relativement originale dont la définition nous échappe en partie, et qu'il nous faut préciser. Nous le tenterons par deux approches: l'étude des moyens de communication d'une part, les affirmations de la Société (et du gouvernement) d'autre part. Alors peut-être pourrons-nous situer Héliopolis parmi les créations urbaines de son temps.

Communications avec le Caire

Nous avons déjà eu l'occasion d'insister sur l'importance vitale — aux yeux des promoteurs — de moyens de communication modernes avec la capitale. Durant les deux premières années il fallut emprunter pour se rendre à Héliopolis l'*ancienne route* (voir Planche 2) de Suez qui longeait par l'Est les limites de la concession près d'Almazah (seconde Oasis). Un omnibus à impériale permettait de rejoindre les chantiers. Tout de suite il fallut donc créer une route correcte pour joindre le centre de la nouvelle cité et l'Abbassiah. On la réalisa en un an en suivant les casernes et les diverses constructions militaires qui séparaient Héliopolis des faubourgs directs du Caire. Cette avenue fut empruntée — outre les voitures particulières — par un service d'autobus qui allaient jusqu'à la place de l'Opéra.

Mais ce sont bien sûr les transports en commun à traction électrique qui furent essentiels. On a vu précédemment le lien que l'on peut établir entre la mise en route du métro et l'extension de la ville. Cette liaison est évidente si l'on tient compte des conditions: le « métro » (chemin de fer électrique) partait de la rue de Tantah à Héliopolis et arrivait au Caire au croisement de l'avenue Fouad et de la rue Emad Al Din (avenue du 26 juillet). Le service était continu de 6 heures à 1 heure du matin, avec des départs de cinq en cinq minutes en moyenne, et des variations de fréquence suivant les heures d'affluence, en particulier en début d'après-midi, heure à laquelle les fonctionnaires rentraient chez eux (ce qui d'ailleurs nous fournit un sérieux indice sur la composition de la population). Le coût du voyage (15 millimes en seconde, et 30 en première classe) était très réduit, surtout grâce aux abonnements, si on le compare aux prix des Tramways du Caire. A cela s'ajoutait le confort du trajet, dans des voitures luxueuses, à l'époque, bien suspendues et fermées (en 1930 on les remplacera, et certaines voitures seront ouvertes). Tout cela fit du « Métro » le moyen de transport le plus répandu bien avant les tramways qui — on l'a vu aussi — furent pourtant très importants. Ces derniers rejoignaient d'une part la seconde oasis et Qubbah, d'autre part Héliopolis et Attaba. La première de ces lignes, créée en 1909, s'adressait spécialement aux manœuvres et ouvriers n'ayant pas abandonné leurs habitations rurales (coût : 5 millimes en seconde) et fonctionnait de 6 heures du matin à 9 heures 30 du soir au rythme d'un départ par heure. Il s'agissait évidemment d'une ligne d'appoint. Elle n'était d'ailleurs pas prévue au début et n'apparaît pas, par exemple, sur la carte générale de la Concession. Par contre la seconde ligne desservait toutes les parties du Caire entre le centre et Héliopolis, en particulier le Dahir et l'Abbassiah. Ici le service était assuré toutes les dix minutes de 5 heures 30 du matin à 11 heures du soir. Il permettait aux personnes travaillant dans ces faubourgs d'habiter Héliopolis, mais aussi aux nombreux ouvriers vivant à l'Abbassiah de rejoindre leur lieu de travail. De plus, bien que le tramway soit plus long, il arrivait au centre du Caire colonial, près de l'Azbakïah.

L'extrême densité du trafic — par rapport au nombre d'habitants — peut nous renseigner aussi sur les diverses fonctions d'Héliopolis. Si l'on prend d'abord le mouvement annuel des voyageurs, pour les années 1910 et 1914 par exemple, on peut faire ressortir que les chiffres témoignent (outre la croissance globale de la ville) d'un nombre extrêmement élevé de voyages par rapport au nombre d'habitants, chiffres dûs aux multiples transports occasionnés par la construction (2 661 600 en 1911 pour une population permanente de 1 006 habitants) (4 563 500 en 1914 pour une population de 4 727 habitants) (15). Mais la curiosité et les attractions que proposait la nouvelle ville y étaient aussi pour beaucoup. Par exemple, en février 1910, fut organisée la première semaine de l'aviation en Egypte. Du coup le mouvement mensuel des voyageurs enregistra une hausse sensible : 192 000 en janvier 1919, 299 000 en février, et 167 000 en mars (16).

Par la suite l'écart sera moins important. En 1925 la population s'élèvera à 20 650 habitants et le mouvement total des voyageurs atteindra 10 059 600. Cela témoigne d'une certaine stabilisation. Mais les chiffres élevés prouvent toujours l'intensité très grande des relations entre le Caire et Héliopolis. Ce fait peut être vérifié d'une façon plus sûre encore avec l'importance des abonnements : en 1915, 13 % du trafic total est dû aux abonnements. En 1922 on en vendra 3 600 (trimestriels) (on ne peut plus effectuer le calcul par rapport au trafic total car ils ne sont pas décomptés), la population atteignant alors 13 500 habitants. Si l'on tient compte que d'une part les jeunes enfants ne paient pas de transport, et, d'autre part, que près d'un millier de cartes de libre-transport ont été émises, il apparaît à l'évidence que presque chaque famille dispose au moins d'un abonnement. De tels chiffres témoignent du rôle des voies de communication : elles assurent la fonction de banlieue du Caire. En ce sens on peut aisément classer Héliopolis parmi les villes-satellites, petite cité autonome en liaison permanente avec la métropole. Cet aspect est renforcé par l'importance spatiale des voies de communication dans la géographie de la ville. Bien qu'elles n'empruntent pas alors la voie centrale qui rejoint le Sporting et la Basilique (avenue des Pyramides) (le métro la parcourt aujourd'hui tout du long) elles sont présentes dans toutes les rues principales rappelant sans cesse la proximité du Caire. Sur toutes les publicités, on photographie le métro en rappelant sans cesse que malgré la dizaine de kilomètres qui sépare Héliopolis de la ville, il n'y a là presque aucune perte de temps.

Des affirmations contradictoires

Dans ces conditions on conçoit que l'on ait pu voir dans le cas d'Héliopolis un exemple de « la création d'une ville-satellite grâce aux transports en commun » (17). Cette définition, par bien des côtés évidente, ne fut pourtant pas retenue par la direction de la Société. Il y avait à cela une raison immédiate et très pratique. En affirmant l'indépendance de la ville les promoteurs pouvaient espérer échapper à l'impôt sur la propriété bâtie, perçu au Caire. Cela ne convainquit pas. Un décret en date du 26 juin 1909 étendit le gouvernement du Caire à Héliopolis et l'assujettit donc à l'impôt. Cela frappait à l'époque la H.O.C. elle-même du fait qu'elle était le premier propriétaire. Les procès qui se succédèrent jusqu'en 1913 ne servirent qu'à faire traîner la décision. Et la Société finit par être déboutée.

Mais ce qui nous intéresse dans cette affaire c'est la discussion sur le fond, car — ayant eu accès à quelques pièces du procès — il nous a été possible de retrouver une bonne partie des arguments échangés, chose essentielle puisqu'il s'agissait de parvenir à une définition claire du rôle de la nouvelle cité.

Pour les représentants du gouvernement, la cause était entendue. Héliopolis faisait partie intégrante de la métropole. Les arguments étaient tirés d'abord des rapports des Assemblées Générales. En mai 1907 le rapport définissait ainsi la ville : « Il s'agit en somme de mettre en valeur des terrains situés *aux portes du Caire...* ». On précisait, en mai 1909, ceci : « Nous envisageons avec confiance l'avenir de ce *quartier nouveau* du Caire dont nous avons commencé la construction ; (en précisant :) il n'y aura plus de solution de continuité entre Héliopolis et les première maisons du Caire à l'Abbassiah ». Effectivement les casernes — tant de l'armée anglaise que de l'armée égyptienne — puis la construction d'une école et d'un hôpital militaires — dans l'espace qui isolait encore Héliopolis — avaient suscité un appel de population au Nord des faubourgs du Caire. Aux limites Sud-Ouest de la concession certains avaient d'autre part commencé à lotir pour profiter de la ville. On peut ajouter à cela qu'Héliopolis était à peine plus lointaine du centre du Caire que Rūdah et était certainement plus bâtie. Dans ses publicités, la Société insistait d'ailleurs sur les possibilités ainsi offertes à la société cairote : « Le mouvement continue à s'accentuer grâce à un véritable afflux vers Héliopolis de la population du Caire, appelée par les promenades, les distractions (hippodrome, Sporting Club, Golf links, aérodrome, Luna Park) les cafés-restaurants (etc...) fréquentés par l'élite de la société du Caire... Le succès des réunions mondaines et des fêtes de toute sorte offertes à Héliopolis ont entretenu entre la nouvelle ville et la capitale un mouvement quotidien. Cette population flottante donne une grande et continuelle animation à l'oasis surgie au-dessus de l'antique cité pour devenir les *Champs Elysées du Caire moderne* » (18).

Ainsi Héliopolis, « aux portes du Caire », en est un « nouveau quartier », lié au centre de façon continue, qui se veut un rendez-vous de l'élite, véritable « Champs Elysées du Caire ». Il s'agit là à peine d'une ville-satellite tant la Société tient à rapprocher officiellement Héliopolis du Caire. Dans le débat ouvert entre l'Administration et la Direction, le gouvernement a beau jeu de faire remarquer ces phrases : « Héliopolis fait partie du Caire comme l'avenue des Champs Elysées de Paris, et le périmètre de 1909 (qui étend la ville du Caire à Héliopolis) est tout ce qu'il y a de plus légal. C'est l'intimée elle-même qui le dit et nous pouvons l'en croire » (19). Par les caractères choisis pour favoriser le développement de la population, Héliopolis apparaît donc comme une sorte de quartier (Planche 7 : Une banlieue) où vivent 5 000 cairotes, sorte d'attraction du Dimanche, Luna Park de la ville.

Mais l'argumentation du gouvernement, pour être claire, n'en est pas moins insuffisante. Bien sûr les affirmations de la Compagnie étaient avant tout publicitaires et la comparaison avec les Champs Elysées aux limites du ridicule. La Direction établit une autre comparaison — tout aussi française — pour se reprendre : « le public vient à Héliopolis tout comme les Parisiens vont à Saint Germain ou à Fontainebleau » (20). Pour les promoteurs, la ville d'Héliopolis était une sorte de parc hors des limites du Caire, réservoir de bon air et d'attractions. C'était sans aucun doute oublier que les deux villes françaises sont beaucoup plus distantes de Paris qu'Héliopolis du Caire. De même elles ne furent pas pensées pour être liées au centre. Mais il y a quelque chose d'exact dans la comparaison : Héliopolis est effectivement un pôle qui permet d'exercer une certaine décompression (« Beaucoup finissent par délaisser les vieux quartiers des rives du Nil pour la jeune Héliopolis où se trouvent à meilleur marché des logements plus vastes et plus sains » (21)), et en même temps sa structure « municipale » est évidemment indépendante. Il n'est pas possible de la comparer à Rūdah par exemple. Il n'y eut dans cette île que des réalisations individuelles, aucun plan concerté et aucune structure de services mise en place. A Héliopolis, par contre, la Société assurait à ses frais toutes les charges essentielles : « Les charges que le gouvernement m'a imposées, construction et entretien des routes et rues, construction d'égouts, canalisations d'eau, éclairage public, police etc..., sont telles qu'il ne saurait encore me faire payer l'impôt sur la propriété bâtie qui est spécialement affecté à ces charges municipales » (22).

On en arrive ici à pouvoir clairement proposer une description de ce que fut Héliopolis. Distincte et séparée du Caire, elle en est aussi socialement et géographiquement l'annexe. Héliopolis avait certainement pour fonction de décongestionner le centre. La lenteur et les difficultés de sa mise en valeur en proviennent d'ailleurs en partie. Les cités réellement nouvelles, aux U.S.A. par exemple, parvinrent à drainer rapidement une population nombreuse car elles étaient installées en zones rurales. Gary, dans l'Indiana, fut fondée en 1906 et — construite en trois ans (il est vrai dans des conditions plus favorables que celles de l'Egypte) — compta 30 000 habitants dès 1912. Héliopolis mettra près de vingt ans de plus pour parvenir à ce chiffre, la difficulté provenant ici de la nécessité d'attirer une population déjà fixée.

Mais ce ne fut malgré tout — en aucun cas — une simple banlieue, ou un « jardin-dortoir » (L. Mumford). Le mot banlieue doit être réservé à « la partie marginale d'une agglomération urbaine continue ... étant bien entendu qu'il n'existe pas de zone rurale intermédiaire » (F.Z. Osborn, in Howard, op. cit.). Ici l'indépendance topographique va de pair avec une certaine indépendance économique qui dépasse l'existence de services réservés à l'usage de la population locale. Nous ne nous trouvons pas devant une ville industrielle certes, mais il y a toute une série de fonctions tertiaires (touristiques surtout) qui sont essentiellement destinées à une population extérieure. Le lien

Après le Champ de courses, au Nord : Zeitun, au Sud : Koubbeh. La ville se trouve plus au Sud. Mais on peut distinguer à l'arrière plan la vallée du Nil, et même le fleuve. Vue prise dans l'axe Est-Ouest. (1924)

Planche 7 — Une banlieue

avec le Caire ne doit pas tromper : nous nous trouvons devant un ensemble urbain, en partie indépendant, situé à peu de distance du centre, et matériellement séparé de lui. Par l'importance fondamentale des voies de communication, par l'attraction de la métropole, par les structures municipales, par la diversité des fonctions assurées il s'agit d'une réalisation qui possède bien des critères de la « ville-satellite » conçue par Taylor.

3.2. UN PLAN D'URBANISME

3.2.1. Division générale du sol

Une telle approche de la ville se trouve vérifiée par l'étude de la structure proprement dite. La répartition des fonctions répondait à une stricte organisation de l'espace. De même le fait que le centre de la ville soit occupé par la cathédrale catholique n'est pas indifférent. Sans tomber à outrance dans la symbolique urbaine, il est évident que la situation des lieux de culte ne fut pas choisie au hasard. Si l'on compare la place occupée par la première mosquée (carte des fonctions, voir Planche 4) et celle des habitations populaires (carte habitat, voir Planche 15) on voit bien qu'il y eut, à la base, des décisions d'aménagement. La séparation des fonctions et des habitats répondait au XIXème siècle à une vision anthropomorphique de la ville qui se devait — bien conçue — de refléter un ordre naturel et logique. Héliopolis n'y échappa pas.

Projets et inflexions

Nous ne connaissons pas, de façon extrêmement précise, les projets initiaux du fondateur. Nous en sommes réduits à des hypothèses à partir de récits qui sont souvent des légendes. Ainsi de l'illumination surgie du cerveau d'Empain un jour qu'il faisait du cheval dans le désert : « C'est là que je vais construire une cité merveilleuse » (23). Il apparaît en tout cas de façon certaine que le premier projet prévoyait la réalisation d'un certain nombre d'oasis (ou cités-jardins ?) séparées les unes des autres par des espaces désertiques. Deux oasis principales auraient concentré la population. L'idée primitive semble avoir été une oasis de type « habitat populaire », assez proche de la capitale, et, plus à l'extérieur, dans le désert, la réalisation d'un ensemble de très grand luxe, centré sur un hôtel immense, entouré de golfs et de tennis, mais aussi de quelques villas et de palais occupés par la haute société cairote. Il s'agissait en quelque sorte, soixante ans avant que cela ne devienne la mode, de développer un tourisme du désert, avec promenades à dos de chameaux et couchers de soleil, sans l'argument culturel que l'on pouvait trouver ailleurs en Egypte. Les publicités de l'Héliopolis Palace insistaient d'ailleurs sur le désert, à la façon de ces « Sahara Palace » construits bien plus tard au Sud de la Tunisie, par exemple.

Néanmoins ce premier projet ne vit jamais le jour. Il fut remplacé par un second, très proche mais moins ambitieux. La zone des villas et du tourisme fut rapprochée du Caire, tandis que la zone ouvrière était déplacée dans le désert. Il avait fallu se rendre compte que la clientèle n'existait pas vraiment, et exigeait une certaine proximité du Caire. L'Oasis I (Planche 8 : Le projet) comportait, outre le Palace, un quartier de villas et appartements de luxe ; au Sud l'Hôtel, au Nord la Cathédrale ; l'ensemble de l'oasis était conçu de façon circulaire, les bâtiments de la Société étant au centre. Une large avenue et la voie de métro rejoignaient l'oasis II, située au Nord-Est, cité ouvrière où devait loger l'ensemble du personnel subalterne de la Compagnie, et où l'on devait trouver les ateliers, les dépôts, l'usine d'agglomérés ... et la Mosquée. Entre ces zones, et les isolant de toutes parts, le désert. En cas de réussite, le projet prévoyait l'extension en direction du Nord, avec création d'oasis III, IV, etc...

C'est ce projet qui fut réalisé, mais avec de très importantes transformations. Il fallut réviser l'ampleur du quartier dit des « Palais » : les clients n'étaient pas nombreux, et hésitaient. Ainsi, le 20 avril 1907, le prince Gamïl Tussün annulait son achat : « vu que je ne me lancerai pas dans la construction d'un palais sans savoir quels seront mes voisins, car je ne voudrais jamais habiter seul le désert » (24). D'autre part, la seconde oasis fut seulement ébauchée. On décida d'abord de développer l'Oasis I et de ne maintenir dans l'autre que les dépôts et les habitations ouvrières du service « transports ». Autant dire que — du coup — il n'y eut qu'un seul pôle de développement, qui perdit son aspect exclusivement luxueux. Des quartiers « moyens » se généralisèrent et une partie populaire fut créée au Nord, accolée à l'ensemble primitif, dès 1907.

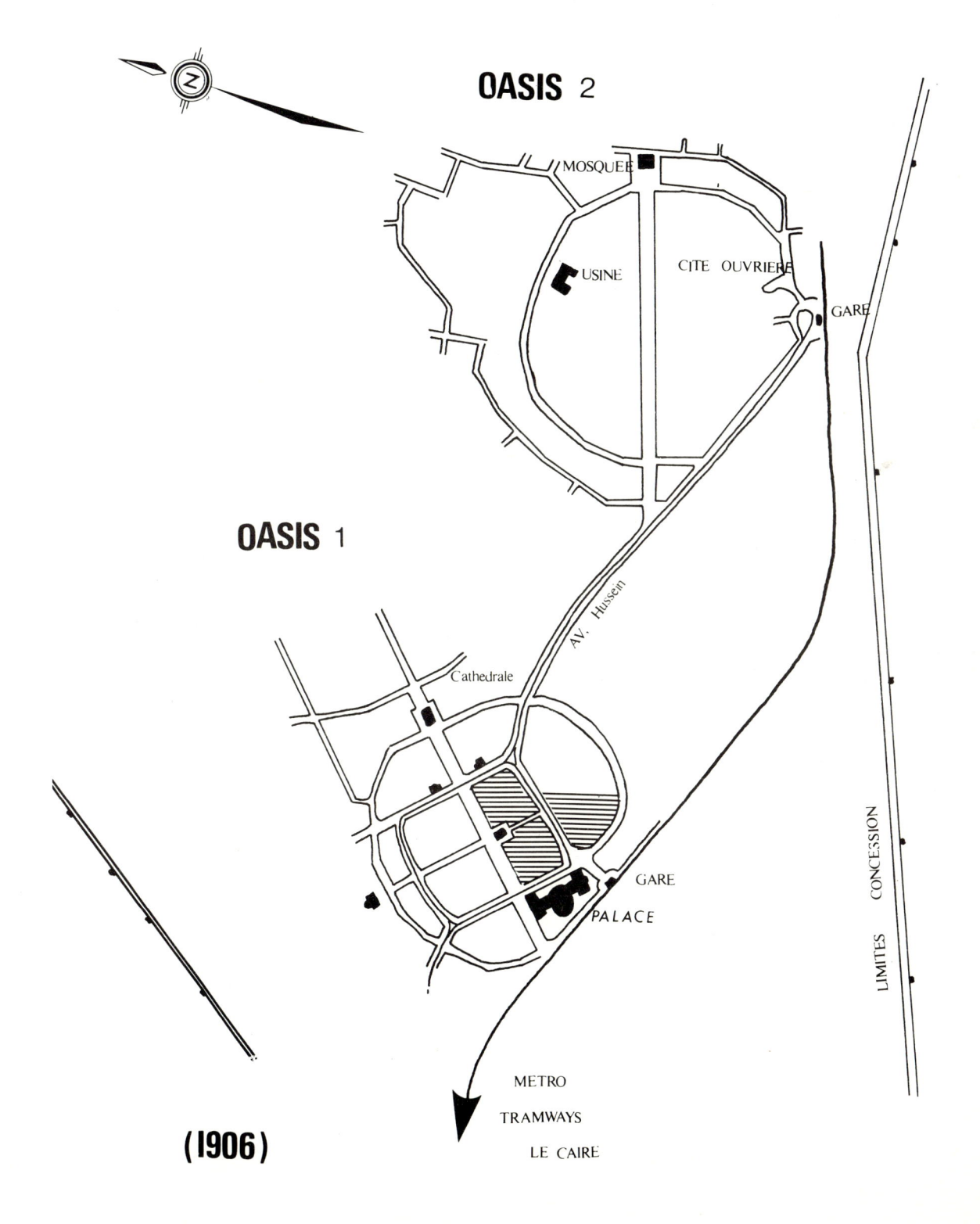

Planche 8 — Le projet des deux oasis

Progression

De façon régulière et extrêmement surveillée, le premier noyau n'a donc cessé de se développer au-delà même des limites qui lui furent primitivement assignées. Isolée au Sud par les terrains de Golf et le Champ de courses, la ville s'est étendue d'un seul tenant au Nord-Ouest, à partir de la voie du métropolitain. Ainsi, au lieu de petits centres séparés par de vastes espaces désertiques, la ville forma un ensemble, divisé en quartiers et occupant environ 300 hectares (sur les 2 500 de la première concession, et les 7 920 de l'ensemble des options prises). La Mosquée, quant à elle, fut rapprochée et prévue au Nord de la Cathédrale.

En un premier temps (jusqu'en 1909) la Société décida de l'infrastructure et de l'emplacement de quelques grands bâtiments, mais elle laissa vendre des parcelles un peu partout, à condition que l'on respecte le plan d'aménagement. La carte de la progression (Planche 9 : La progression) de la construction fait clairement apparaître qu'en 1909 les terrains lotis l'étaient aussi bien au Nord qu'au Sud, à l'Est qu'à l'Ouest. En différenciant, sur la carte, les types de réalisation, nous aurions pu montrer que la Société fit, pour elle-même, les grandes constructions du Nord et du Sud, et que les particuliers achetèrent un peu partout, plutôt près des grands ensembles mais aussi, parfois, très loin, dans ce qui était, rappelons-le encore, un désert.

Parmi les réalisations alors effectives, il y eut quelques grands bâtiments à usage commercial et administratif auprès du boulevard circulaire, l'Héliopolis Palace, une zone de villas, les quatre grands palais (dont deux furent construits par la Société et revendus après) plus les blocs populaires du Nord avec la Mosquée et quelques garden cities. Mais il y eut par ailleurs de nombreuses réalisations isolées telle l'école des Frères, ou l'Eglise maronite.

L'étape suivante (1909-1912) marque la volonté de concentrer la construction. Un rapport du conseil d'administration en date de 8/3/1911 nous en fournit la confirmation : « Le conseil ... décide d'édifier des constructions sur tous les terrains disponibles (sections 114, 108, 111) ... et de créer des villas de type divers le long de l'avenue Ramses, entre le boulevard Circulaire et l'avenue des Palais, ainsi que dans les terrains environnants, de façon à compléter définitivement tout un quartier ». Effectivement toute la zone à droite de l'avenue des Pyramides vers la Basilique est alors construite, le quartier des villas est presque achevé et on complète, au Nord, les constructions autour de la Mosquée. La Société progresse donc quartier par quartier, laissant totalement de côté la seconde oasis (Almazah) et envisageant l'élaboration d'Héliopolis comme un tout. La construction s'étire, en ces premiers temps, le long des voies de métro et de tramways. C'est par la suite que se remplissent petit à petit les vides. Mais il est particulièrement remarquable que même en 1923 d'importants lots centraux (l'Ouest de l'avenue des Pyramides) n'aient pas été vendus. Pour l'aspect général de la cité, ce n'était peut-être pas absolument essentiel. Les plantations réalisées cachaient les zones vides, et on peut penser que les mieux situées d'entre elles étaient maintenues volontairement dans cet état en vue d'une importante plus-value. En 1912 donc, la Société avait réalisé, ou au moins dessiné, la presque totalité des rues. Le plan de progression était clairement fixé : il apparaissait que l'Oasis I serait achevée avec le remplissage en continu de la zone comprise entre le Sporting, le Champ de courses, l'avenue des Palais (qui passe devant la villa Empain) et l'aérodrome que la Société avait fait construire au Nord (aujourd'hui disparu). A l'Est de l'avenue des Palais, la ville pouvait progresser vers la seconde oasis. A l'intérieur même, il s'agissait de combler des vides.

La période 1912-1923 compléta l'allure générale de la cité sans remettre en question le plan auquel on était arrivé. Ce sont surtout des habitations de type moyen et des immeubles de rapport, populaires et bourgeois, qui s'élevèrent. Tout le quartier de la Mosquée fut loti et s'étendit au Nord comme à l'Est et à l'Ouest. La zone intermédiaire (vers le quartier des villas) s'étendit. Ce fut bien sûr le résultat de la convention de 1920-21 qui entraîna la construction de nombreuses habitations de tous types pour fonctionnaires. Mais en 1923 seuls quelques lots assez peu visibles (donnant sur des rues secondaires) n'étaient pas construits et les parties Nord et Est de la ville avaient pris l'allure qui sera la leur jusqu'en 1960 environ. Tous les grands immeubles bordant les boulevards et la place de la Cathédrale étaient réalisés. Ce fait est relativement important : il est à l'origine d'une évidente unité de style, unité qui explique le charme certain d'Héliopolis. Ceci dit, la progression n'a pas été très rapide si on la compare à celle des villes neuves américaines. Mais son rythme a été très comparable à celui des « cités-jardins » réalisées à la même époque en Angleterre. Letchworth, créée en 1903, ne devint une commune qu'en 1919 et n'atteint 36 000 habitants qu'en 1936, un peu comme Héliopolis.

Plan-Masse

Finalement le projet initial fut un échec. Loin de s'organiser en vastes oasis nettement délimitées, la ville

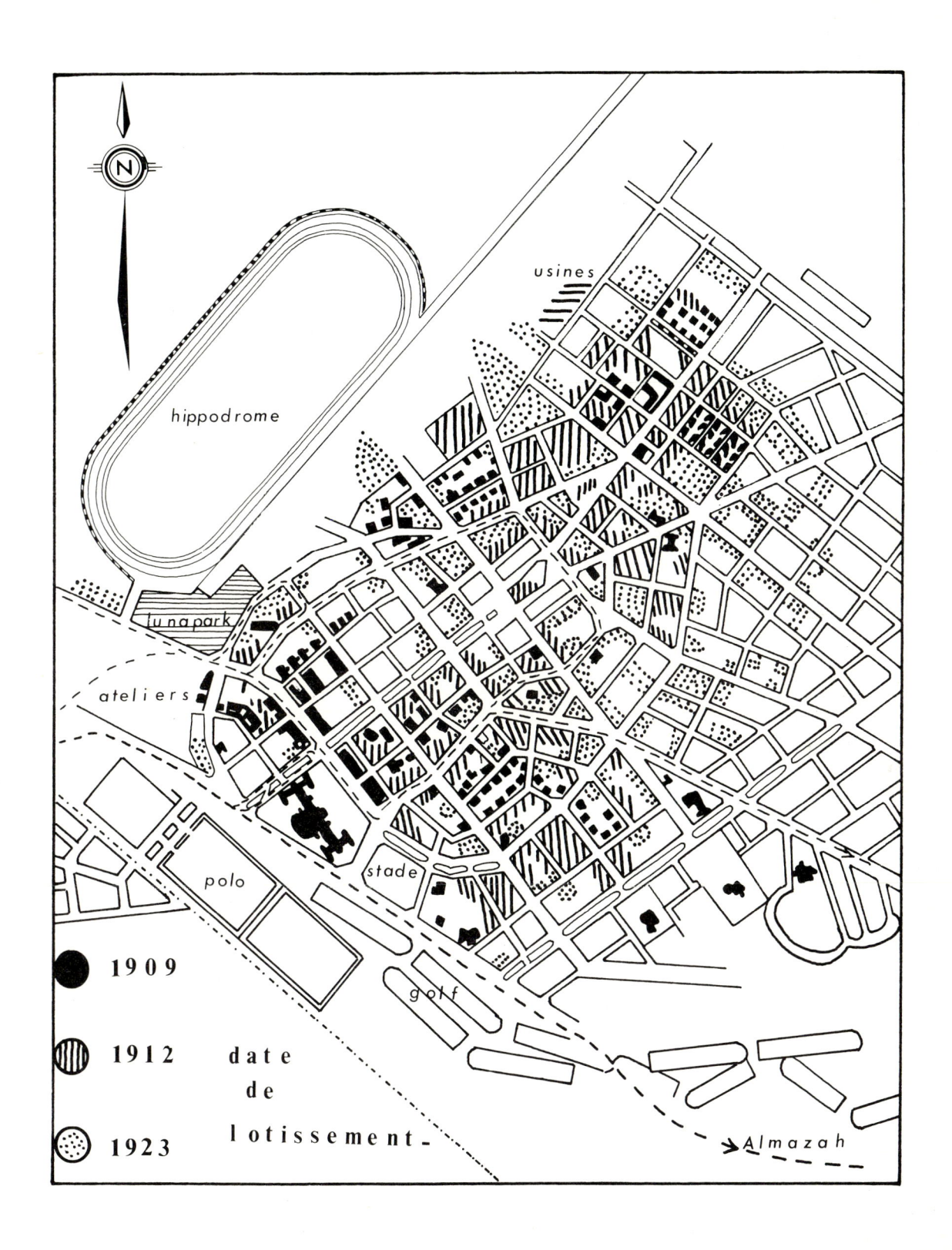

Planche 9 — Schéma de la progression

eut tendance à ne former qu'une agglomération (Planche 10 : Echec du projet). La planche 10 montre clairement l'ensemble ainsi obtenu : au bout de la ville, jouxtant le désert, une cheminée apparaît : l'usine. A droite de la photo se devine la Cathédrale : le tout forme un bloc. Mais l'ensemble obtenu est clairement structuré, selon un plan qui ressort bien des cartes de la ville. Sur le projet de 1906, on trouve un boulevard circulaire et une avenue centrale qui aboutit à la Cathédrale. Mais déjà dans la carte générale (voir Planche 2) de la concession, datant de 1907, le plan est plus complexe. Contrairement à ce que l'on pourrait croire, il ne s'agit que d'un projet (le Champ de courses est alors situé au Sud de la ville). Mais on y retrouve un prolongement des avenues initiales et la transformation de la Basilique en pôle central de la nouvelle ville. Les cartes des années 1909 et suivantes font apparaître le plan définitif. Au total, les deux oasis regroupées en une seule, sont organisées en deux pôles dont l'existence crée l'ensemble d'Héliopolis. Au Nord, où se trouve la Mosquée, le quartier est partagé par deux voies (avenue de la Mosquée et rue de Tantah) qui, toutes deux, partent en biais de la place de la Cathédrale. C'est là qu'aboutit l'avenue des Pyramides — la plus large de la ville jusqu'à la réalisation de l'avenue des Palais. Une large avenue, d'axe Est-Ouest, délimite d'autre part les deux oasis, à la hauteur de la Basilique, et le boulevard circulaire subsiste autour du premier noyau.

Nous avons résumé ces données avec le schéma de Structure (Planche 11 : Schéma de structure) en faisant ressortir les quatre avenues qui délimitent la structure de la ville. Cette structure ressort aussi très clairement des photos aériennes. Nous en avons retenu deux. La place de la Cathédrale, entourée d'une zone non bâtie, y apparaît très nettement. L'avenue des Pyramides (Planche 12 : I : Axe N-S) se détache en foncé (plantations). Au Nord de la Cathédrale, la rue de Tantah et l'avenue de la Mosquée s'ouvrent en V. Quant à l'avenue de la Basilique, plus tard avenue Edouard Empain, qui marque la jonction des deux pôles, elle est visible en II (Planche 13 : II : Axe E-O). Le Palais Hindou, devient au même titre que la Basilique ou le Palace un des pôles urbanistiques de la cité, limitant l'extension à l'Est.

A partir de cet ensemble, les rues se développent de façon très géométrique, mais il ne s'agit pas d'un plan en damier. L'ensemble est bien plutôt concentrique. Dans la partie Sud, le boulevard circulaire impose sa forme aux boulevards plus extérieurs qui lui sont parallèles (boulevard Abbas, boulevard Cléopâtre). Les développements prévus se font à partir d'axes marquant une nette inflexion par rapport au dessin primitif. Ainsi l'extension vers l'Est se fera à partir des avenues Muhammad 'Ali et Hussein, cette dernière coupant à angle aigu l'avenue de la Basilique. L'ensemble (Planche 14 : Plan de 1931) forme un plan d'extension en étoile, le centre étant la Basilique. Le damier se retrouve à l'intérieur des zones délimitées par ces avenues, et, tout spécialement sur le pourtour de la ville. Le plan ainsi obtenu est un plan assez simple, mais qui n'a rien à voir avec un plan américain en damier sur lequel les bâtiments publics viendraient s'inscrire au fur et à mesure des besoins. Ici la rue n'est pas indifférente. Le plan en étoile en serait à lui seul la preuve.

Ceci dit, deux phénomènes sont bien caractéristiques de l'époque de la réalisation et du but poursuivi : la symétrie d'une part, la parcellisation de l'autre. Héliopolis n'est pas l'œuvre d'un visionnaire, mais celle d'ingénieurs et d'architectes postérieurs à Haussmann. Autour de l'axe central de la ville, Sud-Ouest — Nord-Est, les diverses rues se développent de façon symétrique. La place centrale — celle de la Cathédrale — est entourée d'espaces vides parfaitement symétriques, et on a joué sur les perspectives, chaque angle ouvrant largement sur une voie rectiligne. Seules variations : des places et squares triangulaires et hexagonaux, mais c'est là le résultat du dessin de la ville (circulaire) et de la parcellisation. Car, bien sûr, la division régulière du sol accentue le système géométrique. Mais elle était nécessaire dans une entreprise de lotissement. La régularité des parcelles (en moyenne 20 x 33 m) permettait d'autre part la création d'îlots, eux-mêmes réguliers et symétriques, par exemple ceux qui, au centre du premier noyau, bordent l'avenue des Pyramides.

Quant au développement de la ville, il est limité par la forme même du plan. La seule extension possible se situe vers l'oasis d'Almazah et encore ne pourrait-il s'agir que d'une pointe : au Nord un parc, au Sud le Golf limiteraient ce quartier.

Entre 1907 et 1909, la ville a donc pris sa structure définitive, du moins pour une cinquantaine d'années, jusqu'à ce que l'idée de « ville verte » ait fait faillite devant les besoins sans cesse croissants de logements ; et les hésitations du départ sont certainement à rapprocher des nombreuses difficultés financières que dut traverser la Société : il fallut se résoudre à opter pour autre chose qu'une oasis de grand luxe en favorisant l'implantation populaire. Il fallut se rendre à l'évidence : « Héliopolis ne peut attirer les riches indigènes que si, parallèlement, les fondateurs consentent à transformer de plus en plus, par l'abaissement des prix, cette gigantesque affaire en une entreprise d'habitations peu coûteuses » (25).

65

Loin de s'organiser en vastes oasis nettement délimitées, la ville a tendance à former un véritable îlot encerclé par le désert.

Axe Sud-Nord ; au premier plan le camp miliaire. (Environ 1930)

Planche 10 — Echec du projet initial

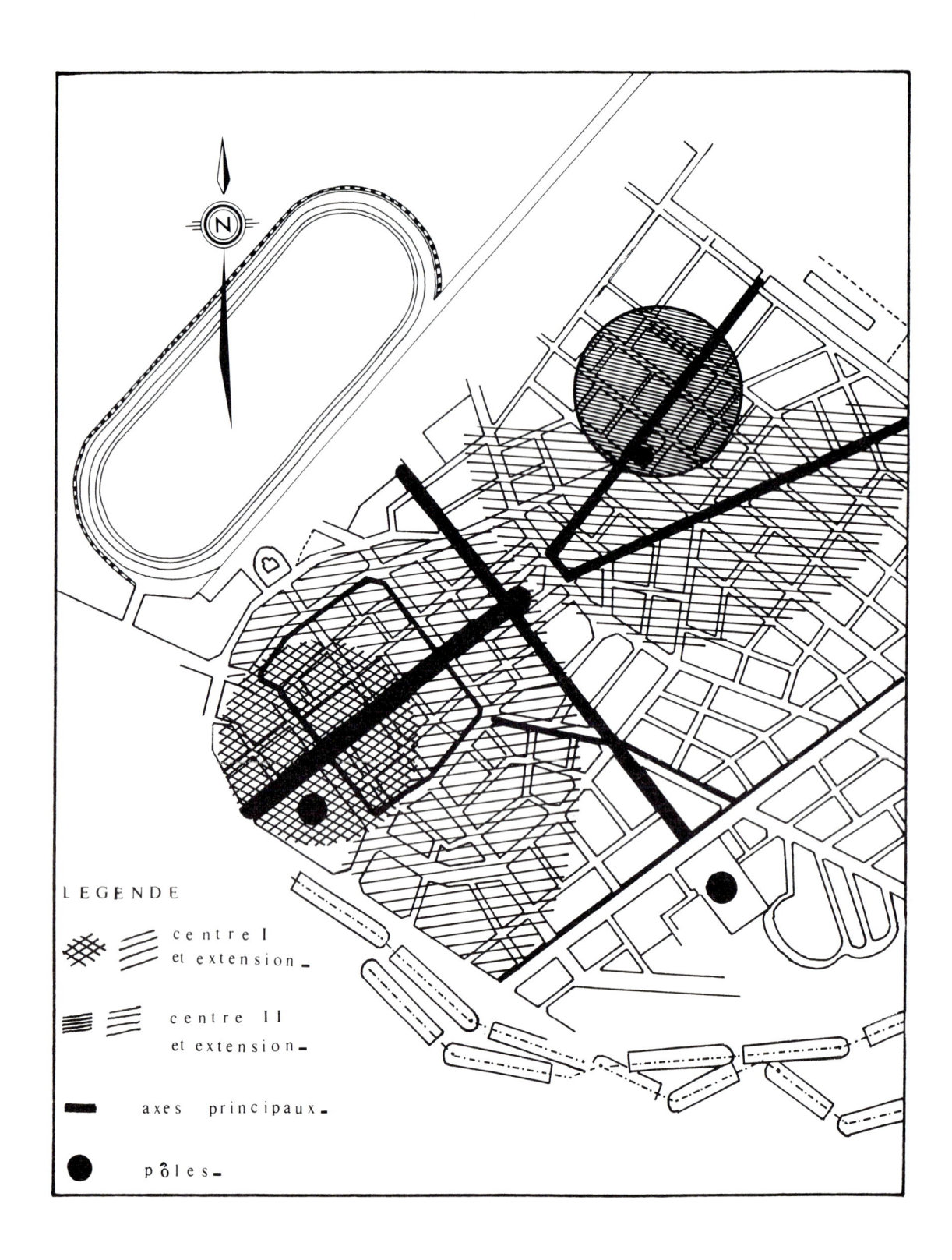

Planche 11 — Schéma de structure

Axe Nord-Sud : au premier plan les cités ouvrières. On reconnaît en particulier les deux grands blocs. Au fond l'Héliopolis-Palace ; au centre la Cathédrale. A droite de la photo (Ouest) le quartier des immeubles ; et au fond à gauche celui des villas.

Le plan apparaît ici très simplement : du Sud au centre (Cathédrale) l'avenue des pyramides ; du centre au Nord un V autour duquel s'organisent les divers quartiers populaires. Le tout représente un Y, ici renversé. (Environ 1925)

Planche 12 — Structure de la ville : I

Axe Est-Ouest : au premier plan le « palais hindou », à l'arrière plan le « Champ de courses ». La ville est limitée à l'Est par l'avenue des palais (Sud-Ouest ; Nord-Est) ; perpendiculairement (à partir de la villa Empain) : l'avenue de la basilique ; coupée par l'avenue Hussein, qui rejoint la « seconde oasis » (1929)

Planche 13 — Structure de la ville : II

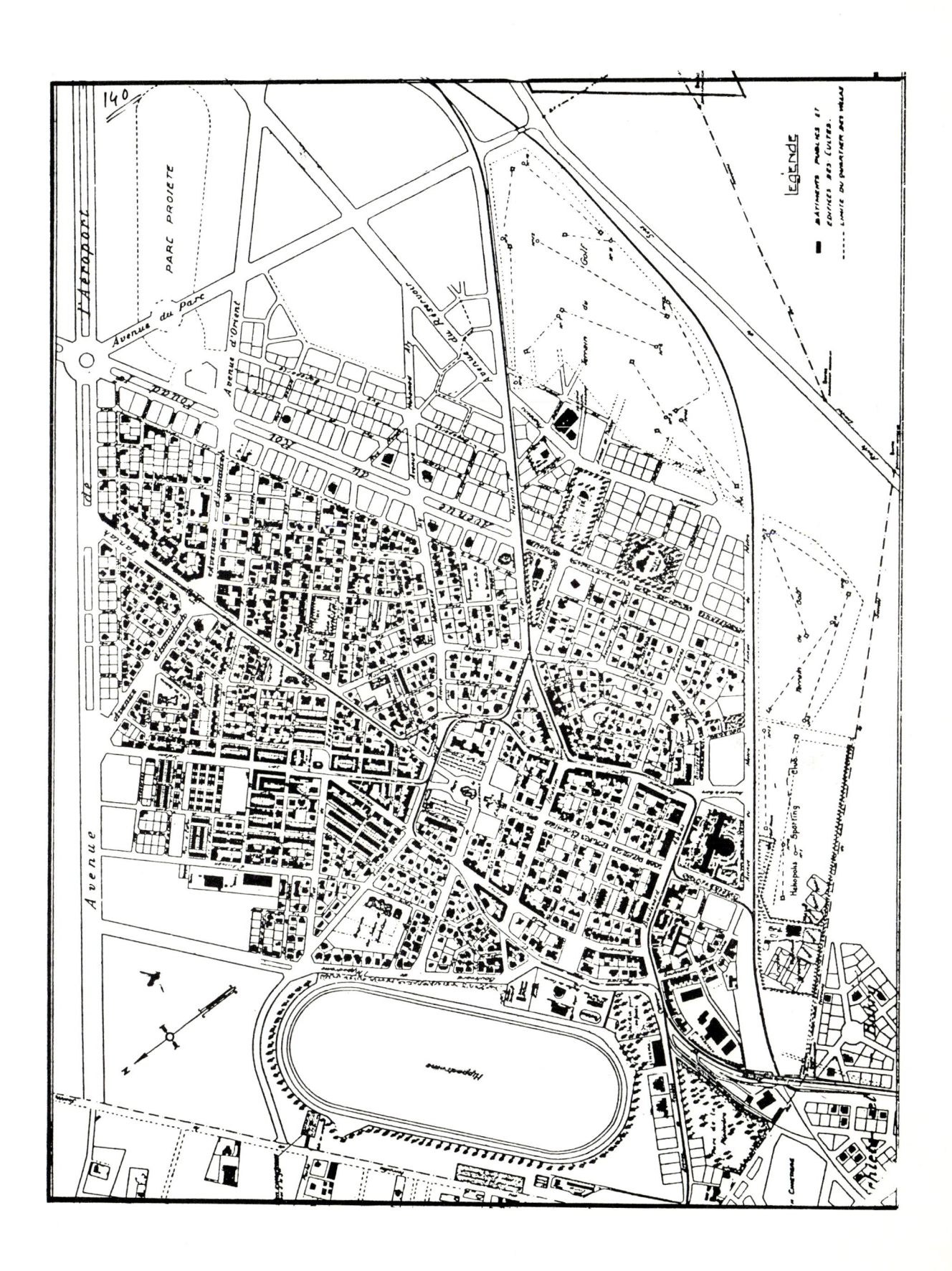

Planche 14 — Plan général d'Héliopolis en 1931

3.2.2. « Town Planning »

En 1930 un urbaniste parisien, de la Société d'Héliopolis, voyait dans l'inflexion des projets initiaux « la confirmation du fait que le tracé définitif et rigide d'une ville, a priori, ne peut guère être envisagé; que seuls des principes et quelques grandes lignes peuvent et doivent être établis et suivis avec une persévérance avertie. Le détail doit s'appliquer aux circonstances » (26). Néanmoins l'impression que donne l'historique que nous venons de tracer peut étonner. Il semble que le plan définitif d'Héliopolis ait été le fruit de compromis successifs entre 1905 et 1909, et que nous ayons assisté à une entreprise lancée quelque peu à la légère. Nous ne pouvons avoir ce sentiment que parce que nous connaissons assez bien les divers projets successifs. En réalité le plan fut dans ses grandes lignes fixé en 1907 alors que la ville était loin d'être sortie de terre. Ce qui changea, d'ailleurs, ne fut pas tant le plan (une fois les deux oasis réunies) que l'extension des zones et surtout le niveau des constructions. Là où l'on avait prévu des palais ce furent des villas, et des immeubles moyens remplacèrent les immeubles bourgeois. A partir des années 1907 — 1909 aucune transformation essentielle ne fut plus effectuée. Les règlements d'édilité, fixés dès 1907, furent remaniés plusieurs fois jusqu'en 1931 (date d'un accord officiel avec le Gouvernement) mais sans que cela remette le moins du monde en question l'allure générale des constructions. Nous ne nous trouvons pas devant une création spontanée. Malgré les hésitations du départ, il y eut bien une série de choix fondamentaux, selon des règles que s'imposèrent les promoteurs, à l'image de ce qui se faisait en Europe. Sans cela aucune unité n'aurait été possible. De tels choix, effectués dès l'origine (c'est-à-dire pour nous dès 1907 - 1908) sont caractéristiques d'une époque où triompha le "Town Planning". Le règlement d'urbanisme, alors élaboré de son propre chef par la Société, fixa les emplacements, et les superficies minima des jardins ou des voies de communication en fonction des surfaces bâties. Il n'existait pas à l'époque — en Egypte — de réglementation concernant les lotissements. Le seul texte applicable était l'article 9 du décret sur le Tanzim de 1889 qui se contentait d'exiger un certain nombre d'assurances concernant la solidité des bâtiments (fondations, murs, toits) et le respect de l'espace public (non empiètement). Lorsque des opérations d'une certaine envergure étaient réalisées alors au Caire elles l'étaient par des moyens de fortune et sans souci, le plus souvent, d'une certaine unité

Dans le cas d'Héliopolis, les promoteurs appliquèrent les règles alors en vigueur en France et en Angleterre pour les lotissements. Du coup la ville eut non seulement un plan clairement organisé, mais aussi des constructions réalisées selon des règles strictes qui d'ailleurs firent échouer un bon nombre de ventes. Mais, en échange, ces règles expliquent — pour une bonne part — le succès de l'entreprise en assurant un développement logique de la ville.

Au niveau le plus global, la superficie réservée à la fonction strictement résidentielle (Planche 15: Types d'habitat) (villas et immeubles bourgeois) représenta plus de la moitié de la surface bâtie, preuve de son importance. On cantonna ce type d'habitat (immeubles de rapports spacieux) au cœur de la ville, à l'intérieur du boulevard circulaire; et la partie Est de la ville (entre le boulevard circulaire et la villa Empain) fut lotie de villas. Hôtel et clubs se situaient aux limites de ce domaine. A l'autre extrémité de la ville (Nord-Ouest) furent installées les quelques industries, les ateliers se trouvant soit dans la pointe Sud-Ouest, soit dans la partie appelée « seconde Oasis d'Almazah » peuplée exclusivement de manœuvres. Le reste (Nord de la Basilique) fut réservé aux immeubles plus populaires, avec, aux limites de la ville, les logements de manœuvres musulmans dans de petites maisons ouvrières.

Répartition de l'espace

En réalité la première règle — concernant la répartition générale de l'espace — ne fut pas le fait de la Société, mais vint de la concession elle-même. Le terrain utilisable — d'après la proposition primitive — était de 25 000 000 m^2, sur lesquels la société n'était autorisée à utiliser qu'un sixième pour les constructions tandis que les 5/6 restants devaient être maintenus à l'état de désert. Cela donnait 4 166 666 m^2 dont 1/4 pour les routes. Il restait donc pour la construction proprement dite 3 125 000 m^2. Dès 1907 la compagnie fut autorisée à prendre 1/4 au lieu du 1/6 de toute l'étendue (contre remise de 400 logements à bon marché pour les fonctionnaires). La superficie était donc portée à 4 687 000 m^2 pour les constructions et 1 562 000 m^2 pour les routes, soit un gain de 1 562 500 m^2. Cela donnait une marge extrêmement importante à la Société. En 1930 un peu plus de 3 000 000 de m^2 furent construits. Outre les raisons évidentes — telles que la possibilité pour le gouvernement de monnayer l'extension de la ville en cas de réussite, et d'éviter une extension démesurée vouée à l'échec — ces règles avaient pour objet de limiter la densité de population. La Société n'avait pas besoin de cela. Elle comprit que, pour réaliser son projet, il lui fallait ménager d'importantes zones de non-bâtisse. Cela avait un double intérêt: d'une part sauvegarder l'isolement de l'oasis en l'entourant de terres désertes, d'autre part utiliser au maximum les conditions topographiques. En effet la zone d'Héliopolis était traversée par des lits de « wadi » (oueds) aux crues dangereuses. Ces ravins, normalement à sec, écoulaient les eaux du désert. Il fallait les préserver en leur état normal

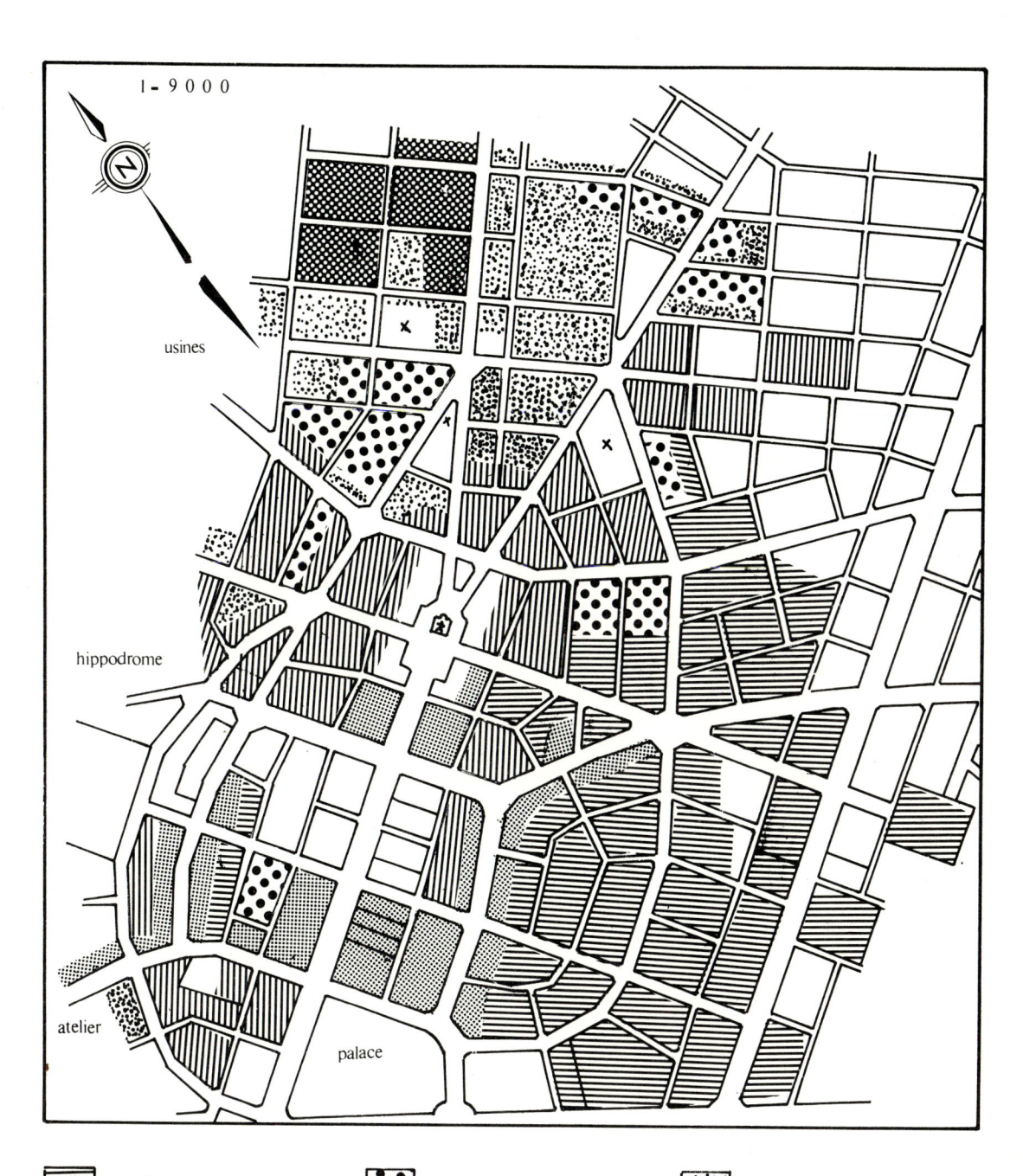

Planche 15 — Carte des types d'habitat

pour éviter des risques d'inondations, en conservant de plus, au bas de la pente, des zones d'épandage. Les limites de la ville — en leur état des années 1920 - 1930 — respectaient les oueds essentiels. Le métro — qui les coupait — eut à en souffrir. Aussi, même lorsqu'un nouveau plan d'aménagement fut accepté, en 1930, et que toute contrainte de ce type fut supprimée, la Société veilla-t-elle à conserver des bandes désertiques (qui furent réduites à 20 puis 10 % de la surface totale).

Mais les promoteurs s'imposèrent d'autres règles strictes de non-bâtisse : 8 % devait être consacrés à des parcs, jardins publics et plaines de jeux, disposés de manière qu'aucune habitation ne soit distante de plus de 300 mètres de l'un d'entre eux ; 30 % devaient être affectés aux rues, avenues et places publiques ; le restant était réservé aux constructions. Ainsi étaient réalisées des conditions d'aération assez larges. Les zones de non-bâtisse étaient de plus très étendues le long de certaines avenues (20 ou 10 mètres) ce qui aérait encore le plan. Le long de l'avenue des palais un recul de 25 m sur jardins plantés était exigé de façon à former ainsi une artère de 110 m de largeur entre alignements.

Si l'on considère un plan général (voir Planche 14) (carte générale, 1930), il apparaît que les zones de non-bâtisse étaient alors énormes. Seules quelques rares rues étaient directement bordées de maisons. Dans la plupart des cas un recul variant entre 5 et 25 m était exigé. Le calcul de la zone de recul était fonction de la longueur de la rue et surtout du type de quartier. Dans les quartiers Nord, la construction s'établissait sans recul sur des voies qui devaient être passantes et commerçantes. Par contre, pour le quartier des villas, le jardin devait entourer le plus souvent la construction, le plan fixant même le type de clôture (haies vives pour le quartier Est, haies vives et murs d'un mètre cinquante maximum pour les villas accolées etc...).

En établissant un schéma des zones de non-bâtisse (Planche 16 : non bâtisse) et de retrait on peut faire ressortir une nouvelle organisation de la ville en quartiers qui recoupe en la précisant celle des types d'habitat. A l'Ouest de la rue de Tantah, dans le tiers Nord-Ouest, il y a un grand quartier d'habitations continues (peu d'espaces non bâtis). Dans le triangle Nord-Est — entre la rue de Tantah et l'avenue Muhammad'Ali — sont construits des immeubles et villas en recul de 3 à 5 m sur rue. Ce même type de réalisation se retrouve à l'Ouest, dans le quartier du Collège des Sœurs du Sacré Cœur. Le Centre, autour de l'avenue des Pyramides, est continu en bordure d'avenue et en retrait de 2 à 6 m sur rues adjacentes. Reste le quartier des grandes villas dans le quart Est, entre l'avenue Muhammad 'Ali et l'avenue du métro. Le recul y est plus important, variant de 5 à 12 m (sauf sur quelques grandes voies). Ces caractères reproduisent bien sûr la différenciation sociale que nous avons précédemment fait apparaître : les types d'habitat s'inscrivent dans une répartition générale de l'espace, qui s'organise en zones de densité variable.

Circulation

Dans un ensemble pareil, la plus grande attention fut portée aux voies de circulation. Le plan permet de repérer cinq types de rues. Il y a d'une part les très grandes artères, plantées en leur milieu de jardins, destinées à limiter la concession comme l'avenue des Palais, le boulevard Abbas (partie Sud du boulevard circulaire) ou bien avenues de prestige comme celle des Pyramides. Leur largeur totale varie entre 30 et 40 mètres. En 1930 l'avenue des Palais (Fouad 1er) fut même portée à 60 mètres.

Un second ensemble de rues est formé par les artères de dégagement : rue de Tantah, avenue Muhammad'Ali, boulevard Ibrahim, avenue Ramses (boulevard circulaire). Il s'agit à la fois de séparer les quartiers et d'ouvrir la ville. Ces avenues varient entre 20 et 25 m de largeur. Puis viennent les avenues secondaires qui délimitent des ensembles de quatre à six îlots souvent géométriques. Leur largeur varie entre 12,5 et 16 m. Enfin les rues de circulation, qui séparent les îlots les uns des autres, ont 10 ou 11 m.

La largeur de certaines voies (avenues des Palais, Boulevard Abbas) ne peut être justifiée que par leur fonction de « frontière ». En effet, à l'époque, vu la faiblesse des transports automobiles, elle pouvait paraître hors de proportion. Quant à l'avenue des Pyramides elle se voulait l'épine dorsale de la cité avec ses deux voies de 12,5 m chacune et son jardin central de 15 m de large.

Toutes ces rues furent dès 1925 munies de bordures, de trottoirs et macadamisées, sauf quelques rues du quartier des villas, maintenues en terre pour l'usage des cavaliers. La sécurité aux croisements était assurée par des pans coupés dont les dimensions étaient calculées dans chaque cas de manière que toute voiture puisse apercevoir celles qui arrivaient sur la voie transversale, en temps utile pour s'arrêter. Lorsqu'il n'y avait pas de pans coupés, le trottoir était arrondi, et — dans les quartiers d'habitation continue — les coins de bâtiments étaient eux-mêmes arrondis selon un cercle de 10 mètres de rayon en général. Ces caractéristiques sont en fait celles que l'on peut retrouver dans la plupart des villes américaines de la même époque. Elles étaient certainement beaucoup moins nécessaires à Héliopolis

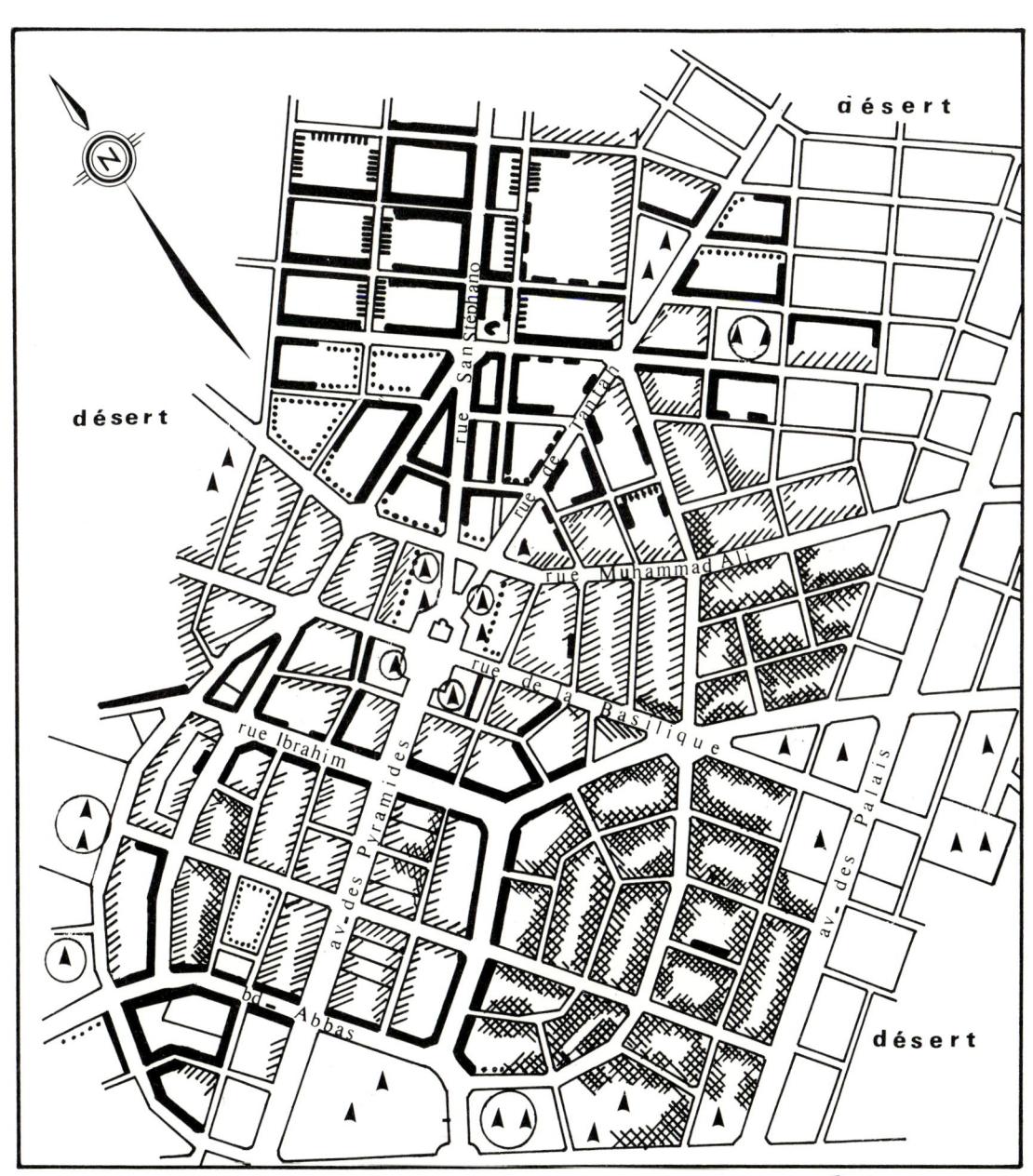

▬ immeubles en alignement sur rue — et arcades. PARCS ▲ privés ⓐ publics.
▦ villas en retrait de plus de 6m. ———   ———   ▨ retrait de 3 à 6m.
▱ immeubles en alignement et retrait sup. à 3m.
▥ type Garden City: grille et jardin.

Planche 16 — Carte des zones de non-bâtisse et de retraits

que dans une ville à plan en damier et à intersections à angles droits, d'autant que l'existence de trottoirs — qui, dans les avenues, ne pouvaient être inférieurs à 2,5 m — permettait de largement dégager le champ de vision.

Quoi qu'il en soit, Héliopolis fut, à l'origine, conçue de telle façon que les artères principales permettent aujourd'hui de faire face à un trafic notablement accru, sans qu'il soit nécessaire de recourir à d'autres moyens de décongestionnement.

Le système de circulation ainsi élaboré est bien entendu centré sur la place de la Cathédrale (Planche 17) dont nous avons vu le rôle majeur dans le plan de la ville. L'ampleur de cette place — si l'on tient compte de l'ensemble planté — est assez étonnante. Avec 190 m de large sur 250 m de long, elle représente une immense zone non bâtie en plein cœur de la ville vers laquelle convergent toutes les voies essentielles, soit sept avenues et autant de rues. L'ensemble ainsi obtenu est relativement original, mais — malgé la recherche architecturale dans les immeubles riverains — assez vide. D'autant que le reste de la ville ne compte qu'assez peu de places et de squares. La place de la Mosquée est très réduite en comparaison (75 x 75), et il n'y a en dehors de cela que quelques carrefours et squares très disséminés.

Au total les voies publiques représentent une part énorme de l'oasis. Ce fait, à lui seul, suffirait à différencier Héliopolis des réalisations traditionnelles en Orient. Dans un pays (sous un climat) où les rues sont étroites et les maisons plantées juste à l'alignement, on a agi volontairement à l'inverse. Par certains côtés, c'était ignorer les problèmes posés par une trop grande insolation et par des vents qui allaient trouver où s'engouffrer aisément. Le fait d'avoir choisi la solution architecturale de l'arcade pour pallier en partie ces inconvénients ne put y remédier absolument. Par son plan et sa structure de circulation, Héliopolis est typiquement européenne.

Constructions

On peut faire exactement la même remarque en ce qui concerne les règles imposées à la construction. Dans la ville orientale traditionnelle, l'habitat trouve, du côté intérieur, des cours et des jardins qui dispensent l'air et la lumière. Ici on n'a pas du tout suscité d'espace libre à l'intérieur des îlots. L'espace libre est externe. C'est-à-dire que dans la plus grande partie de la ville c'est la zone de non-bâtisse qui est généralisée et non la construction à l'alignement avec cour et jardin intérieurs. De ce point de vue, des règles sévères étaient imposées aux constructeurs. Les bâtiments ne pouvaient occuper plus de 50 % de la surface des parcelles sur lesquelles ils étaient érigés. Les villas isolées dans leur jardin ne devaient pas dépasser 15 m de haut (sauf ornementation spéciale). En bordure des voies publiques les immeubles devaient s'inscrire dans un gabarit déterminé par une horizontale (toute la parcelle) et une verticale dont la hauteur égalait une fois et demie la distance entre alignements sans toutefois jamais dépasser 15 m (puis vingt deux mètres). Seules les ornementations (Planches 18 et 19 : Façades) de type dôme et minaret pouvaient excéder cette limite, et ils étaient souvent construits pour rompre la monotonie des façades. Les immeubles de la compagnie, boulevard Abbas, sont un bon exemple de l'application de ces règles, de même que ceux de la place de la Cathédrale.

La hauteur des étages était bien sûr réglementée. Il ne pouvait y en avoir plus de cinq et leur hauteur était au minimum de 4 mètres pour les rez-de-chaussée et 3 m. 40 pour les étages supérieurs. Quant à la dimension des cours, elle était réglementée elle aussi pour éviter la présence de zones insalubres, ne pouvant être inférieure par côté aux trois quarts de la hauteur de la façade la plus élevée.

Ces règles générales de construction se doublaient de prescriptions sanitaires rigoureuses concernant l'étanchéité des canalisations de tout-à-l'égout (qui devaient subir une épreuve ou être homologuées par la compagnie) ou bien, par exemple, les orifices de ventilation qui devaient être garnis de treillis métalliques contre les moustiques.

L'intérêt de cet ensemble de restrictions à la construction est évident : on veillait au maintien d'une unité suscitée déjà par le plan et l'organisation des circulations. Si l'on ajoute que la totalité des canalisations était placée sous les trottoirs pour permettre des réparations plus aisées, l'existence d'un plan d'aménagement ne peut faire de doute. La compagnie affirma s'être inspirée — sur ce point — des réglementations urbaines alors en usage à Paris, et des prescriptions sanitaires anglaises. « Les dispositions adoptées sont essentiellement comparables à celles qui ont régi la création des quartiers les plus luxueux des capitales européennes : dans le quartier Dauphine à Paris, notamment, l'importance relative des espaces libres se rapproche sensiblement de celle prévue dans les nouveaux quartiers d'Héliopolis » (27). Ces règles avaient en tout cas une raison d'être essentielle qui était le maintien d'une faible densité de population : la hauteur réduite des maisons et l'importance des zones de non-bâtisse y concouraient. Ceci dit, la dispersion des habitations et de la population entraînait une augmentation considérable de la surface de voie publique par rapport au nombre d'habitants, elle rendait aussi onéreux l'établissement des canalisations d'eau, de gaz

Planche 17 — La place de la Cathédrale

Le boulevard Abbas vers 1925

Planches 18 et 19 — Façades et variations de hauteur

et d'égouts, et l'équilibre financier des services publics était d'autant plus difficile à assurer. Ceci explique que, dès 1930, un certain nombre de critiques aient été formulées, et que, dans ses projets ultérieurs de développement, la direction ait tenté de renforcer quelque peu la densité, en encourageant en particulier l'habitat collectif au détriment de la villa. Mais ce phénomène alla de pair avec une transformation en profondeur des fonctions et des structures de la ville qui perdit de plus en plus son aspect résidentiel. Pour la période qui nous occupe, la part des constructions sur chaque parcelle resta à peu près stationnaire, entre 30 et 40 %.

3.2.3. Les modèles

L'ensemble de l'analyse que nous venons de conduire nous amène à présenter — globalement — la structure de la ville selon un plan de type circulaire, organisé intérieurement en étoile. A part un certain nombre de rues commerçantes, dans lesquelles l'alignement est la règle, les constructions se perdent dans les haies et les jardins créant ainsi, dans près de la moitié de la ville, une impression permanente de verdure. De plus, toute avenue supérieure à 18 mètres de large étant bordée d'arbres, les plantations gagnent tous les quartiers. Une telle réalisation, au Caire, en 1906, est étonnante. Par les choix effectués concernant la disposition des espaces, des circulations et des bâtiments, il ne peut s'agir d'une banale spéculation. Bien sûr il n'existe aucune liaison entre l'organisme urbain auquel on aboutit et les traditions locales. Mais il faudrait encore connaître de façon précise — et pas seulement vaguement générale — quelles sont ces traditions locales. La ville d'Héliopolis, telle qu'elle nous apparaît maintenant dans sa structure urbaine (fonctions comme plan), mérite que l'on essaie de la replacer dans son contexte. Son modèle n'est pas seulement celui — vague — de la ville-satellite. Les promoteurs ont dû rechercher quelques part leur inspiration.

Par sa forme même Héliopolis s'inscrit dans un mouvement général qui, à la fin du siècle, aboutit à un certain nombre de réalisations synthétiques. Nous l'avons montré, ce ne fut pas seulement une cité de luxe. La zone d'habitat populaire s'étendait sur toute la partie Nord, soit plus du tiers de la superficie totale. Il s'agissait réellement d'une ville. En cela, Héliopolis a hérité aussi bien des exigences urbaines générales que pouvait avoir un quelconque architecte du XIXème, que de la volonté de créer une cité ouvrière modèle, volonté perceptible chez Dollfuss, chez Japy, chez Schneider au Creusot ou chez Krupp à Nordhof. Mais en outre Héliopolis hérita évidemment des villes dessinées, simplement rêvées, qui fleurirent au XIXème. Finalement on peut retrouver dans la réalisation d'Empain un peu toutes ces influences, et il faut la situer entre l'œuvre de Ruskin qui annonce l'avènement des cités-jardins, synthèse de tous les besoins et de tous les désirs, et celle de Tony Garnier qui prévoit une cité industrielle rigoureuse qui permettra l'installation de dispositifs communautaires précieux.

Les origines

Il serait certainement plus facile de retrouver les modèles directs si l'on savait exactement qui fut à l'origine du plan choisi. Empain était un homme d'affaires. Habib Ayrout, qui réalisa de nombreuses constructions, raconte que ce n'était pas un bon technicien (28). Pourtant il n'y eut pas à proprement parler d'urbaniste. Les deux seuls noms qui reviennent sans cesse sont ceux de Marcel et de Jaspar. Nous verrons ce que l'architecture des immeubles leur doit, mais ils ne sont pas connus pour leur œuvre d'urbanistes. C'étaient de bons techniciens, spécialistes de cet art syncrétiste apprécié alors, plus à l'aise dans un faux palais japonais que dans un ensemble d'habitations. Néanmoins on peut penser qu'ils réalisèrent le plan de la ville, mais sous la surveillance permanente d'Empain. Nous savons en effet par les rapports des conseils d'administration et des assemblées générales que c'est ce dernier qui décida des transformations à apporter aux projets initiaux. N'étant ni urbaniste ni architecte, il y a de fortes chances pour qu'il se soit inspiré de plans alors existants.

On peut s'interroger sur le bien fondé et l'intérêt de notre obstination. Après tout, en se référant — dans ses publicités — aux créations de quartiers de luxe à Paris ou Bruxelles, la Société nous conduit elle-même à minimiser ces influences, pour ne voir en Héliopolis qu'une affaire de lotissement résidentielle comme il y en eut bien d'autres. Le plan lui-même — par son goût de la symétrie, ou par le bornage des perspectives — peut effectivement simplement rappeler la « cité baroque », aux lignes claires, que l'on peut suivre du XVIIIème au XIXème siècle dans toute l'Europe. Le fait même qu'il y ait eu une indéniable hésitation dans le but de l'entreprise nous pousse aussi à nous en tenir à cette explication : un quartier de luxe qui — pour des raisons économiques — s'est doublé de zones populaires. Enfin l'absence totale de tout « discours » sur le rôle social de la ville suffit à différencier la création d'Empain de toutes les grandes œuvres de l'époque, qu'elles soient « sociales » ou « patronales ». Cette affaire spéculative serait — pour reprendre la terminologie sociologique (H. Raymond) — proche de « l'urbanistique », avec un plan-masse, un zoning, des variations possibles, plus que de l'urbanisme proprement dit.

Seulement — quoi qu'en dise la Société — Héliopolis est bien autre chose que le quartier Dauphine à Paris. L'étude des fonctions telle que nous l'avons menée a mis en évidence un certain degré d'autonomie de la ville. Le lien au Caire est indéniable, mais il est d'une nature différente de celui qui unit Maadi et la capitale : Héliopolis est plus une ville-satellite qu'une banlieue. D'autre part, il existe — dès 1907 — un plan global qui est bien autre chose qu'un simple plan-masse puisqu'il limite très précisément la liberté du constructeur sur chaque parcelle et fixe les types d'habitat, la ville étant conçue comme un ensemble. Mais il y a plus important encore. Il est relativement facile de discerner, à travers les publicités et les textes, un discours idéologique sous-jacent, dont les thèmes principaux sont : l'hygiène, l'ordre, la beauté, la glorification du logement confortable et moderne, ou encore le progrès mis à la portée de tous.

Un tel ensemble de faits ne peut être négligé. La création d'Héliopolis s'inscrit dans un courant de pensée qui marque l'urbanisme du XXème siècle. Sinon il serait impossible d'expliquer pourquoi les promoteurs se sont imposés des règles d'urbanisme qui étaient à l'époque tout à fait à l'avant-garde. Surtout aux colonies, on aurait pu s'attendre à ce qu'on reproduise un plan simple et préfabriqué. Une analyse rapide du plan nous a amené à rappeler le poids du courant dit culturaliste ; nous pouvons maintenant le vérifier, et l'idéologie « philanthropique » d'Empain ne fait que le confirmer. Si les logements populaires représentent plus du tiers des constructions d'Héliopolis, ce n'est pas le fruit du hasard.

De telles préoccupations nous conduisent à considérer la ville nouvelle d'un nouveau point de vue, en insistant sur l'aspect global de la réalisation et sur l'idée fondamentale chez Empain d'un rapport à la nature préservé par des choix d'urbanisme cohérents. En cela il est certain que l'influence du « mouvement des cités-jardins » est indéniable, d'autant que les promoteurs étaient belges et que M. Smets (op. cit.) a bien montré combien les « villes conçues en vue d'assurer à la population de saines conditions de vie et de travail » furent à la mode, entre 1880 et 1910 en Belgique. Coïncidence peut être, mais en 1906 fut fondée à Bruxelles la « Société des Nouveaux Quartiers Jardins ».

Bien sûr Héliopolis n'a rien d'une « cité-jardin » au sens où Howard la définissait. Il n'y a à Héliopolis aucune vie économique indépendante, la hiérarchisation des constructions et de l'espace est très marquée, et tout l'aspect économique et coopératif est ignoré. Pourtant l'influence du livre d'Howard, traduit en français en 1902, fut considérable, même si elle entraîna d'étonnantes incompréhensions : ainsi appela-t-on « Cité-Jardin » le projet pour la Société de Kom Ombo d'une ville nouvelle à 60 km de Luxor (Silsilah) ... Héliopolis ne peut pas être étudiée sans que l'on fasse allusion à tout ce mouvement. Après tout Empain lui-même parlait de « Garden-City » au sujet des habitations ouvrières. Même s'il y a eu confusion, le modèle est sous-jacent.

Cette influence directe nous semble ressortir clairement d'une analyse du plan et de quelques règles d'urbanisme. Dans les projets d'Howard, la ville devait s'étendre sur 2 400 hectares dont 400 en constructions, chiffres très proches de ceux d'Héliopolis. La cité devait être enfermée dans une ceinture verte inviolable ; le désert est une isolation encore plus sûre. Quant à la ville elle-même elle devait être organisée selon un plan concentrique et « traversée par six magnifiques boulevards ... partant du centre et divisant la ville ». A Letchworth (Planche 20 : Letchworth), première application des théories d'Howard, et œuvre de Raymond Unwin et Barry Parker, on retrouvera cette même structure. Sa construction date de 1903, Héliopolis fut pensée deux ans plus tard, et les silimitudes formelles sont certaines.

Une telle analyse est bien sûr tout à fait insuffisante. Héliopolis n'a d'une « cité-jardin » que certains aspects formels et quelques caractéristiques idéologiques secondaires. Le plan lui-même est relativement courant à l'époque et ne peut donc avec certitude être considéré comme une copie de celui de Letchworth. Mais cet aspect ne devrait pas être négligé. Au fond, si nous étions parti de la situation de Letchworth en 1930, sans connaître le livre de Howard, comment aurions-nous défini la ville ? Il est vrai qu'à Héliopolis il n'y a jamais eu d'ambition théorique, on peut en être certain.

Au contraire, l'aspect pragmatique semble avoir dominé et cela doit faire paraître très étonnant l'absence de toute comparaison avec des exemples strictement « coloniaux ». Il y a, à ce silence, une raison. Si l'on connaît relativement bien l'extension des grands centres au cours des XIXème et XXème siècles, on raisonne à partir de là sur les villes créées, alors que bien peu d'études nous permettent de nous faire une idée exacte de ce qu'elles furent. Mais, surtout, les exemples de Port Saïd ou d'Ismaïliah nous semblent bien différents du cas d'Héliopolis. Si par son architecture (chap. IV) et par sa vie sociale (chap. V), la création du baron Empain se situe clairement dans un ensemble colonial ; par sa structure, et même son objet, elle est redevable d'une analyse générale. Car raisonner à partir du modèle « ville coloniale », nous aurait enfermé dans un cadre bien trop étroit. Héliopolis est une tentative de désenclavement urbain. Les problèmes que posait, en 1900, le Caire n'étaient pas très différents de ceux

--modèles--

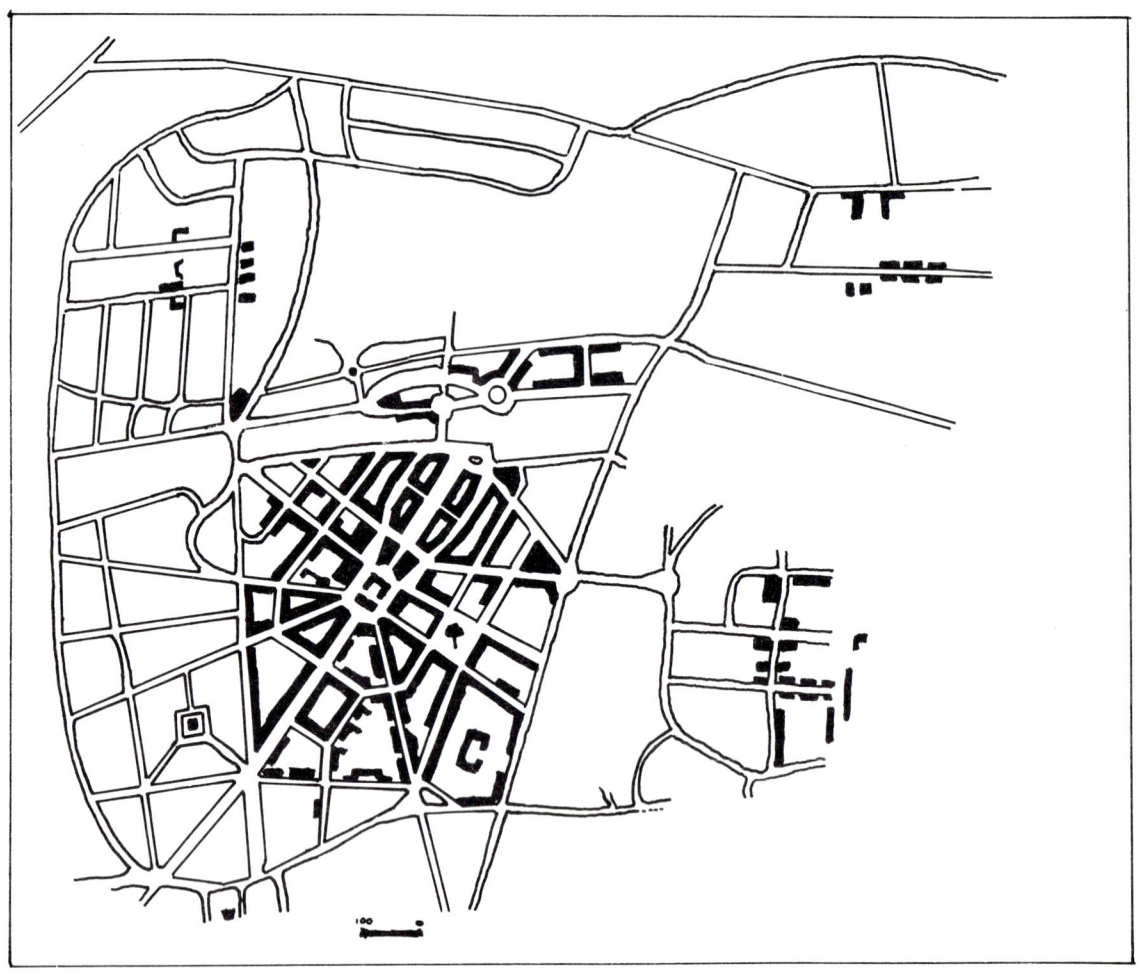

schèma d'après Parker et Unwin.

Planche 20 — Letchworth

que l'on pouvait rencontrer en Europe. Nous ne sommes pas encore devant une ville asphyxiée, même si elle a déjà perdu en partie son identité. Les raisons qui ont poussé Howard ou Ruskin à imaginer la Cité Jardin sont d'ordre hygiénique et social. Une même motivation pouvait animer l'urbaniste en Egypte au XIXème siècle. Il ne nous paraît pas que nous soyons devant un cas typiquement colonial. Héliopolis nous semble bien plutôt être un des tous premiers exemples d'urbanisme satellite dans le monde. Il ne s'agit pas d'une simple banlieue, ou de l'extension d'un nouveau centre européen coupé du noyau indigène. Notre problématique nous ne l'avons pas cherchée au Maghreb mais en Europe. Toute coloniale que soit Héliopolis le plan n'en porte pas directement les stigmates.

Quant aux origines directes nous n'espérons pas les avoir toutes mises en évidence. Mais l'importance du modèle de la cité-jardin nous semble fondamentale — quoique, répétons-le, nous nous trouvons devant une « ville-satellite ». Il est vrai que ni Letchworth, ni plus tard Welwyn (1919) ne parviendront jamais à une véritable autonomie : preuve supplémentaire de la difficulté de manier ces modèles.

CHAPITRE IV

L'ARCHITECTURE

Héliopolis est une expérience occidentale ; elle est coloniale justement par ce simple transfert géographique d'une entreprise qu'il eut été plus facile d'imaginer en France ou en Belgique. Cette impression d'importation est d'autant plus forte que les règles qui ont présidé aux constructions (contraintes des cahiers de charge, matériaux) sont tout à fait européennes elles-aussi. Ce n'est pas là un point négligeable, tant du point de vue économique que de celui de la qualité des réalisations.

Effectivement, Héliopolis représentait un immense chantier. Pour les entreprises de travaux publics, qui traversaient — au Caire — de très graves difficultés à la suite de la crise de 1907, cela représentait évidemment un marché non négligeable. Pourtant — outre le fait que le nombre d'entrepreneurs concernés a été assez réduit — le marché possible dut être extrêmement limité : une grosse partie du matériel (et même des matériaux) fut importée d'Europe : les machines à fabriquer les briques étaient belges ; le marbre venait d'Italie, et, longtemps, même le ciment provint de France. Héliopolis ne put donc que de façon très secondaire aider à résorber la crise du bâtiment au Caire.

Par contre le fonctionnement strictement européen de l'entreprise contribua à imposer des règles de construction et une qualité de matériaux qui étaient souvent négligées en Egypte. Une simple entreprise de lotissement se serait contentée d'appliquer les méthodes rapides (et peu sûres) employées alors un peu partout dans le Caire. Au moment où s'élevaient, à chaque coin de rue, des « maisons de la mort certaine », Héliopolis suscita un certain étonnement. Le nombre des cahiers de charge, leur extrême précision jusque dans les moindres détails, la solidité générale des constructions, tous ces caractères étaient assez exceptionnels. De même les cahiers de charge étaient remis à jour sans cesse, permettant d'intégrer certaines exigences nouvelles, et la surveillance des chantiers était menée avec la plus grande rigueur. De plus, les constructions étant le fait d'entreprises adjudicataires, on ne pouvait avoir les mêmes surprises qu'en ville. Enfin — grâce à un cahier de charge spécial pour les chantiers — la ville nouvelle n'eut pas les caractères permanents d'une ville en construction.

4.1. CREATION

4.1.1. Les options

Le fait que l'on ne connaisse pour l'aménagement d'Héliopolis aucun architecte ou urbaniste de l'importance d'un Unwin ou d'un Parker est extrêmement étonnant. Il semble n'y avoir eu — dans l'élaboration du plan d'ensemble comme dans la fixation du décor — aucune direction véritablement spécialisée. A ce niveau, on aurait vraiment affaire à une entreprise de lotissement. Mais c'est évidemment une analyse fausse : l'idée directrice est bien trop nette à Héliopolis, les cahiers de charge bien trop précis pour que l'on n'ait pas eu une organisation complexe dans l'élaboration des options architecturales. C'est là un phénomène fort intéressant. Les livres d'histoire de l'architecture aiment à s'attarder sur les grandes œuvres marquées du sceau d'un génie. Ici il semble que le résultat — somme toute assez remarquable — ait été atteint d'une toute autre façon.

Les hommes

Il existait un contrôle architectural qui avait pour but essentiel d'assurer un compromis entre l'unité architecturale et une diversité suffisante pour animer le paysage. La responsabilité essentielle en revenait à deux hommes, déjà signalés, Ernest Jaspar et Alexandre Marcel. En réalité, leur fonction était, avant tout, de réaliser un certain nombre de grands bâtiments. Jaspar fut l'auteur de l'Héliopolis Palace et des bâtiments du boulevard Abbas, Marcel créa la Basilique et le Palais Hindou. Empain avait fait connaissance de l'un et de l'autre au Caire même où ils se trouvaient en villégiature. En 1905 Marcel avait une certaine notoriété en France et en Belgique. Il avait collaboré à la création du Petit Palais à Paris, mais surtout s'était spécialisé dans l'architecture exotique qu'appréciaient beaucoup les grands personnages. Ainsi réalisa-t-il en Belgique, pour le compte du roi Leopold II, la Tour japonaise et le Pavillon Chinois de Laeken que l'on peut encore voir. Puis il partit en Inde bâtir, pour le Maharadja de Kapourtala, un... palais Renaissance (à chacun son exotisme). C'est à son retour d'Inde qu'il fut engagé par Empain pour lequel il éleva, juste retour des choses, un château hindou (1). Etant en même temps homme d'affaires, c'est lui qui négocia la création de la Société Française d'Entreprises en Egypte. Mais malgré son entrée à l'Institut de France, il ne fut pas celui qui marqua le plus profondément l'architecture de la ville, ses œuvres restant trop étonnantes pour pouvoir être généralisées.

Le belge Jaspar fut sans doute plus influent. Alors qu'il séjournait à l'hôtel Shepheard's, le prince Mahmoud de la dynastie khédiviale le présenta à Empain. Engagé, Jaspar installa sa famille au Caire en 1906 et entreprit de dresser les plans du Palace (2). Son fils, Marcel Henri Jaspar, raconte ainsi la rencontre initiale au cours de laquelle Empain amena le jeune architecte à cheval dans le désert : « Je veux bâtir une ville ici. Elle s'appellera Héliopolis, la ville du soleil, et tout d'abord j'y construirai un Palace... un énorme palace... je veux qu'il soit magnifique. En outre je désire que l'architecture soit conforme à la tradition de ce pays. Je veux un spécialiste de l'art arabe. Je n'en ai pas trouvé. Vous aimez les mosquées, vous êtes architecte, voulez-vous me soumettre un avant-projet ? » (3).

Le problème est ici clairement posé : Empain n'a pas pu trouver en 1905 d'architecte compétent pour réaliser son but. Il a finalement choisi de s'en remettre à un amateur éclairé, certes architecte, mais qui connaissait fort mal le pays. Ceci dit, il ne lui a pas confié la ville elle-même, mais son bâtiment le plus imposant. Plus tard Jaspar établira les plans de bien d'autres constructions, mais il ne semble pas avoir possédé de pouvoir général de décision.

Outre ces deux noms, on ne peut retrouver — dans les archives dont nous avons disposé — d'autre architecte plus ou moins connu. Au Caire même, la plupart des réalisations furent l'œuvre d'entrepreneurs, qui souvent établissaient eux-mêmes les plans tout en étant maîtres d'œuvres. Deux se retrouvent souvent : Léon Rolin, propriétaire d'une importante société de construction au Caire après avoir fait des études d'ingénieur à Liège et avoir créé les chemins de fer de Salonique (4), et Habib Ayrout dont la fortune fut liée à la réalisation d'Héliopolis. Son cabinet — bientôt agrandi de deux de ses fils, architectes — fut à l'origine d'un grand nombre de constructions entre 1910 et 1940. A part ces deux entrepreneurs, on peut signaler beaucoup d'entreprises locales de maçonnerie, en général d'origine européenne. Ainsi retrouve-t-on souvent les maisons Azzari, Radouan Grech Cumbo et Compagnie, ou Awabadallah. Mais les marchés furent très inégalement partagés.

On aboutit donc à une division profonde des responsabilités. Si on ajoute encore que de nombreuses missions d'architectes spécialement venus de Belgique se succédèrent, il peut sembler étonnant que les promoteurs aient réussi, malgré tout, à imposer une certaine unité.

Structure et méthodes

Si le Directeur Général put conserver la maîtrise du développement urbain, ce fut grâce à un système hiérarchisé de surveillance et de décision. Il existait deux bureaux d'architecture, un au Caire l'autre à Bruxelles. C'est celui de Bruxelles qui effectuait les choix. Le Caire devait « établir plans, devis, et cahiers de charge selon les instructions de Bruxelles » (5). Le bureau du Caire devait correspondre avec Bruxelles jusqu'à passation de la commande. Ces deux bureaux veillaient au respect des normes. Ils ne semblent en aucun cas avoir eu un rôle créatif puisqu'ils ne surveillaient en réalité que de petits chantiers privés. Pour les chantiers de la Compagnie, leur rôle se résumait à la surveillance du respect des cahiers de charge.

Dans les choix d'ensemble, il nous paraît qu'Empain fut sans doute essentiel, conseillé par Jaspar. Pour la réalisation des bâtiments, les modèles semblent avoir été les formes architecturales choisies par Jaspar pour le Palace (une des toutes premières constructions). Cela signifie que les « lieux symboliques » imposèrent leur dessin à l'ensemble de la ville. Toutes les façades furent réalisées selon les conceptions de Jaspar, le plan étant — lui — le fruit du travail de simples techniciens du bâtiment. C'est-à-dire que l'on fit coexister des plans-types (appartements bourgeois, « garden-cities », villas) et un certain genre de façade.

Le rôle des services d'architecture apparaît donc clairement : faire respecter aux constructeurs privés certaines normes de décor, et organiser, en fonction de celles-ci, des plans-types d'habitations fort usuels alors en Europe.

Hiérarchisation de l'habitat

Ainsi peut-on, en négligeant le décor « mauresque » (fort loin de « la plus pure tradition arabe » dont rêvait Empain), établir une série de types de réalisations qui respectaient l'idée principale de la structure urbaine : la division en zones. Cela signifie qu'au-delà de la hiérarchisation des quartiers existait une hiérarchisation de l'habitat extrêmement précise. La Société elle-même définissait quatre grands types : les garden-cities (petits appartements ouvriers), les bungalows, les appartements en immeubles de rapport, et les villas. Chacun de ces types était lui-même divisé en sous-groupes : villas à coupoles, villas à tours, appartements B ou C, etc... Les plans utilisés étaient strictement conçus, selon des normes bien européennes.

En ce qui concerne les villas, il est fort difficile de proposer une description type tant fut grande la diversité : types U, UF, P, S, R, hall octogonal, dôme etc..., les constructions privées étant plus variées encore. Leur superficie était très inégale : 130 m² pour le type D, 200 m² pour le type UF, 230 m² pour le type U accolé, ou 300 m² pour les villas à hall octogonal. Beaucoup pouvaient être indifféremment accolées ou isolées. Les différences entre les types pouvaient seulement correspondre à des types de décor. Ainsi les villas S et P (Planches 21 et 22 : Les villas P et S) présentent de nombreux points communs. Les villas les plus courantes (à partir des types S et P, puis le type villa accolée) sont construites en série.

Certaines présentent un sous-sol avec une cave, une buanderie et une ou deux chambres de service. Parfois on y trouve aussi la cuisine principale (villa à dôme). Sur le mur extérieur est toujours installé un « W.C. arabe pour domestique » (sic). Le rez-de-chaussée sert de réception et comporte le plus souvent un hall d'entrée, une salle à manger et un salon, auxquels s'adjoignent, selon la taille, un vestiaire, un bureau ou un fumoir. Si la villa est de plain-pied, on trouve une salle à manger et un salon, une terrasse couverte et au moins trois chambres mais souvent très exiguës (environ douze mètres carrés). Sur les terrasses, on installe parfois une chambre supplémentaire pour domestique. A l'étage sont situées les chambres et salles de bain.

Il est très frappant que, le plus souvent, on retrouve la même distribution de pièces quel que soit le type : on se contente de réduire les dimensions.

Ce même phénomène se retrouve dans les immeubles de rapport bourgeois, constitués le plus souvent de six appartements mais parfois présentant tous les caractères de l'immeuble locatif, généralisé en Europe après Haussmann. Les appartements — immeubles de rapport à six appartements (Planches 23 et 24 : Immeubles de rapport) — comportent un grand hall faisant aussi séjour, une terrasse ou balcon, une salle à manger, une cuisine, un office, un W.C., deux à quatre chambres et une entrée de service. Il s'agit de l'appartement que l'on peut retrouver à Paris, à Bruxelles ou à Londres à la même époque ; leur superficie varie de 70 à 140 mètres carrés.

Les deux derniers grands types recouvrent les habitats populaires : « bungalows » pour ouvriers et « garden-cities ». Sous ce dernier terme la Société inclut deux formes tout à fait distinctes de bâtiments. D'une part le grand immeuble dit en « L », d'autre part la garden-city proprement dite (type B et C).

Les logements ont une superficie très variable selon qu'il s'agit des bungalows (environ 25 m²), des grands blocs (30 m²) ou des garden-cities (de 33 à 69 mètres carrés)(Planches 25-26-27 : Garden-City). Ces derniers se présentent sous la forme d'ensembles de deux étages sur rez-de-chaussée, couvrant une cinquantaine de mètres de long, et disposés en général face à face. Les appartements du rez-de-chaussée disposent chacun d'un jardin clos. La rue passe donc entre les jardins, les immeubles étant distants de plus de vingt mètres l'un de l'autre. Les appartements supérieurs disposent chacun d'une terrasse couverte et sont desservis à chaque étage par coursive. Le plan fait apparaître des appartements relativement spacieux avec cuisine, salle de bain, deux à trois chambres, et une terrasse.

Les immeubles en L, (Planches 28-29-30 : Bâtiments L) parfois appelés aussi garden-city, sont tout à fait différents. Il s'agit de trois groupes d'habitations qui se présentent comme des blocs. Le premier, en équerre a une longueur de 145 mètres. Le second, de même forme et parallèle au premier, mesure 92 mètres. Le troisième, qui ferme l'ensemble, est rectiligne et ne mesure que 41 mètres. Chaque bloc comprend deux étages sur rez-de-chaussée. Le premier bloc a son rez-de-chaussée loué à de petits commerçants. W.C. et lavoirs sont regroupés à chaque étage.

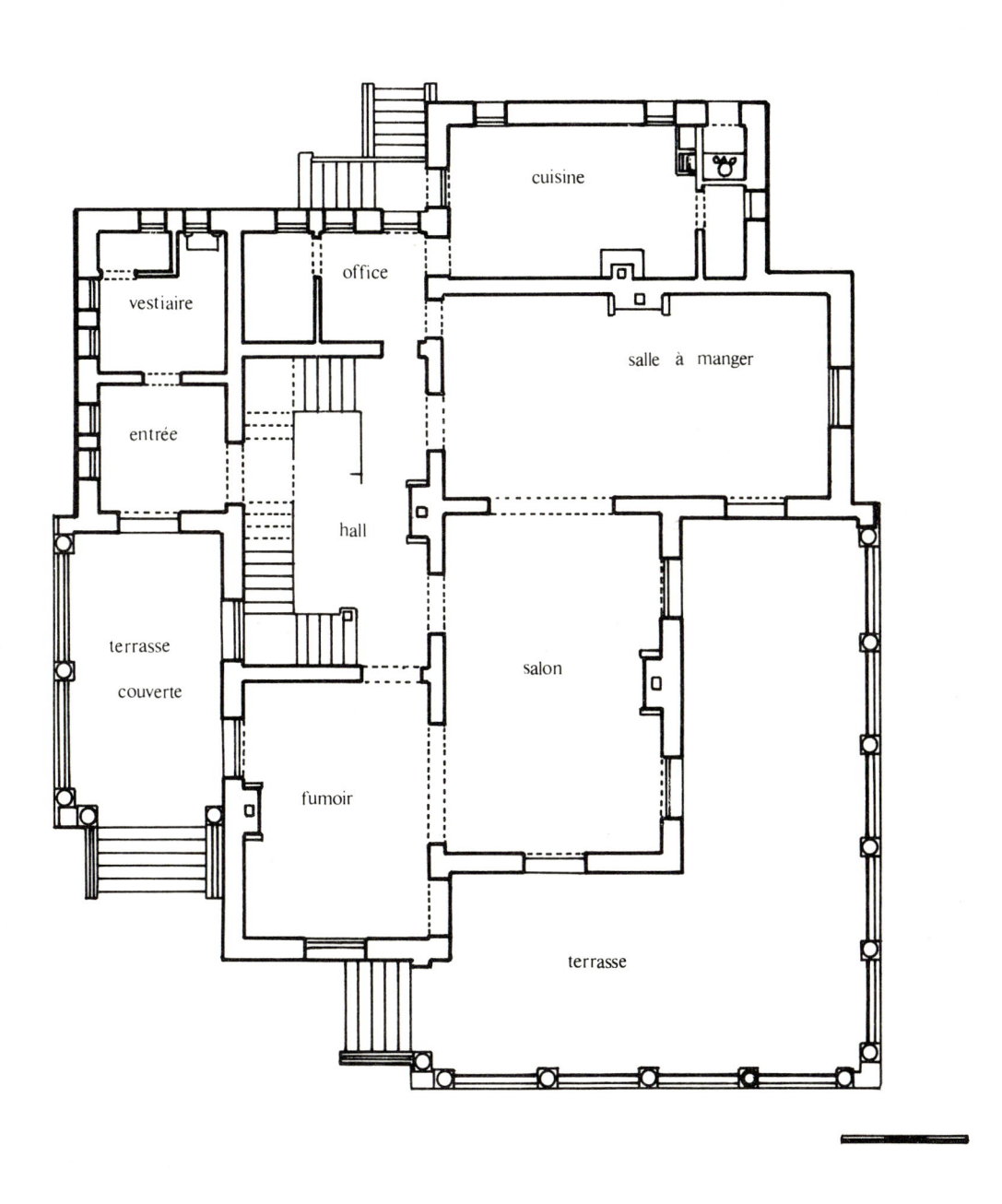

Planche 21 — **Plan des villas, type S**

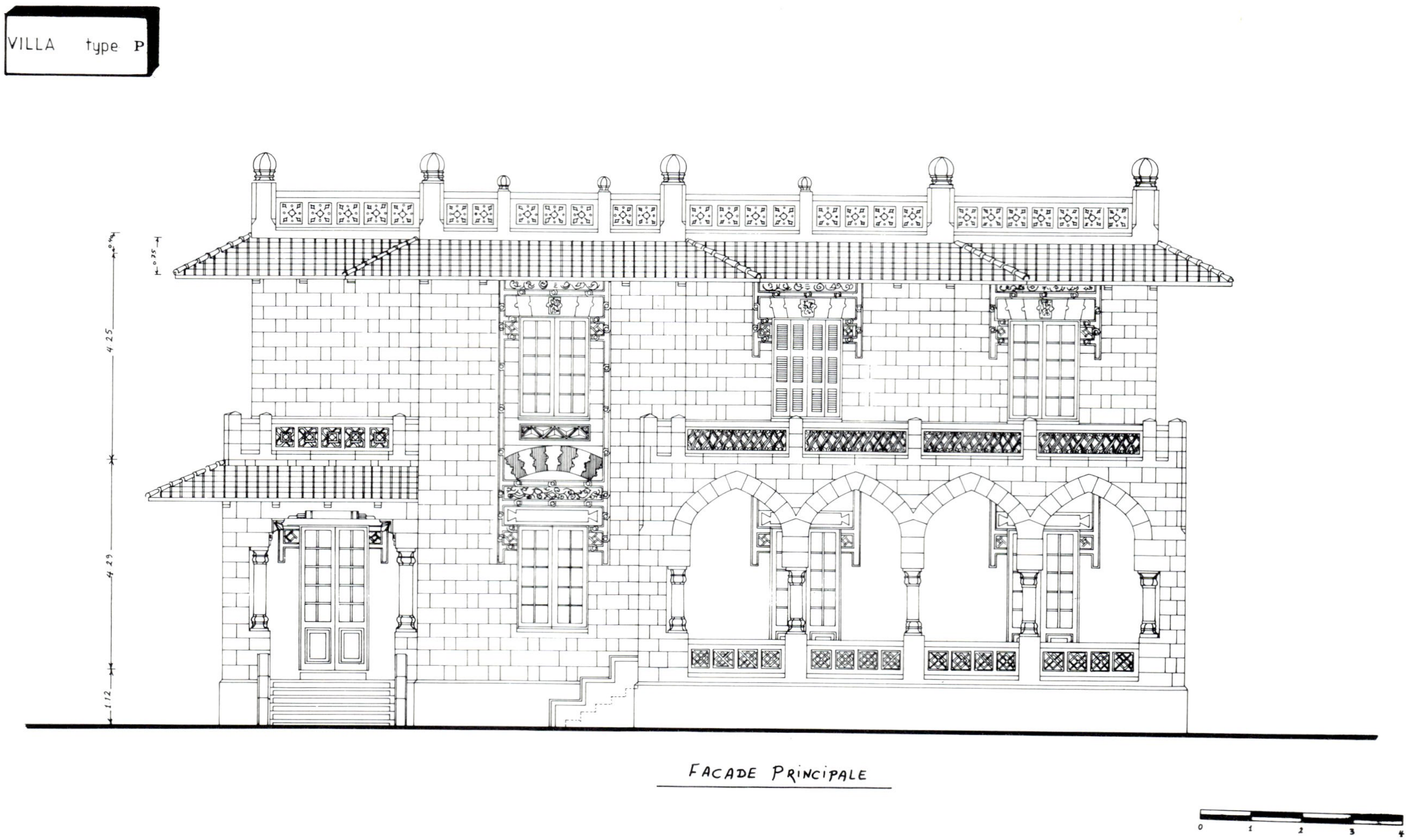

Planche 22 — Villa, type P. Façade

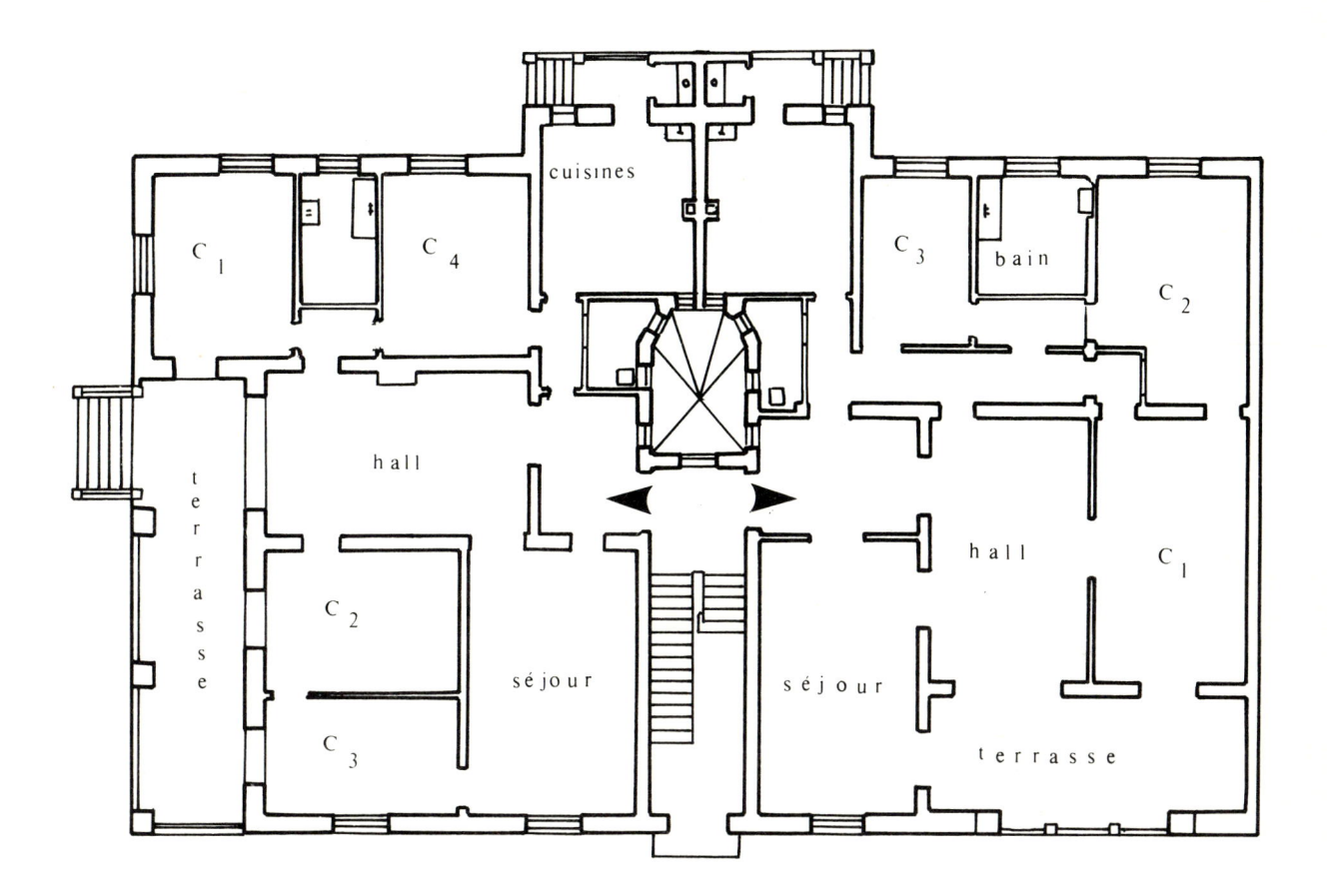

Planche 23 — Immeuble de rapport, plan d'un étage

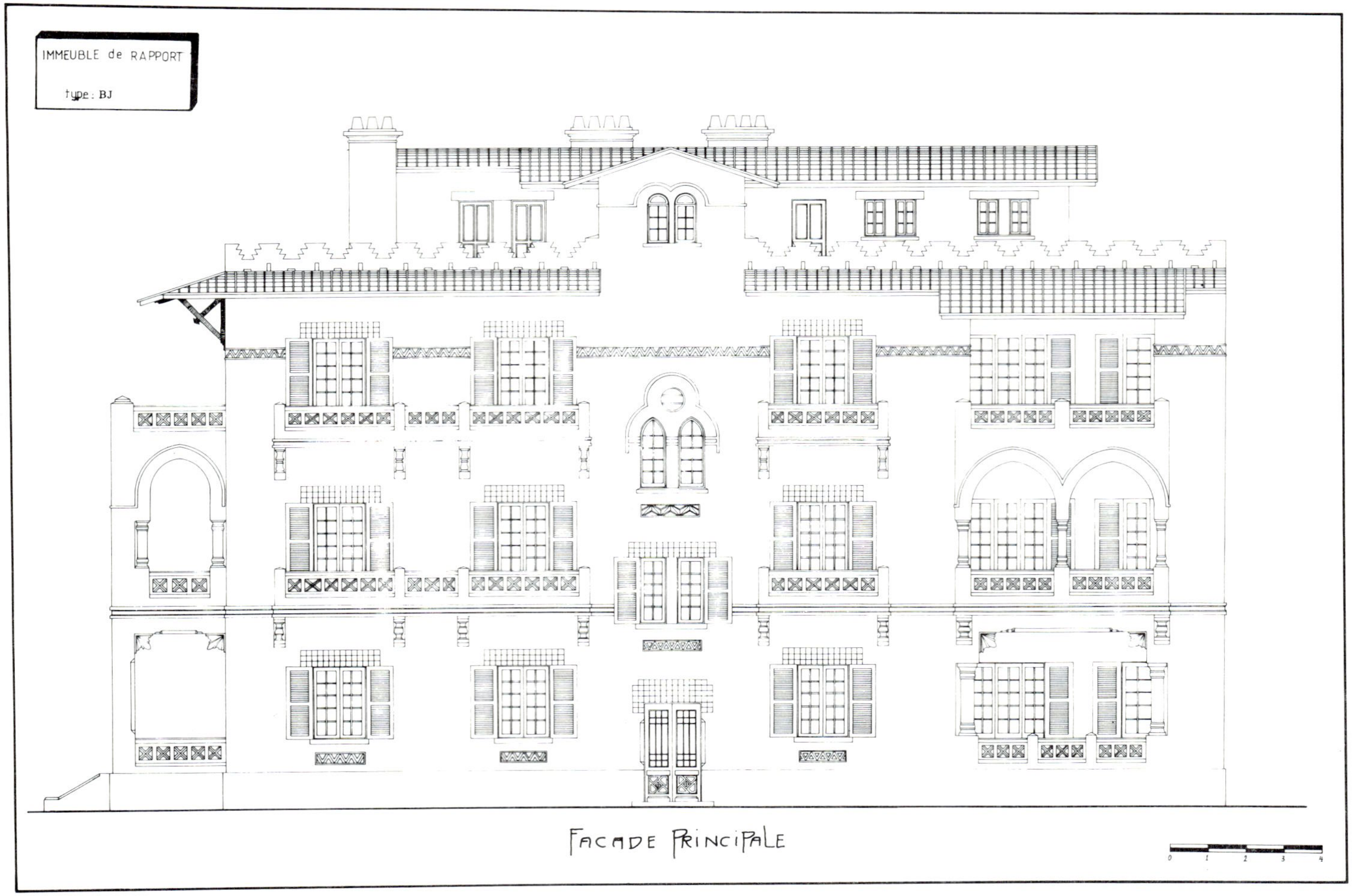

86

Planche 24 — Immeuble de rapport, façade

Façade rue : Au rez-de-chaussée, chaque appartement dispose d'un jardin. A l'étage, chaque appartement a une terrasse ou une loggia.

Planche 25 — Garden-City

Façade arrière : La desserte des appartements se fait par coursive extérieure. Photo prise lors de travaux d'aménagements. Ces immeubles restent recherchés et entretenus.

Planche 26 — Garden-City

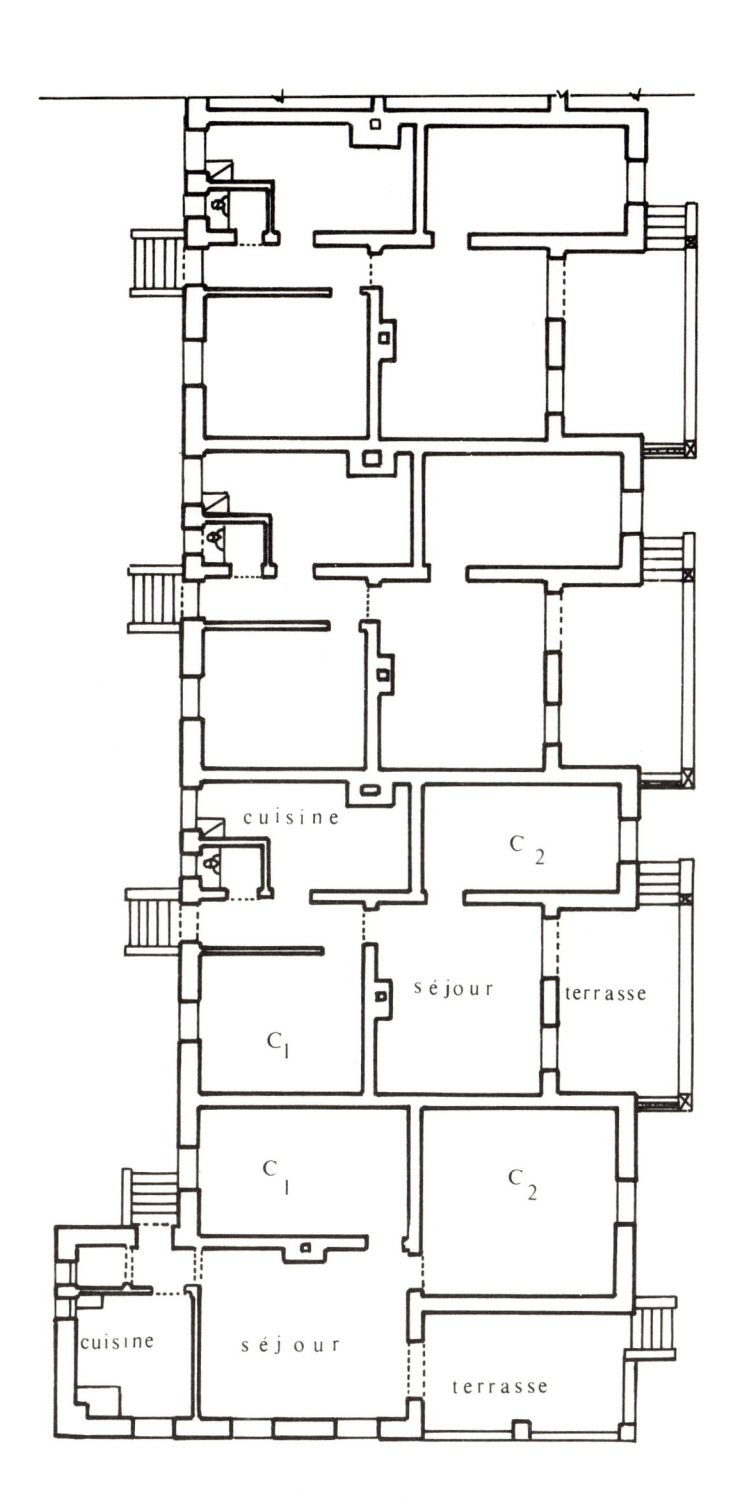

Planche 27 — Garden-City, plan usuel

Premières réalisations Immeubles dits en L, 1906

Vue d'ensemble des quartiers populaires : au tout premier plan les petites maisons pour ouvriers musulmans, avec leurs cours ; derrière les deux immeubles en L, entourés des diverses « garden-cities ». (1927)

Planches 28-29 — Bâtiments en L

91

REZ DE CHAUSSEE   BLOC II

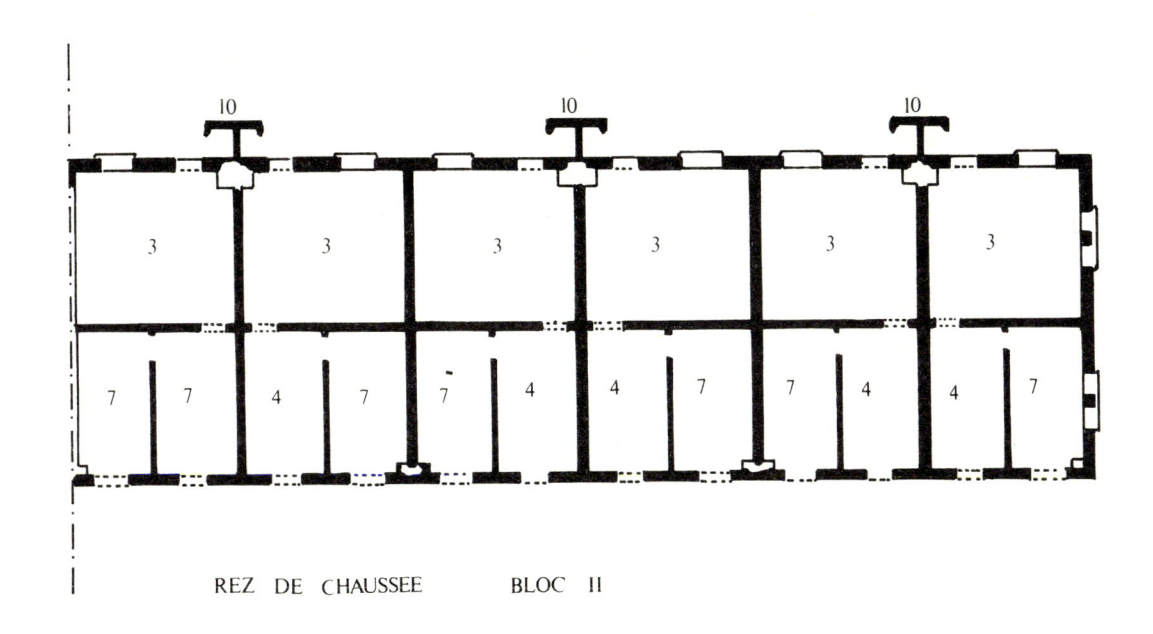

C _ magasin   B _ buanderie   7 _ cuisine   4 _ chambre   3 _ séjour

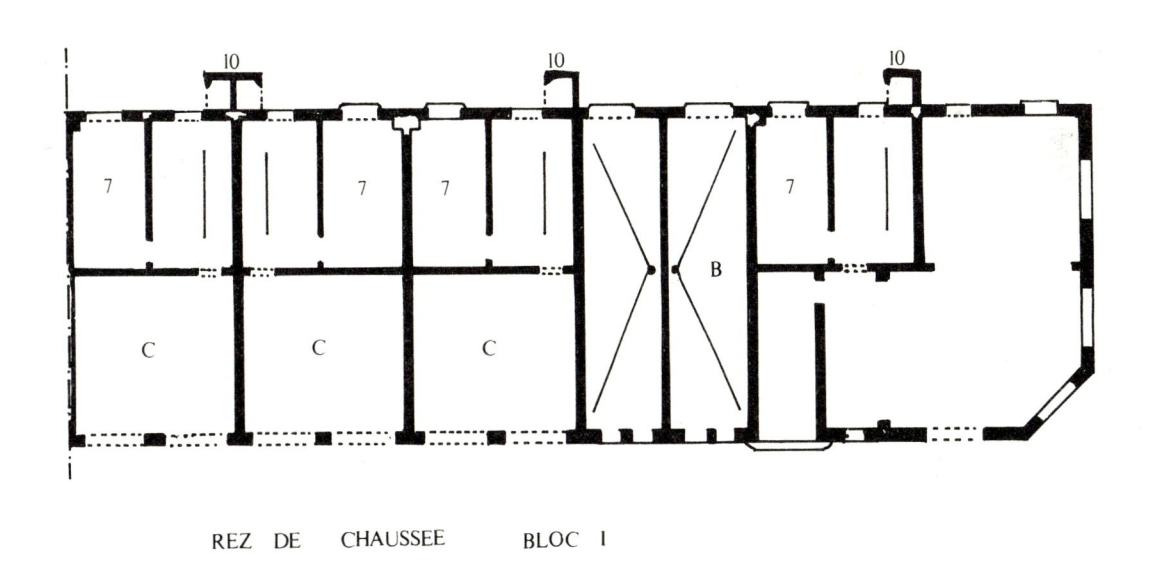

REZ DE CHAUSSEE   BLOC I

0 1 2

Planche 30 — Bâtiments en L

Les autres blocs sont intégralement composés de logements pour ouvriers, chaque étage étant desservi par un balcon qui couvre toute la longueur du bâtiment. Les logements sont très exigus comprenant chacun deux chambres et une cuisine.

Quant aux bungalows, on peut en distinguer deux sortes : d'une part les « petits logements pour ouvriers », d'autre part « la cité indigène » (Planche 31 : Cité indigène). Dans le permier cas il s'agit d'une habitation de deux pièces, cuisine et jardin de 16 mètres carrés environ, pourvue d'installations sanitaires et raccordée au réseau d'égout, avec W.C. extérieur. La « cité indigène » se compose quant à elle d'une série de maisonnettes alignées, comprenant deux pièces de 4 m sur 3 m, une cour, un W.C. « indigène » (sic) et un four dans la cour. L'ensemble se présente sous la forme d'un groupe compact, en général de 24 maisons, en deux blocs séparés par une ruelle de 6 mètres. La hauteur sous plafond est ici limitée à 3,30 mètres, et les cours sont fermées par un mur de 2,50 mètres de haut.

La liste que nous venons de dresser n'est pas exhaustive, mais elle nous permet de vérifier, au niveau même de l'architecture, les conclusions auxquelles nous étions arrivés pour l'urbanisme : une volonté directrice et un plan préconçu ont organisé Héliopolis. Les normes que l'on a choisies pour l'habitat sont typiquement européennes. La superficie même des logements est européenne (du moins à l'époque). L'existence de villas en série, de constructions - types, et d'une cité ouvrière ne peuvent pas ne pas faire penser à ce que l'on érige alors en Angleterre. L'originalité architecturale de la ville tient dans la prédominance d'un architecte qui impose plus ou moins ses choix pour les façades.

4.1.2. Le Style

Les visiteurs qui se succédèrent à Héliopolis furent très sensibles aux choix architecturaux effectués par la Société. En 1909, le ministre plénipotentiaire belge notait : « On avait l'impression de se trouver dans une ville d'eau d'Europe ou dans un coin d'exposition qui ne serait pas construit en matériaux périssables mais en de solides bâtisses d'un goût sobre et de gigantesques proportions » (6). Un peu plus tard l'ambassadeur de France faisait une remarque semblable : « L'impression ressentie lorsque l'on arrive dans l'avenue principale d'Héliopolis est celle qu'ont éprouvée les visiteurs de certaines parties de l'Exposition Universelle de 1900 » (7). Il est bien difficile d'assigner un style précis aux édifices construits. Lorsque l'on écrit, par exemple, que le bâtiment de la Compagnie, boulevard Abbas, est « d'une grande élégance et représente un échantillon fort bien choisi de l'architecture italienne » (8), cela témoigne évidemment de l'échec d'une tentative : faire revivre l'art arabe. Le mot même « d'échantillon » n'est pas très flatteur : un peu comme si l'on avait réalisé les constructions par genre, sans souci d'unité. Pourtant il y avait eu une tentative pour chercher à éviter une trop grande diversité.

L'opposition façade-plan

Bien sûr, si l'on s'en tient à quelques grands bâtiments érigés avant tout à des fins publicitaires, c'est plutôt l'éclectisme qui saute aux yeux. La « villa hindoue » est une copie en miniature d'un temple réellement vu par A. Marcel. Certaines pièces du décor furent même envoyées directement d'Inde. Pourtant l'aspect complexe de la façade cache un plan tout ce qu'il y a de plus traditionnel. Le rez-de-chaussée est composé des pièces de réception (fumoirs, salons, salle à manger), et le premier étage des diverses chambres de la famille Empain. La villa ayant été érigée en surélévation, son sous-sol était occupé par les cuisines, les chambres de service et les dépendances. Pour l'autre œuvre de Marcel à Héliopolis, le problème est un peu différent puisqu'il s'agit de la Basilique, réduction au quart de Sainte Sophie de Constantinople mais en bon béton blanchi. La réduction déformant les volumes, on pense plutôt à l'époque de Montmartre qu'à celle de Justinien.

Il faut mettre ces deux œuvres à part. Entre 1905 et 1925, elles restèrent uniques en leur genre. Ce n'est que plus tard que les constructeurs privés se déchaînèrent, érigeant des palais rappelant des chalets suisses, aux lourds toits d'ardoises. Au départ, il s'agissait de réalisations publicitaires, destinées à frapper le visiteur.

Mais ce sont les autres réalisations qui témoignent le mieux du style choisi par les promoteurs. Près de la villa Hindoue, la Société érigea le palais du Prince Hussein (Planche 32 : Palais Hussein), grande réussite dans le genre, avec ses décrochements sur toute la hauteur du bâtiment, son dôme de mosquée et ses créneaux. Nous essaierons de préciser les emprunts à l'art islamique. Mais, à l'évidence, on est là devant une série de choix architecturaux tout à fait différents de ceux de Marcel et dont témoignent tous les autres palais élaborés (Planches 33-34 : Palais) alors, de celui du prince Ibrahim ou de Boghos Nubar à celui — plus tardif — de la Sultane. Pourtant tous ces palais présentent des plans bien européens avec le même goût des ouvertures continues en façade. La distribution des

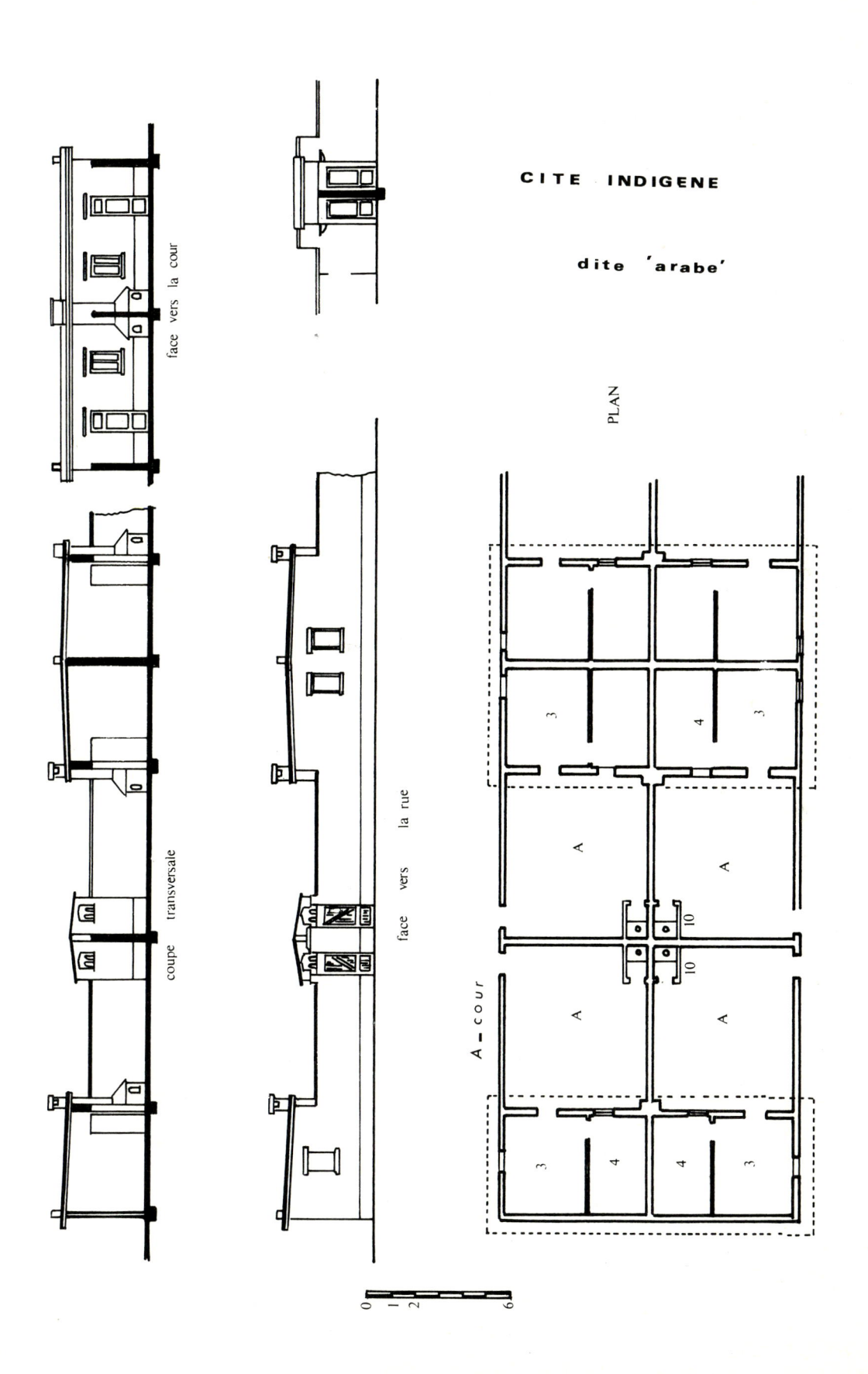

Planche 31 — Cité indigène, élévations et plan

Planche 32 — Palais du Prince Hussein

Derrière le palais du Prince Ibrahim, l'étonnante silhouette de la Villa Empain, chef d'œuvre de Marcel

Le palais de la Sultane

Planches 33 et 34 — Le quartier des Palais

pièces dans le palais est exactement celle des grandes villas. Mais au lieu de douze pièces, on en compte quarante quatre (prince Hussein).

L'exemple le plus caractéristique du style choisi, et de l'opposition façade-plan, nous paraît être celui de l'Héliopolis Palace. En 1929, la revue *l'Art Vivant* en faisait cette description : « Il emprunte à l'architecture arabe ce qu'elle a de plus séduisant : le goût des transparences, des perspectives, de l'espace » (9).

Le travail était le fruit de la collaboration de Jaspar (maître d'œuvre) et Marcel. Il s'agissait d'une construction immense (Planches 35-36-37 : Le Palace) qui coûta alors deux millions cinq cent mille dollars et fut le plus grand hôtel du monde pendant longtemps. L'allure de l'ensemble est un étonnant compromis entre les formes de l'architecture classique européenne (façade immense, trois décrochements, deux ailes) et certaines caractéristiques effectivement orientales.

La construction est d'abord constituée d'une partie centrale de cent cinquante mètres de longueur sur quatorze de largeur avec un avant-corps de vingt mètres sur huit (entrée principale) et deux ailes de soixante quatre mètres de longueur sur treize mètres soixante dix de largeur. Cette partie comprend un sous-sol de 3,50 m de hauteur avec caves, logements pour domestiques, installations de chauffage, services et cuisines. Sur ce sous-sol, on trouve un rez-de-chaussée de 5,50 m de hauteur avec salons, et, sur les côtés, des chambres. Sur cet ensemble sont érigés deux étages de 4,50 m de hauteur chacun avec salons, chambres, salles de bain, W.C. etc... A ce corps de bâtiment, s'adjoint, en retrait, un hall central de trente mètres sur dix-huit, surmonté d'une couple de onze mètres de diamètre. Ce hall est doublé à droite et à gauche par deux salles (13 X 10 m) avec rotonde (salon de lecture et salon de jeu). Enfin, plus en retrait encore, on trouve une partie de rotonde faisant suite au grand hall et ayant 23 mètres de longueur et un diamètre de 26 mètres. Cette rotonde est entourée extérieurement d'une colonnade surmontée d'arcs formant galerie couverte. La coupole centrale domine largement l'édifice (et la ville) avec 35 mètres de hauteur.

Il s'agit là d'un ensemble imposant et remarquable. De plus l'architecture intérieure du hall et de la coupole est extrêmement originale avec une galerie ajourée sur les étages, qui présente de nombreux décrochements accentués par toute une série d'escaliers et d'arcs. On est ainsi parvenu à éviter la monotonie pesante que les dimensions choisies auraient pu faire surgir. Sans même tenir compte des décors (pendentifs, architraves, etc...) il y a dans cette réalisation de nombreux éléments d'emprunts à l'architecture locale : le dôme (mosquée), les arcatures, les perspectives intérieures ne sont pas de simples éléments décoratifs.

Ceci dit, il s'agit à l'évidence d'une construction à l'européenne avec ses galeries tournées vers l'extérieur, ou son goût des ouvertures et des baies lumineuses. Le décor choisi — mélange de tous les styles arabes — contribue à l'aspect exotique sans changer l'impression de l'ensemble : on est avant tout devant un hôtel conçu par un Européen pour des Européens. Dans le cas du Palace, malgré l'utilisation de techniques vraiment locales, on ne peut masquer la rupture entre le décor de façade et le plan, et on pourrait se livrer à une analyse tout à fait parallèle en ce qui concerne la villa à dôme (Planches 38-39 : Villa à dôme) par exemple. Cette dernière présente aussi des emprunts essentiels aux formes architecturales locales (outre les nombreux éléments décoratifs) ; ainsi de la coupole qui a l'avantage de permettre, au centre de la maison, une pièce imposante, mais aussi assez éclairée et surtout fraîche en été. Ceci dit, le plan de l'ensemble est tout à fait usuel pour une villa de luxe, depuis la galerie couverte jusqu'aux salons de réception.

Ce sont ces exemples qui nous permettent de mieux définir les options architecturales des créateurs d'Héliopolis : des plans européens, mais un recours permanent aux décors et même aux techniques orientales. Cet ensemble hybride a été appelé par les architectes de la ville, style « néo-mauresque ». Il nous faut tenter de le préciser quelque peu au niveau des plans comme à celui du décor.

Origine des plans

En ce qui concerne les plans et l'allure générale des constructions, nous avons montré précédemment qu'il fallait aller chercher les modèles en Europe. Même le plan du Palace — malgré ses emprunts à l'Orient — n'aurait aucun équivalent en Egypte, et laisse à penser que Jaspar rêva plus de Versailles que d'un palais Ottoman. Les ouvrages conservés dans la bibliothèque du service architecture (archives du Caire) s'intéressent de plus près aux maisons de campagne et villas, ou aux habitations bon marché, qu'à l'histoire des villes égyptiennes (il est vrai peu connue alors).

Pour ce qui est des habitations populaires, l'origine est assez aisée à découvrir. On se trouve devant des plans fort courants à l'époque. Cela va de l'habitat ouvrier de type coron à la maisonnette-jardin prônée par les « associations de cité-jardin ». Il est certain que les maisons de la « cité-indigène » pourraient facilement être transplantées

Façade sur rue

Façade arrière

Planches 35 et 36 — L'Héliopolis Palace Hôtel

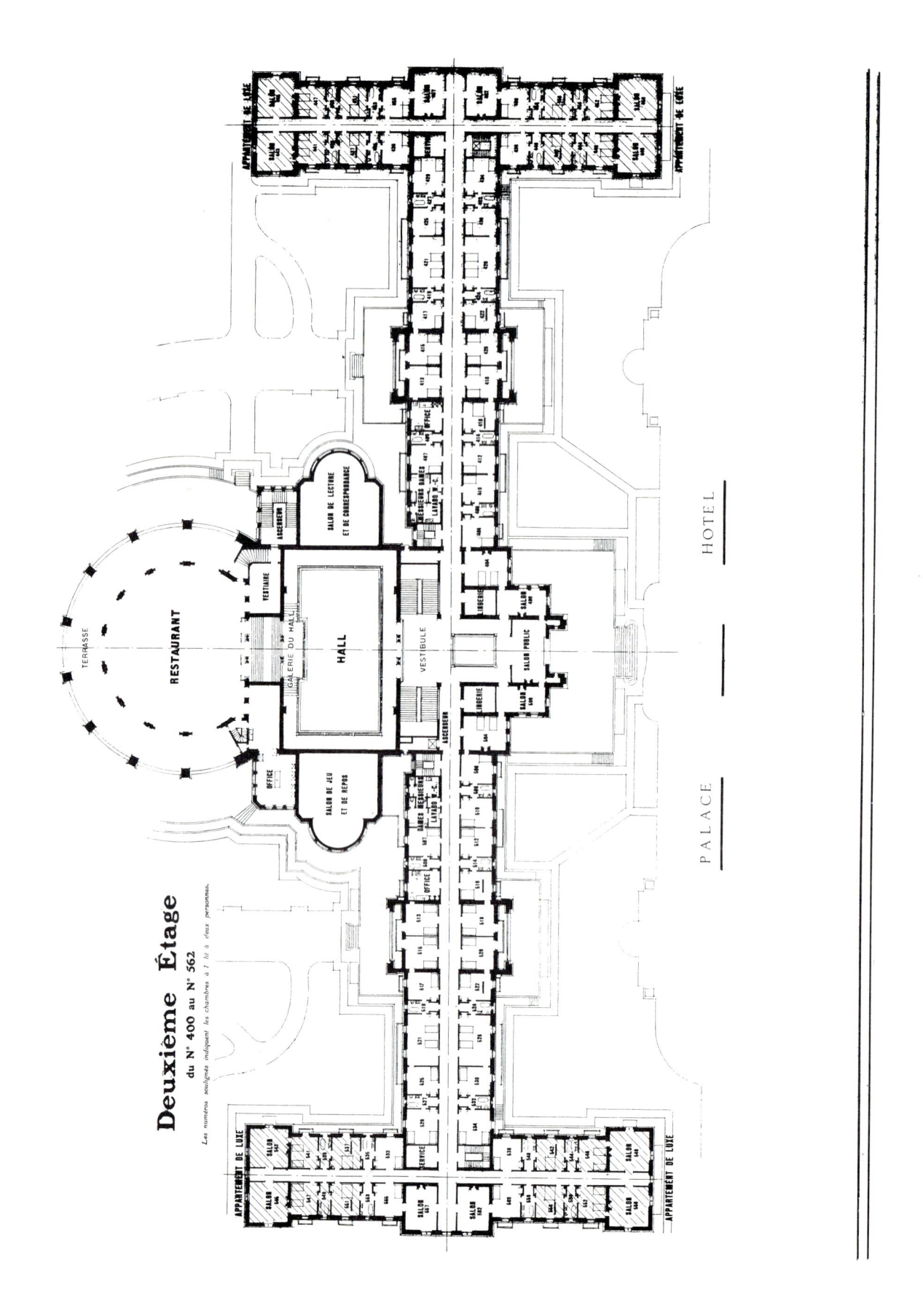

Planche 37 — Héliopolis Palace, extrait du plan de l'étage

Façade

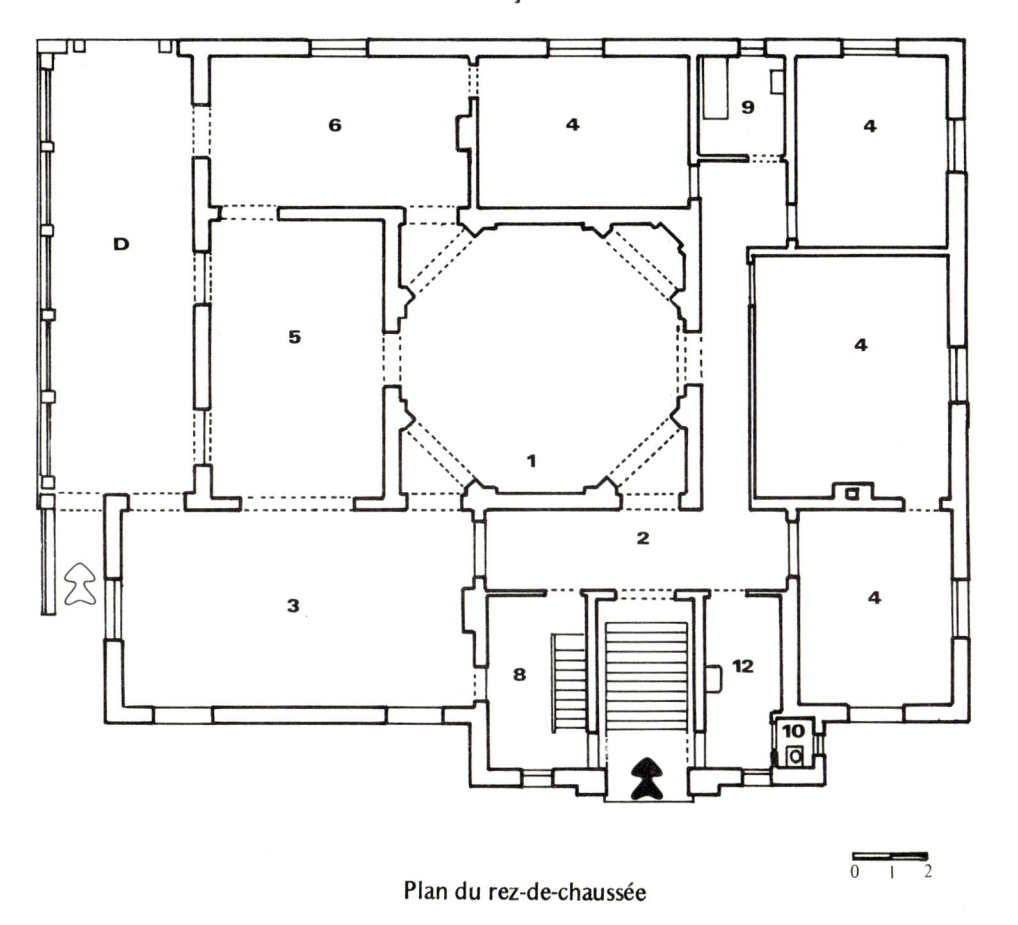

Plan du rez-de-chaussée

légende — 1 dôme, hall — 2 antichambre — 3 salle à manger — 4 chambre — 5 salon — 6 bureau — 8 office — 9 bain — 12 vestiaire — D terrasse

Planches 38 et 39 — Villa à dôme

dans le Nord de la France, du moins apparemment. Le plan lui-même correspond très exactement aux plans-types que proposait F. Bourgeois dans la *Revue Internationale d'Egypte* (10) en 1905, à partir des constructions patronales de Lever à Port Sunlight.

Les logements en appartements à bon marché, quant à eux, sont des types d'immeubles de rapport très usuels en Europe depuis 1850, avec cage d'escalier centrale et distribution des appartements de chaque côté. On peut, par exemple, retrouver ce type de schéma dans la revue : *L'habitation à bon marché*.

Les seules traces d'originalité se trouvent à Héliopolis dans les toits en terrasse, et surtout dans les « Garden-Cities » de deux étages, avec jardins au rez-de-chaussée, qui, bien qu'évidemment héritières des banlieues anglaises, présentent à la fois les caractères aérés d'une cité-jardin et les avantages de l'immeuble collectif. Pour la location, ce furent des réussites immédiates, que pressentaient les promoteurs : « Leur situation même, au milieu des jardins, en fera un ensemble fort caractéristique et pittoresque, qu'il serait souhaitable de ne pas voir entourer par la suite de constructions quelconques qui déprécieraient ce groupement tant au point de vue artistique que locatif » (11).

Même les immeubles à arcades ont des sources certainement européennes. On a pourtant voulu y voir un emprunt à l'Orient. Mais dans ce cas l'arcade aurait toujours dû être intérieure (cour de mosquée). Elle n'aurait jamais pu se présenter dans l'alignement d'une rue à des fins à la fois esthétiques et pratiques. Outre les exemples italiens, la rue de Rivoli de Percier et Fontaine (1805) marque bien plutôt l'origine de ce type de construction. Au Caire même, les grandes rues à arcades (rue de la Citadelle par exemple) datent d'ailleurs de la période 1830-1870.

Si l'on a pu dire, après un simple regard sur les plans, que l'influence européenne était évidente, nous sommes en mesure de la préciser maintenant : l'essor des constructions à bon marché en Europe, et la diffusion mondiale de leurs modèles. L'extraordinaire vitalité de l'architecture belge, à l'aube du « Modern Style », n'a pu qu'enrichir ce courant, et lui permettre des audaces de forme qui ont fait l'extrême originalité architecturale de la ville. Il faudrait en effet préciser ici — mais nous en sommes bien incapable — l'influence que purent exercer des maîtres comme Horta, Hankar ou Van de Velde.

Le décor

C'est peut-être par la place donnée au décor que les courants modernistes se firent sentir. Effectivement on chercha à unifier les constructions par le biais d'un système décoratif imposé à l'ensemble de la ville. Nous avons défini les caractères de ce système à travers l'Héliopolis Palace. Mais le plus souvent on se contenta de réduire à la pure et simple ornementation en stuc le style « néo-mauresque ».

Pourtant des immeubles comme ceux du boulevard Abbas (Planche 40 : Boulevard Abbas) ou de la place de la Cathédrale témoignent de la volonté d'affirmer un style. On n'est face ni à des réalisations italiennes, ni à des réalisations maghrébines. Ici, le minaret ou le dôme, privés de toute fonction réelle, deviennent de simples éléments du décor, animant en hauteur une façade largement aérée par les arcades et les terrasses. C'est de cette dissociation entre la fonction et l'élément décoratif que naît sans doute l'impression de se trouver devant un pavillon d'exposition.

Des éléments fonctionnels et architecturaux arabes sont donc devenus des éléments décoratifs, souvent lourdement moulés. Si l'on considère en détail certaines ornementations, on retrouve les arcs brisés ou les arcs brisés surhaussés de style mamelouk, mêlés à des arcades d'un style indéfinissable, et à des créneaux copiés sur ceux d'Ibn Tulun. Tous les éléments du décor islamique sont utilisés : corniches, stalactites, cartouches pour inscription (vides), angles rabattus, fenêtres géminées, ou encore moulures à boucles. La villa à dôme, outre la coupole, est aussi pourvue d'un porche d'entrée qui fait penser à une mosquée. Sur les villas en série de type S surgit parfois un décor de mosquée tulunide (créneaux). Même les immeubles les plus populaires en reçoivent la marque. Sur la façade des grands blocs en L, les arcs sont simplement dessinés avec un parement de briques. La cage d'escalier des appartements est décorée de fenêtres géminées (Planche 41 : Décor) avec moulures à boucles. Ces diverses décorations sont employées indifféremment. L'architecte semble avoir pris un manuel descriptif d'art arabe pour en tirer simplement des motifs que l'on utilise selon les besoins. Les galeries à arcades des maisons sont par exemple faites d'arcs de formes (et d'époque) variées, et les moulures courent au milieu de la façade à seule fin de la rendre moins uniforme. Il s'agit au fond, pour l'architecte, de se servir de tous ces motifs pour dépayser le visiteur européen : on lui offrira le type même de l'habitation européenne, mais sous une apparence quelque peu exotique.

Ce parti pris s'accentue encore si l'on considère certains immeubles où les genres (arabes et européens) sont mélangés sans la moindre gêne. Déjà la cage d'escaliers à fenêtres géminées voisinait avec le balcon bien occidental, mais la moucharabieh se trouve vitrée et transformée en bow-window, ou simplement posée sur les balcons. Dans

Planche 40 — Les Immeubles à arcades du boulevard Abbas

Planche 41 — Décor des façades

102

Du décor islamique (arches, chapiteaux, moulures à boucles) à la façade 1900

Planche 42 — Cotoiement des styles

le même immeuble coexisteront moulures de fruits en stucs et colonnes à stalactites. Face à face (Planche 42 : Cotoiement des styles) une villa de style mauresque et une villa « modern style » opposeront leurs décors. Ou bien encore l'immeuble locatif de six appartements aux lourdes guirlandes moulées en stuc aura une corniche en tuile puis un toit terrasse, et les balcons recevront un soutènement en bois, très égyptien. Mais ces balcons n'auront pas, dans l'architecture occidentale des villas, la fonction de la moucharabieh dans l'intérieur traditionnel. Il ne s'agira pas d'un développement d'espace, mais seulement d'une ouverture, source de lumière.

Le style décoratif auquel on aboutit est donc quelque peu difficile à définir. Il est fondé sur l'absence totale de signification accordée aux formes architecturales et décoratives arabes, transformées en simples motifs. Toutes les synthèses sont dès lors possibles : surfaces de marbre, clochetons et minarets s'entremêlent. On est bien loin de la pure tradition arabe dont rêvait Empain. Le projet ne pouvait d'ailleurs qu'échouer pour deux raisons : d'une part on appelait arabe tout ce qui était oriental, sans distinction par exemple entre le Maghreb et le Machrek ; d'autre part on était condamné à réserver cet aspect exclusivement aux façades. Or l'habitation traditionnelle orientale n'est pas faite pour les larges ouvertures à l'extérieur : la façade ne pouvait donc être plaquée telle quelle sur une infrastructure européenne.

Mais il n'avait jamais été question de créer une ville orientale... Il s'agissait simplement pour Empain de veiller à ce qu'une cité-jardin, surgie dans le désert, conserve des caractères d'exotisme, et rappelle tout de même le contexte général. Aussi étonnant que cela paraisse après l'analyse qui précède, il nous semble qu'il y a réussi. Malgré les mélanges de style et le goût peu sûr de certaines constructions, Héliopolis présente une unité plus profonde que celle née des règles d'urbanisme. La dominante, dans le décor, de motifs pseudo-musulmans (car empruntés le plus souvent à des mosquées) impose à la ville un certain charme. Le mélange des genres ne fait qu'accentuer l'aspect « baroque » des façades, rendant plutôt plus supportable la parodie d'art arabe. On est littéralement « ailleurs », dans une esthétique qui est avant tout « 1900 ». Tous les analystes finissent, même s'ils sont critiques, par le reconnaître. J. Besançon, dans son article sur Héliopolis (op. cit.) dit que l'on ne peut parler d'esthétique héliopolitaine. Au sujet du style des immeubles il précise que « ses canons sont certes discutables ». Mais en même temps, il critique les quartiers plus récents qui « offrent au regard une diversité de style, ou une absence de style, parfois affligeante » : preuve qu'il existe bien un style à Héliopolis ! C'est sans doute la systématisation des motifs qui le crée, échappant au ridicule né d'un exemple unique.

4.2. CONSTRUCTION

4.2.1. Contraintes générales

La seule façon pour assurer une certaine unité de la construction, lorsque les propriétaires privés sont nombreux, est de rendre les cahiers de charge les plus précis possible. Ceux de la H.O.C. étaient de deux sortes : d'une part ceux portant sur les terrains et précisant aussi les conditions d'hygiène et celles du marché, d'autre part ceux portant sur le bâtiment. Les premiers établissaient un véritable réseau de contraintes générales portant sur le sol, les superficies, les clôtures, etc... qui permettait déjà de contrôler le développement urbain. Nous nous contenterons d'en rappeler l'essentiel qui reprend les règles d'urbanisme déjà étudiées.

L'utilisation du sol

La compagnie veilla, on l'a vu, de très près à l'affectation des terrains, à la superficie des constructions et à celle des espaces libres. Les cahiers de charge stipulaient que les constructions ne pouvaient excéder la moitié du terrain (les tout premiers, portant sur les villas, limitaient la construction à 33 %). Toutefois les immeubles comportant un rez-de-chaussée et deux étages, à louer par appartements, pouvaient couvrir les trois cinquième du terrain. De même était fixée la hauteur maxima du sol à la frise du toit, et chaque vente renvoyait à un numéro du plan de lotissement qui fixait l'alignement et la servitude de non-bâtisse. Dans ce dernier cas, même le jardin était précisé, car il ne pouvait comprendre de bassin et devait être planté ou au moins maintenu en bon état. Les clôtures, quant à elles, étaient obligatoires et ne devaient pas être inférieures à 1,40 m ou supérieures à 2,30 m. La zone des villas ne pouvait comprendre que des haies vives, par contre il n'y avait aucune obligation pour les quartiers populaires. Toutes ces exigences permettaient de forcer l'acheteur à présenter à la Société des projets de constructions (puisque tous les projets — « dans l'intérêt même de la nouvelle ville en création » — devaient être approuvés par elle) — qui ne fussent ni défectueux, ni contraires au cahier de charge : affectation du bâtiment, taille, forme, couleur des matériaux (« tout ce qui serait de nature à nuire à l'ensemble de l'agglomération ») (12).

Hygiène et salubrité

Sur le plan de l'hygiène, la Compagnie fut extrêmement exigeante, chose logique vu ses ambitions et les publicités. Il faut reconnaître que les mesures de salubrité à respecter étaient fixées en détail : depuis la position et l'aération des W.C., jusqu'à la qualité des tuyauteries ou les fermetures des réservoirs d'eau. Cabinets d'aisance et salles de bains étaient construits contre un mur extérieur et pourvus d'une aération. Les tuyaux de descente débouchaient dans une chambre d'inspection avant de rejoindre les égouts, lesquels étaient posés à l'extérieur des bâtiments, le raccordement étant prévu de façon très précise selon la taille de la construction. Pour vérifier la qualité des joints et des tuyauteries, la Société procédait à des essais d'étanchéité aux frais du propriétaire, ce dernier étant tenu « de réparer toutes les fuites ainsi que les vices de construction ou dégâts constatés ». C'est certainement dans le même état d'esprit que furent interdits les bassins et jets d'eau, nids à insectes. Et, comme les maisons possédaient toutes un réservoir d'eau, en général sur la terrasse, on exigea qu'il soit recouvert complètement et hermétiquement, les prises d'air étant fermées par des tôles anti-moustiques.

Au total, en 1920, Héliopolis disposait d'un confort très moderne, exigé par les promoteurs : W.C. avec chasse d'eau, syphon pour chaque descente d'eau usée ou isolation des murs traversés par une conduite. Sans doute, dans certains cas, les installations furent-elles réduites. Dans la « cité indigène », l'eau ne fut pas installée tout de suite, et, dans le premier immeuble en L, il n'y eut, longtemps, que des W.C. à l'étage et non pas par logement. Malgré tout, Héliopolis pouvait se vanter, avant même le Caire, de disposer d'évacuations par égouts et d'installations sanitaires largement généralisées.

Conditions des marchés

Un tel ensemble de contraintes générales trouvait sa garantie dans l'existence de conditions de marché assez draconiennes. La vente d'un terrain s'accompagnait obligatoirement de l'engagement de construire. Cet engagement comprenait d'une part les délais et d'autre part l'affectation et le coût de la construction. Les bâtiments devaient être commencés dans les dix mois et achevés complètement dans les deux ans et quatre mois (au début le délai avait été fixé à dix huit mois). En cas de non-respect des délais la société pouvait d'une part imposer des amendes à l'entrepreneur, d'autre part retenir sur le cautionnement (égal à 20 pour cent du prix du terrain) qu'avait dû versait l'acheteur. Une telle condition avait évidemment pour but de forcer les constructeurs privés à ne pas se contenter d'attendre pour faire de la plus-value sur terrains nus : il s'agissait de garantir le développement de la ville.

La seconde condition répondait au « zoning » prévu par la direction. Chaque acte de vente stipulait la valeur minima que devait avoir la construction selon la zone où se situait la parcelle. Globalement le coût de la construction ne devait jamais être inférieur au prix d'achat du terrain, ni à un minimum de 1 200 livres. C'était là une servitude fondamentale puisqu'il était précisé qu'elle restait liée au terrain en quelques mains qu'il passe. La même servitude touchait l'affectation de la construction, puisque toutes les parcelles réservées aux villas et habitations ne pouvaient recevoir ni bâtiments à usage industriel ni même cafés, bazars, magasins, débits de vins etc... Toute modification apportée à la construction devait obligatoirement être visée par la Société, qui veillait à ce que les futurs propriétaires ou les locataires ne puissent remettre en cause l'organisation de la ville et sa hiérarchisation.

Pour garantir la réalisation complète de ces exigences, la Compagnie fixa des contrats-types qu'elle utilisa pour ses propres chantiers et qui furent souvent repris par les particuliers. Il s'agissait de marchés en « forfait absolu », l'entrepreneur s'engageant à achever dans les délais fixés tout le bâtiment pour le donner « clés en mains ». Les paiements étaient effectués par acomptes mensuels selon le rythme de la réalisation; en cas contraire des amendes pouvaient être réclamées. Un tel système était nécessaire du fait de l'absence de tout service de construction dans la H.O.C., et il avait l'avantage de limiter la responsabilité des promoteurs. C'est aussi lui qui explique que les entrepreneurs n'aient pas été très nombreux à travailler à Héliopolis. Il fallait une structure solide et efficace pour pouvoir accepter de telles contraintes.

Quoi qu'il en soit, les stipulations générales des cahiers de charge éloignèrent certainement de nombreux acheteurs, mais — par contre — elles assurèrent l'unité de l'ensemble, la qualité des installations, et la salubrité de la ville. Sur ce plan, les publicités de la Société n'étaient pas mensongères.

4.2.2. Matériaux

Sans doute les contraintes générales imposées à la construction auraient-elles pu suffire. Les promoteurs n'avaient pas à s'intéresser en particulier à la façon dont la maison allait être bâtie. Du moment que l'on avait pris un engagement sur la valeur du bâtiment, le reste importait peu. Mais, la compagnie ayant fait construire par elle-même jusque dans les années 1920 la plupart des immeubles, il nous a été possible de connaître l'ensemble des méthodes choisies. Quelques vérifications effectuées dans des constructions privées laissent à penser que les particuliers prirent les mêmes options, sans doute à cause du petit nombre d'entrepreneurs travaillant sur place. Du coup, une certaine unité se dégage de l'ensemble des constructions réalisées durant les vingt premières années de la ville. Bien sûr la qualité des matériaux a varié nettement selon le type d'immeuble, surtout en ce qui concerne les intérieurs, mais il est possible de proposer un descriptif qui permette de juger la qualité d'ensemble.

Gros-œuvre

Dans une ville comme le Caire, le problème du terrassement et des fondations est aujourd'hui essentiel, du fait de l'importante humidité du sol et de l'élévation des bâtiments. A Héliopolis, vers 1915, il ne se posait pas de la même façon. Le sol était sain et la roche accessible. Pourtant les exigences de sécurité conduisirent à faire affouiller très profondément et à faire pilonner soigneusement le fond, avec des remblais par couches de 0,25 m. Sur cette base, étaient établies les fondations proprement dites, comprenant un mur de soubassement en béton, sur semelle en béton armé (dont la teneur variait entre 150 et 300 kg de ciment selon qu'il s'agissait d'une villa ou d'un immeuble). Sable et gravier entrant dans la composition du béton provenaient du désert. Le ciment utilisé était en général importé et le plus souvent de la qualité dite « Portland ». La composition du béton permettait de limiter la pression au sol à 1 kg au centimètre carré. Tout cela contribuait à une solidité assez exceptionnelle et témoignait d'un choix marqué pour les techniques nouvelles de la construction. Le béton armé a été effectivement d'un emploi assez tardif (1850–1860) et lentement généralisé. Quant à l'existence d'une semelle, possible vu la qualité du sol (13), elle témoigne d'une étonnante volonté d'isolation dans un pays sec. Il est vrai que tout le reste du gros œuvre reprenait ce type d'exigences : la couverture était en béton armé à double épaisseur, et, entre les deux dalles, un important vide était aménagé permettant la libre circulation de l'air. Il s'agissait là de précautions que l'on aurait retrouvées en Europe mais qui étaient fort importantes en Egypte pour lutter contre la chaleur. Ceci dit, les « toits-terrasses » étaient le plus souvent des toits à faible pente, qui, d'ailleurs, faisaient saillie (en général 1,40 m) sur tous les côtés. Les planchers eux-mêmes étaient en béton armé, calculés pour une surcharge de 350 kilos par mètre carré. Par contre, les murs n'étaient pas en béton armé. On ne chercha pas à utiliser à Héliopolis les toutes nouvelles techniques permettant de rendre l'ossature indépendante de l'immeuble. On fit appel, dans les trois quarts des cas, aux « briques silico-calcaires », pleines, faites par l'usine de la Société, au Nord-Ouest de la ville. Ces briques silico-calcaires se retrouvent — parfois mêlées à des blocs d'aggloméré de béton — pour tous les types de constructions et pour toutes les cloisons. Les seules différences concernent leur taille, et leur résistance à l'écrasement (selon leur dosage de ciment). Les balcons, enfin, étaient en béton armé pour les armatures, lesquelles étaient rattachées aux aciers du plancher.

Le mélange du béton armé et de la construction traditionnelle en brique est très caractéristique d'un style de réalisation. Dans son livre sur la Cité Industrielle, Tony Garnier prévoyait que « les matériaux employés (seraient) le béton de gravier pour les fondations et les murs et le ciment armé pour les planchers et les couvertures ». Ici le béton armé seul est utilisé, et encore seulement pour les fondations et les couvertures. De plus, dans le cas des constructions les plus populaires, il semble que l'on ait choisi des règles quelque peu différentes. Un sondage fait dans la « Cité Indigène » laisse apparaître une maçonnerie en moellons au mortier le plus ordinaire. Les cloisons sont en briques rouges du pays. Par contre la toiture est, elle aussi, en béton armé, mais, semble-t-il, à simple épaisseur. Quoi qu'il en soit la qualité du gros œuvre semble avoir été assez bonne. Les terrasses et les toits furent l'objet de soins attentifs : le dallage de béton était recouvert d'une couche de ciment pur, lissé, puis de deux couches de goudron. Les briques des murs furent choisies de façon à permettre un rejointoiement lisse en ciment Portland. Modernisme limité certes, mais sans doute efficace.

Intérieur

Les matériaux (Planche 43 : matériaux) choisis pour les intérieurs des bâtiments étaient beaucoup plus variables, selon le type de la construction. Les pavements étaient en ciment lissé dans la « Cité Indigène » ; exceptionnellement il y eut du marbre dans certaines villas, mais le plus souvent c'étaient des carreaux de ciment à deux tons ou de la « lignolite ». Parfois les chambres reçurent du parquet. Les mêmes différences se retrouvaient au niveau de la menuiserie, encore que la Compagnie ait mis au point des normes générales valables pour toutes ses constructions : bois de Suède bien sec, « de première qualité », 47 mm d'épaisseur pour les menuiseries extérieures, et 35 pour l'intérieur. Mais les variations furent considérables tant dans la qualité réelle du bois choisi que dans l'existence de volets

Réalisation des murs intérieurs : Photo prise dans une maison en cours de destruction, qui devra faire place à un immeuble, mieux adapté aux besoins actuels de l'Egypte que de grandes villas conçues pour une autre société. Les murs intérieurs étaient en briques silico-calcaires, revêtues d'un mélange de chaux et de sable et d'un enduit au factice appareillé. Angles adoucis. Le plancher, en béton armé, était couvert de parquet.

Planche 43 — Matériaux

ou de persiennes (à double ou simple vantaux) dont les pattes étaient scellées dans la maçonnerie. Quoi qu'il en soit, un certain soin était apporté dans les finitions intérieures. La peinture à l'huile (3 couches) n'était appliquée qu'après un dégrossissage du mur au mortier de chaux et de sable et un enduit de plâtre blanc. Les plafonds étaient cimentés puis finis au plâtre blanc. Dans les salles à manger et les salons, les angles étaient adoucis en forme de gorge avec moulure en bois ou en plâtre.

C'étaient surtout les installations sanitaires qui différaient selon les logements. Dans tous les logements bourgeois offerts par la Compagnie (villas, villas accolées, immeubles à appartements) on trouvait des cheminées soit à la française (en marbre) soit à l'anglaise (en fonte, avec carreaux céramiques et encadrement bois). Les cuisines étaient équipées de fourneaux (type Briffaut) d'environ un mètre carré. C'étaient des installations fort usuelles à l'époque en Europe. Les salles de bain étaient équipées d'une installation de bain avec douche et raccordement sur l'eau chaude de la cuisine ou sur un chauffe-eau électrique indépendant. Enfin les plus grands appartements ou les villas disposaient de W.C. à l'anglaise avec chasse d'eau à l'intérieur et de W.C. turcs à l'extérieur. Par contre les appartements les plus populaires ne contenaient aucune salle de bain, mais un évier dans la cour à côté du « four indigène construit à la mode du pays » qui servait de lieu de cuisine. Il est vrai qu'au total les conditions essentielles de confort semblent avoir été respectées. Les appartements proposaient des pièces relativement spacieuses, aux murs préparés, peints à l'huile (la compagnie ne mettait pas de papier à cause des insectes) et aux plafonds propres. Les installations sanitaires, sans être sans doute luxueuses, étaient, sans conteste, exceptionnelles pour l'époque et contribuaient à faire des habitations d'Héliopolis des sortes de « logements-modèles ».

Extérieur

La finition extérieure des immeubles et villas fut elle aussi relativement soignée. Mais tandis que l'ensemble des habitations présentait des caractères souvent assez semblables, et de toute façon très proches des réalisations similaires à la même époque en Europe, l'extérieur fut traité, dans l'esprit que nous avons précédemment analysé, essentiellement comme un décor. Du coup si l'on peut parler d'une certaine mise en série pour le gros œuvre ou la maçonnerie intérieure, on ne peut, pour l'extérieur, que signaler un certain nombre de normes, en insistant sur le fait que la décoration des façades, du toit, des balustrades, des balcons, des fenêtres etc... était laissée au libre choix de l'entrepreneur (pourvu qu'il y ait accord). Tous les éléments d'ornementation, et il y en eut beaucoup, étaient moulés en ciment, présentant parfois l'allure de la pierre.

Les escaliers des logements bourgeois étaient le plus souvent construits en pierre de Trieste, parfois en marbre. Pour les logements plus populaires, ils étaient en carreaux de ciment. Les terrasses couvertes, fort nombreuses, recevaient deux couches d'enduit et, au plafond, une couche de plâtre fin comme dans le reste de la maison. Les sols étaient traités comme ceux de l'intérieur. Enfin les façades, après dégrossissage au mortier, étaient couvertes de deux couches d'enduit (plâtre et chaux). La seconde couche (à dominante de chaux) était teintée légèrement, selon une couleur fixée par la Société (jaune très clair). Voussures et claveaux pouvaient être de teintes différentes. Dans un certain nombre de cas, la décoration des façades comportait aussi des colonnes (en factice), des blocs agglomérés apparents (en pierre artificielle) ou un appareillage de briques peintes à l'huile, parfois des carreaux émaillés. Le plus souvent les panneaux moulés semblent avoir été posés sur l'enduit, sans nervure ou attache spéciale. Par contre les habitations populaires n'ont reçu, le plus souvent, que les enduits de couverture. Leur décor fut extrêmement réduit. C'est d'ailleurs ce qui fait sans doute en bonne partie le charme persistant des « Garden-Cities » qui n'ont pas eu à souffrir du vieillissement (et de la décomposition) rapide de l'ensemble des décors au factice.

4.2.3. Qualité

La liste des matériaux utilisés, telle que nous l'avons établie maintenant, montre que les promoteurs d'Héliopolis n'ont pas hésité à recourir à des techniques modernes et à des matériaux fort peu usités alors en Egypte. Le phénomène est d'autant plus remarquable que l'on ne réalisait pas une cité exclusivement luxueuse. Même les quartiers populaires furent traités (sauf dans le cas de la Cité Indigène) selon des exigences européennes. Sans doute n'en a-t-on pas profité pour tenter de véritables créations architecturales. Le béton a été asservi à des formes traditionnelles. Ou bien on s'en est servi pour faciliter l'érection de dômes qui aurait demandé une technique bien plus complexe (la coupole du Palace est par exemple entièrement en béton armé). Quoi qu'il en soit, on a transporté en Egypte un certain nombre de conceptions architecturales et de notions de confort qui n'étaient pas nécessairement évidentes, et il paraît que l'ensemble a été assez soigné. Mais cela a évidemment entraîné des coûts assez élevés, surtout pour l'Egypte, sans que, pour autant, la pérennité des constructions soit véritablement assurée.

Caractères généraux

Dans l'article déjà cité de la *Revue Internationale d'Egypte*, 1905, F. Bourgeois établissait à 160 LE le coût d'une maison ouvrière construite selon des normes européennes, et sans étage. Les maisons de la cité ouvrière (« bungalows » en moellon) revenaient 620 LE les 4, soit 155 LE chacune (14), c'est-à-dire un prix fort comparable. Par contre les villas qui variaient entre 1 900 livres et 3 000 pour les types un peu luxueux (hall octogonal et dôme, par exemple) semblent avoir coûté fort cher (15). Une étude du Ministère des Travaux Publics, signée Richmond, et en date du 5/6/1906, fait une critique très vive des choix effectuées par la Société : « Des constructions aussi bonnes et meilleur marché pourraient, dans des conditions normales, être érigées *sans fondation en béton armé*, qui ne sont pas nécessaires à l'Abbassiah, *sans murs en briques silico-calcaires* (les murs en moellons sont meilleur marché), *sans planchers en béton armé* (les planchers en bois étant meilleur marché pour de petites parties) et enfin *sans les décorations compliquées en plâtre* et les frises qui coûtent très cher et n'améliorent pas les projets » (16). Effectivement, sur un sol constitué de sable et de gravier d'excellente qualité, on peut considérer qu'une pression de 2 kg par cm^2 laisse encore une marge de sécurité importante. La norme imposée par la Compagnie (1 kg/cm^2) semble donc quelque peu excessive. De même, le choix de la brique silico-calcaire (revenant trois fois plus cher que le moellon) s'explique assez mal, sinon par le fait que les normes retenues sont celles d'un pays comme la Belgique au sol souple et humide. Ainsi le mortier prévu pour le rejointoiement était-il constitué pour moitié de chaux hydraulique et pour moitié de sable, ce qui était — le gouvernement eut beau jeu de la faire remarquer — le mélange utilisé pour les travaux en bord de mer. De telles méthodes de construction entraînèrent d'ailleurs — malgré l'isolation des toits — des températures fort élevées dans les maisons — même si l'on passait la terrasse à la chaux pour diminuer l'absorption de chaleur par l'asphalte. Ainsi une lettre du mois d'août 1911 nous signale-t-elle des températures variant entre 29 et 32° à l'intérieur, volets et fenêtres fermées. S'agissant de la villa Directoriale (17) aux plafonds élevés et à l'architecture recherchée cela peut surprendre : la température n'aurait dû que très exceptionnellement, durant quelques jours, s'élever à plus de trente degrés. La construction était sans doute solide, mais son caractère importé n'était pas positif en tous points.

De plus, le choix des matériaux ne fut pas toujours judicieux, soit à cause des matériaux eux-mêmes, soit parce que la main d'œuvre, peu habituée à en user, les utilisa mal. Nous ne nous sommes pas livrés à de complexes analyses de résistances. Néanmoins les enduits de façade ont évidemment mal supporté les ans. Ils ont tendance à se détacher des maçonneries soit parce qu'ils ont été mal appliqués, soit parce qu'ils n'ont pas l'adhérence voulue (question de dosage). Ce genre de défauts — indiscernables sur un cahier de charge — apparaît aussi à la lecture des rapports internes de la Société (18), et concerne toutes les parties de la construction : installations sanitaires bien sûr, mais aussi enduits intérieurs, carrelages, menuiserie, serrurerie etc... Le plus souvent, la cause invoquée se trouve être la mauvaise qualité de la fourniture. Mais la main d'œuvre et un certain laxisme dans les travaux en sont aussi certainement responsables. Ainsi, en 1917, s'est-on rendu compte que, dans une villa, le plancher de l'étage supérieur avait été construit sans poutrelles de béton armé : il menaçait de s'écrouler. De même en 1916 il fallut déjà revoir et réparer 14 toits et 12 en 1917. A peine dix ans après la création, ce sont là des chiffres étonnants. On s'aperçut d'ailleurs alors de certaines erreurs commises : « Nous n'aurions pas eu autant de dépenses pour les toitures si, du début, on avait recouvert en balattes, l'asphalte n'étant pas faite pour des pays chauds » (19). Globalement donc, les bâtiments souffrirent assez rapidement de défauts relativement graves, même si leur solidité permet aujourd'hui de monter deux ou trois étages supplémentaires.

Différences selon les types

Les critiques dont nous venons de faire état s'appliquent principalement aux bâtiments de la Société. Les constructions privées semblent avoir été souvent mieux soignées. Un rapport du chef du service location rend compte d'une étude sur les bâtiments privés et ceux de la compagnie (20). Il fait apparaître une différenciation entre les bâtiments dont nous n'avions pu tenir compte. Ainsi apparaît-il que les « carreaux de ciment de première qualité » sont « souvent de qualité inférieure, rendus sales par le temps » tandis que certains logements de particuliers sont pourvus de parquets et de mosaïques. De même les salles de bain ont « des murs souvent délabrés, et pas de commodité », alors qu'au départ était prévue une véritable isolation. Enfin, menuiseries et installations électriques semblent avoir mal vieilli. Bien sûr il faut tenir compte, dans une telle analyse, du fait que les bâtiments de la Société étaient nettement plus anciens que ceux des particuliers qui permirent la comparaison. Il faut aussi tenir compte du passage des locataires, qui n'arrangent pas une maison. Ceci dit, à l'épreuve du temps (ici une vingtaine d'années), les constructions semblent avoir assez mal vieilli. La Société se contenta de les rebadigeonner, mais les matériaux choisis restèrent très inférieurs à ceux utilisés par les propriétaires particuliers. Ainsi, « nous en sommes restés aux câbles extérieurs, sales, épaissis par des revêtements successifs de badigeon, courant sur les murs dans tous les sens, pas ou peu de prises de courant, sonneries inexistantes » (ibid). Au total les constructions revinrent assez cher à cause de leur maçonnerie, par contre tout l'aménagement fut de qualité très quelconque. L'importance du décor ne peut faire oublier qu'il s'agit de frises en plâtre et chaux ou ciment qui eurent très vite tendance à se détacher. De même la qualité des dallages fut parfois inférieure. On eut systématiquement recours au ciment — qui, effectivement, à long terme ternit. Enfin — dans les logements populaires — la qualité de l'installation générale fut souvent défectueuse. Nous en prendrons pour simple preuve une lettre du 3 mai 1912 au Directeur général : « Je soussigné Georges Selim Charbel, locataire de l'appartement n° 4, 1er étage, de l'immeuble B/10, demande avec insistance pour la « Salle de bain », qui n'est autre qu'une simple petite chambre avec une fontaine fixée récemment, l'installation de tout le nécessaire pour une vrai « Salle de Bain », ou tout au moins une douche et un baignoir (sic), deux choses très utiles et très importantes dans une maison... J'ai l'honneur aussi de vous aviser que le vent étant assez fort, il nous est impossible d'ouvrir une fenêtre et de la fixer par le crochet qui n'est pas assez solide, sans que celui-ci se courbe ou que le vis sort de sa place (sic). Ainsi plusieurs persiennes se sont trouvées sans crochet ou sans vis et le vent les fait battre à tort et à travers... » (21).

Nous voilà assez loin de la description positive dont nous sommes parti. Les deux ne sont pas absolument contradictoires, même si une certaine ambiguité subsiste. Les bâtiments réalisés à Héliopolis sont indéniablement solides, la résistance des matériaux de base est certaine et en donne des preuves jusqu'à aujourd'hui. Un rapport français (toujours assez critique) précisait que les constructions paraissaient dans l'ensemble « assez peu soignées... Les maisons ont un aspect assez coquet, elles sont souvent revêtues d'ornements en faïence, entourées d'un petit jardin, pourvues d'eau et d'électricité. Mais c'est de la construction faite à la hâte et au meilleur marché possible » (22). Nous venons de voir que la conclusion du jugement était fausse : les coûts auraient pu être abaissés. Le gouvernement estimait qu'une villa, avec l'intérieur prévu, mais un gros œuvre nettement simplifié, ne devait pas excéder 900 LE, soit deux fois moins que le prix de revient réel. Le luxe à Héliopolis est, en réalité, à chercher dans la qualité du gros œuvre, ou dans la luxuriance du décor, plus que dans les matériaux intérieurs (et visibles) qui furent assez mal choisis, effectivement au moindre coût. Mais les installations sanitaires demeurent exceptionnelles pour l'époque, et, si l'on compare Héliopolis et Garden-City, les constructions d'Empain ont, malgré tous leurs défauts, certainement mieux résisté au temps : rares sont les corniches qui menacent de s'écrouler, et les maisons restent attrayantes.

4.3. ADAPTATION

4.3.1. Volonté d'adaptation

Comme dans tous les quartiers créés depuis 1870, plans de maison, façades et méthodes de construction sont importés d'Europe, et traités selon des techniques adaptées à d'autres climats. Du coup il fait chaud dans des maisons bien isolées de l'humidité, et l'on ouvre de larges balcons inutilisables les deux tiers de l'année. Aussi le rapport Richmond, déjà cité, concluait-il que les plans d'Héliopolis étaient « à l'évidence conçus par des gens n'ayant jamais visité l'Egypte ». Pourtant au début du XXème siècle, un certain nombre de géographes et d'architectes s'intéressèrent aux constructions traditionnelles de Haute Egypte et de Nubie (23). Plusieurs articles parurent sur l'architecture arabe et ses grands chefs d'œuvre. On n'était certainement pas indifférent à l'art et aux techniques de l'Egypte pré-coloniale. A Héliopolis, un certain nombre d'exemples — comme celui de la villa à coupole — témoignent de cet intérêt (chaleur emmagasinée dans la coupole durant la journée, et expulsée la nuit par l'ouverture de vantaux à la base du dôme).

Il nous faut admettre que, quelle que soit la facture des constructions et leur bon ou mauvais goût à nos yeux, les créateurs d'Héliopolis voulurent faire un peu autre chose qu'une simple importation de modèles, et cela même si — nous l'avons vu — ils n'y parvinrent pas.

Le goût pour les formes

Nous avons présenté le choix des décors comme résultant simplement d'un goût passager pour l'art arabe, mode qui rappelle que nous sommes alors à l'époque de Pierre Loti ou de Lawrence. Mais l'intérêt porté était sans doute plus profond. Lorsque fut édifiée la Mosquée (place de la Mosquée) la Société mit le plus grand soin à ce que les diverses parties en soient réalisées avec attention et même avec un certain luxe. Vu la hiérarchisation des quartiers, vu que les musulmans ne pouvaient représenter qu'un groupe social inférieur, on aurait pu s'attendre à un travail relativement bâclé. L'architecte veilla pourtant aux détails. Ainsi le Minbar (qui comporte la chaise à prêche, sa toiture à bulbe et l'escalier d'accès) fut exécuté à la façon traditionnelle (encore que l'assemblage des panneaux de bois ait été fait à l'aide de pointes, ce qui n'est pas le cas dans la bonne menuiserie). Les teintes données au bois, comme les inscriptions circulaires du bulbe, furent copiées sur celles des grandes mosquées ottomanes. Pour assurer la solidité, l'ensemble fut contreventé par des croix de Saint André (encore qu'il y ait un renforcement par équerres en fer, inexistant dans les grands minbars). Enfin les parties dorées furent exécutées avec de l'or véritable en feuilles et non avec du bronze d'or. « Il faut que l'ensemble soit exécuté avec le plus grand soin jusque dans ses moindres détails afin de donner une impression artistique parfaite » (24). La Dakka fut traitée de la même façon, la colonne étant en marbre blanc d'Italie, et les poutres principales et consoles en bois de Turquie (et non bois du Nord comme ailleurs). Au total, un tel exemple illustre un certain état d'esprit : on veut faire de « l'art arabe », et parfois on n'y réussit pas trop mal : les trois mosquées d'Héliopolis sont certainement aussi respectables que toutes celles édifiées au Caire depuis. Bien sûr, si les architectes se sont particulièrement intéressés à elles, c'est parce qu'il s'agissait plus de décoration que d'architecture d'habitation. Mais il est certain que l'on a cherché à retrouver une forme d'art qui avait tendance à rapidement disparaître.

Ainsi, en juin 1914, la ville d'Héliopolis décida d'organiser, pour février et mars 1915, une grande exposition rétrospective d'art arabe. On se doute qu'elle n'eut pas lieu. Mais l'intitulé du réglement était véribablement un modèle : « Le but de l'Exposition est de porter à la connaissance du public en général et des industriels en particulier le moyen de comparer les productions des industries des siècles passés avec celles du présent et d'encourager les artisans dans la voie du perfectionnement de leur métier » (25). Il s'agissait bien d'art local. L'article 3 précisait que « le comité s'efforcerait de collectionner des produits d'art fabriqués en Egypte, par les Egyptiens ». Le Ministre des Wakfs et le Musée Arabe (d'art islamique) furent associés à cette initiative. Toutes les grandes formes d'artisanat furent prévues : pierres ouvragées, frises, mosaïques, moulures de plâtre, meubles, moucharabieh, bois sculpté et incrusté, métal repoussé et travaillé au burin, orfèvrerie, terres cuites, verreries, tissus, cuirs, nattes etc... Les diverses écoles industrielles (d'état, copte et israélite) devaient aussi prendre part à l'exposition.

Une telle initiative placée sous la présidence du prince Fouad, et contrôlée par le Comité de Conservation des monuments de l'Art Arabe, prouve qu'il y eut bien au niveau de la Direction de la H.O.C. un intérêt sérieux apporté à l'Egypte. Sans doute le problème de la prédominance européenne ne se posait-il pas : l'art arabe avait un charme décoratif. Mais il n'était pas, à la différence de bien des réalisations actuelles, totalement nié.

L'analyse des besoins

Au niveau même de la construction, on ne put se contenter de simplement transférer des modèles européens. En effet, la hiérarchisation précise de l'habitat conduisit les promoteurs à faire immédiatement la différence entre les quartiers les plus populaires qui seraient exclusivement habités par des Egyptiens pauvres et le reste de la ville qui — quelle qu'en soit la population — pourrait être européanisé. Il était évident que la classe aisée copte ou musulmane allait demander des habitations à l'européenne, mais que le problème serait différent au niveau populaire. On était certainement plus sensible en 1900 qu'en 1950 à l'adaptation de la maison à l'occupant. Ce problème, qui aura tendance à être effacé lorsque certains architectes penseront avoir mis en évidence quelques besoins universels, est de nouveau d'actualité.

La hiérarchisation de l'habitat ne posait, aux yeux des promoteurs, aucun problème; il s'agissait donc de proposer aux groupes sociaux inférieurs des habitations qui puissent leur convenir. Il y avait deux solutions : soit on choisissait le grand immeuble locatif — qui permettait de surveiller les occupants et de les « former » —, soit au contraire la maison individuelle simple. A part les bâtiments dits en L, la Société opta pour la seconde solution. C'était là le fruit d'une véritable enquête sociale, oblitérée aujourd'hui par l'allure « passe-partout » des constructions (nous les avons définies plus haut comme de simples corons). A l'origine du plan choisi il y a aussi bien le plan de la « cité ouvrière » européenne que certains éléments essentiels relevés par Richmond et Dawson dans le *Cairo Scientific Journal* (op. cit.). L'importance d'un coin cuisine, extérieur, avec « four indigène » y est, par exemple, signalée.

Entre 1915 et 1925 la Compagnie chargea à plusieurs reprises l'ingénieur H. Ayrout de proposer des critiques sur les avant-projets qui lui étaient remis. « Nous avons dressé un avant-projet... que nous vous remettons uniquement comme base d'étude, votre connaissance particulière des mœurs locales vous permettant mieux qu'à nous de dresser un projet plus en rapport avec les desiderata de ce genre de locataires » était-il précisé en novembre 1920 (26) au sujet d'immeubles de rapport « pour musulmans ». La technique était assez simple : on concevait un plan-type que l'on transformait selon la population qui devait y habiter. On se fiait à des entrepreneurs égyptiens qui devaient se rendre sur place, établir la liste des besoins, et proposer les transformations. C'est grâce à eux que les blocs longs (bâtiments en L) furent abandonnés (il est vrai que ce fut d'autant plus facile que les agents musulmans de la compagnie refusaient d'y habiter (27). Ayrout jugeait ces ensembles d'habitations « trop rapprochés pour être habités par une population aussi dense, car, de plusieurs visites récentes à la cité indigène, il apparaît clairement que les locataires de ce genre de maison cherchent à vivre en grande partie au-dehors et qu'ils ne peuvent le faire... ne disposant ni de balcon, ni de terrasse, ni de cour » (28). Les petites maisons de la « Cité Indigène » furent donc conçues pour des gens « habitués à élever des poules, canards, chèvres, dans les cours, et à cuire leur pain dans des fours à l'extérieur ». Il s'agissait, avec la cour fermée, de répondre à un besoin que les terrasses n'auraient pu satisfaire.

Du coup, on remplaça les logis à quatre chambres prévus, par des maisons à deux chambres et cour. Dans le même état d'esprit furent refaites certaines fenêtres, dont la hauteur avait été jugée trop élevée. « L'indigène tient énormément à ne pas être vu de dehors, mais il tient à voir de chez lui vers le voisin : les moucharabiehs remplissent bien ce but » (29).

Ajoutons que ces précautions furent parfois étendues à la petite bourgeoisie locale qui habitait des immeubles de rapport. Ainsi note-t-on, pour le rez-de-chaussée d'une Garden-City, « qu'il y aura probablement à réduire les fenêtres et à transformer les balcons ouverts des étages en loggias avec moucharabiehs » (30).

L'adaptation de certains plans

Concluant son analyse de l'habitat social à Héliopolis, J. Vallet disait que la maison de la Cité Indigène est « en somme la cabane des fellahs, mais modernisée, bâtie en briques de sable et non plus en limon mêlé de paille, haussée de plus de moitié, prenant du jour et de l'air par deux ouvertures, approvisionnée d'eau et munie d'installations hygiéniques » (31). Le lien clairement établi entre la forme traditionnelle de l'habitat et la réalisation héliopolitaine traduit une certaine réussite, même si elle ne peut frapper que l'observateur averti qui peut pénétrer à l'intérieur des maisons. On pourrait prendre d'autres exemples qui témoigneraient de la volonté permanente de s'adapter à la clientèle. Ainsi les immeubles des Garden-Cities (types B et C) présentaient-ils, sous la même apparence, deux types de distributions différentes. L'une « normale » (type B) était étudiée « pour être habitée par des Européens ou des Syriens »..., l'autre était modifiée (Planche 44 : Salamlik) « pour être habitable par des Musulmans aisés ou des Coptes » (32). Le plan que nous en proposons a été plusieurs fois remanié : il comporte un « Salamlik » pièce de réception séparée, pour que soient clairement différenciés les deux espaces : public et privé. Bien sûr ce type de réalisation peut paraître bien timide, mais elle avait au moins le mérite d'exister. De même, la multiplication des moucharabiehs n'avait pas pour seule fonction de décorer : dans plusieurs quartiers elles furent systématisées pour des raisons sociales.

4.3.2. Inadaptation

Il est certain que toutes les tentatives faites pour « adapter » l'architecture eurent surtout pour but d'attirer et de maintenir à Héliopolis une clientèle réticente. Les premiers bâtiments ouvriers (blocs en L) furent des échecs. Il apparaît d'autre part que les distinctions que nous venons d'introduire ne transformèrent pas en profondeur l'organisation spatiale et sociale de la ville, bien au contraire. Pourtant elles témoignent de la volonté affirmée de se calquer sur une réalité sociale qui semblait évidente à l'époque : la bourgeoisie orientale recherchait l'habitation européenne. Les classes inférieures, elles, étaient censées rester attachées à leurs traditions séculaires. Les promoteurs d'Héliopolis n'ont pas voulu aller à contre-courant. Pourtant commercialement ils firent une erreur. J. Vallet signale que « la Cité Indigène » n'a pas été louée aussi facilement que la Cité Européenne, "(car) c'est à peine si la moitié des appartements est occupée à l'heure actuelle » (33). Effectivement les tentatives d'adaptation, malgré toute la bonne foi des constructeurs, furent des échecs. Et, d'un autre côté, la bourgeoisie égyptienne ou syrienne toute occidentalisée qu'elle fut n'accepta pas très bien les plans-types européens. Les difficultés se situent donc à deux niveaux : celui de la transplantation pure et simple d'un type occidental, et celui, opposé, de la volonté d'adaptation à des exigences orientales.

La difficulté de comprendre

Un rapport du 23 avril 1912, adressé à la Direction générale, fait état de la disparition des moucharabiehs sur tous les balcons des appartements populaires de certaines sections. « Nous avons l'honneur de vous informer que nous n'arrivons pas à empêcher les locataires des immeubles B (section 4 D et 10) d'enlever les moucharabiehs du balcon de leur appartement » (34). On finit par décider d'enlever ceux qui restaient et de tenter d'en conserver dans certains bâtiments. La moucharabieh est ici un bon symbole. L'analyse faite par H. Ayrout négligeait le fait qu'Héliopolis restait dans son ensemble une ville européenne. Quel que soit l'habitant, il acceptait mal d'être différent.

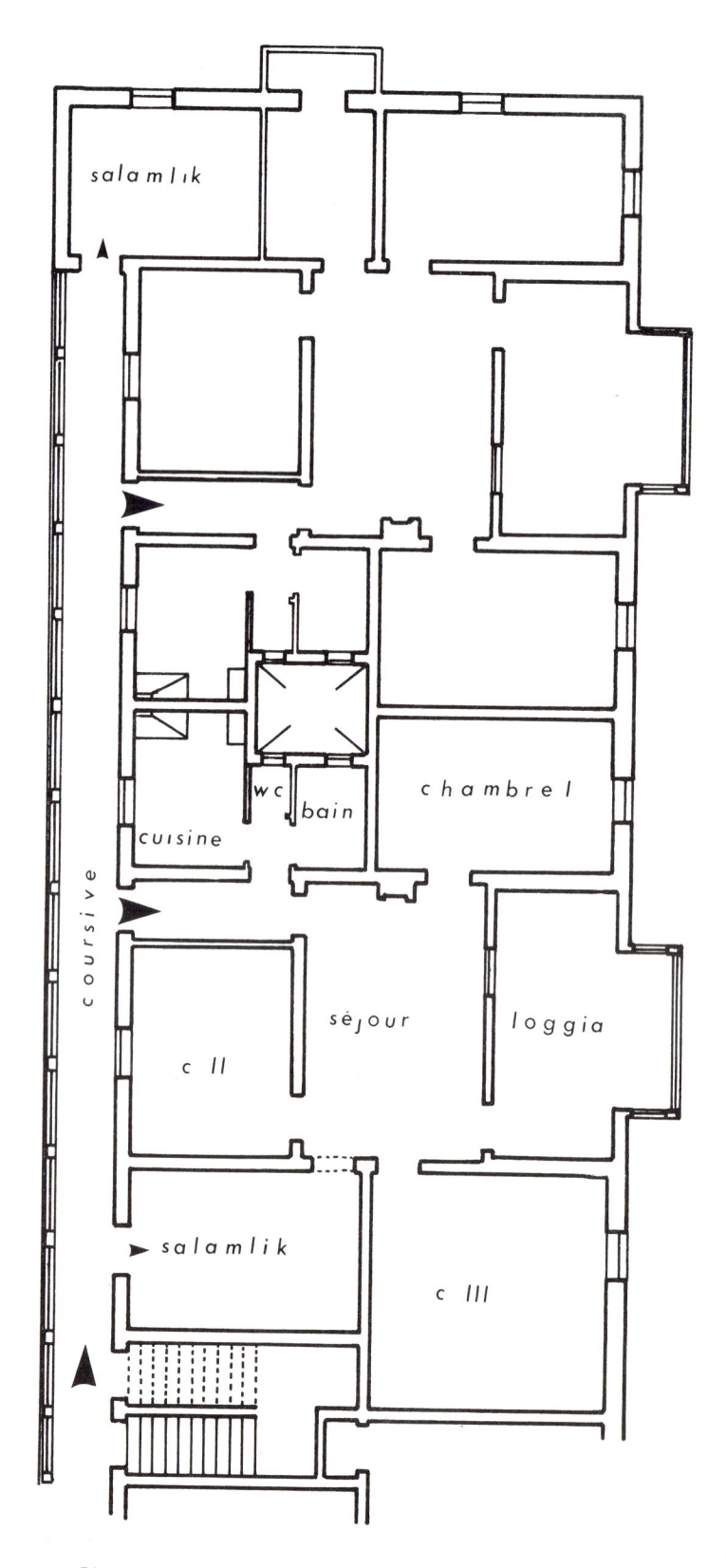

Planche 44 — Garden-City, plan à Salamlik

De même, on remania à plusieurs reprises les plans de la « distribution indigène » des Garden-Cities. Le salamlik reçut une entrée spéciale, puis il fut considéré comme une sorte de hall. Mais là encore le succès fut très mitigé. Les différents rapports s'étonnent de cet échec. Là où l'on considérait que les « Indigènes » devaient retrouver leur mode de vie traditionnel, rien de semblable ne se produisait. Il est, d'autre part, certain que les grands blocs à étages étaient aussi parfaitement inadaptés (ils étaient, il est vrai, simplement mal conçus, sans place pour le séchage ou pour la lessive). Que recherchaient donc les ouvriers égyptiens ? Ils cherchaient le plus souvent — s'ils en avaient les moyens — à s'installer dans la « Cité Européenne » très proche dans sa conception d'ensemble de l'autre, mais justement sans ce qui en faisait l'originalité. C'est là un point essentiel. Malgré les enquêtes effectuées, et l'attention certaine portée aux conditions locales, l'ouvrier égyptien préférait la maison européenne, c'est-à-dire celle qui respectait ses besoins (cour) tout en ne s'affirmant pas comme différente. Le raisonnement suivi par la Société consistait à transposer à Héliopolis une analyse sociale générale. On opposait globalement Européens et Syriens d'un côté, Egyptiens (musulmans ou coptes) de l'autre. Mais — dans le microcosme de la ville — ce calcul s'avéra faux.

C'est là un exemple précieux, que — malheureusement — la faiblesse de notre documentation nous interdit de pousser plus loin. Il semble nous montrer que l'analyse des besoins traditonnels d'une population ne permet pas pour autant de fixer un cadre d'habitation, car, dans de nouvelles structures, une évolution est plus ou moins inévitable. Le salamlik se concevait dans une structure sociale que la distribution par appartements dans un cadre européen efface. La moucharabieh, que l'on trouve dans le quartier populaire, et jamais (sauf décor) dans les zones bourgeoises, devient une marque de ségrégation. A ce titre elle est rejetée... Preuve de la difficulté de comprendre et de prévoir.

L'échec de la transposition

En échange la transposition pure et simple, telle qu'elle a été réalisée partout ailleurs dans la ville ne fut pas non plus une réussite immédiate. Nous avons longuement analysé la progression assez lente d'Héliopolis. L'architecture des logements n'y fut sans doute pas étrangère. Empain, Jaspar et Marcel avaient pensé à utiliser certaines méthodes locales, on l'a vu. De même, ils avaient choisi de construire en arcades les principales rues commerçantes, ce qui effectivement protégeait d'un soleil particulièrement dur en ce coin de désert. Mais ceci dit — on l'a vu — les plans ne furent pas (sauf les exceptions signalées) révisés et —chose extrêmement étonnante — on ne tint pas compte de l'orientation. La position des villas, par exemple, fut décidée par rapport à la rue, non par rapport au soleil, ce qui entraîna un certain nombre de désagréments. Nous ne reviendrons pas ici sur les matériaux choisis, mais nous insisterons sur les plans eux-mêmes. Une anecdote, rapportée par H. Ayrout (35), montre l'existence de défauts essentiels. « Je me souviens qu'il (Empain) avait reçu les plans d'un grand architecte de Bruxelles pour la construction d'une nouvelle série de maisons. Il me convoqua pour avoir une opinion : — Cela ne vaut rien — lui dis-je. Il faillit en suffoquer : — Ayrout, mon ami, me dit-il, vous êtes un ignorant, c'est le plus grand architecte de Belgique (?) qui a dressé les plans — Peut-être, mais il ne connaît pas l'Egypte. Ici personne n'acceptera de vivre dans une maison où la cuisine est si près de l'entrée et où la salle de bain occupe si peu de place — Il finit par reconnaître que j'avais raison ».

Effectivement on reprochait souvent aux appartements d'être mal conçus. Malgré les balcons couverts, les fenêtres étaient souvent trop grandes et mal orientées; malgré l'existence d'aérations souvent complexes, on manquait de ventilation. Certains détails du plan avaient été négligés: dans les villas, l'escalier n'avait souvent que 0,75 m de large, ce qui était tout à fait insuffisant, et dans la villa à Dôme par exemple une chambre ne donnait pas sur le couloir mais était commandée par une autre pièce. Enfin on avait souvent des chambres de dimension petite (3,50 x 3) et un office, alors que ce dernier était assez peu usité en Egypte.

Outre ces détails d'aménagement, désagréables, mais qui auraient pu être contrebalancés par le faible coût des maisons, les appartements témoignaient d'une méconnaissance certaine de l'Egypte, et tout simplement de son climat. On n'avait pas besoin d'être « indigène » pour rechercher une cuisine (terrible source de chaleur en été) séparée de l'appartement; l'importance de la salle de bain n'aurait pas dû échapper non plus aux architectes; et la taille des pièces de réception aurait dû être accrue dans un pays où — que l'on soit ou non « colonial » — la vie sociale est fondamentale. Si les ventes ne furent pas un succès immédiat ce fut donc — en dehors du caractère éloigné de la ville — pour de simples raisons de commodité. Et, si, dans les années 1925-1930, cela ne fut plus un obstacle, c'est sans doute qu'alors ce type d'habitat s'était généralisé dans tout le Caire, que l'on en avait pris l'habitude et que — par suite de l'accroissement de la métropole — il y avait moins de choix. Dans l'immédiat, ni la transposition pure et simple ni l'adaptation quelque peu maladroite ne furent des réussites.

Mais sans doute était-on plus exigeant, au début du siècle qu'aujourd'hui, sur les détails d'un aménagement intérieur. Concluant le rapport de Richmond, le secrétaire d'état au Ministère des Travaux Publics, Perry, jugeait en 1906 que:

« 1) Celui qui a fait les projets est évidemment nouvellement arrivé dans le pays et a présenté un projet qui n'est pas économique et qui est mal adapté aux nécessités locales.

2) Les maisons telles qu'elles sont prévues ne sont pas habitables » (36). Une telle prise de position visait à défendre les intérêts gouvernementaux dans les négociations avec la Société concernant les habitations pour fonctionnaires. Néanmoins sa dureté est caractéristique: l'architecture d'Héliopolis était sévèrement jugée. Au regard de ce que nous pouvons rencontrer aujourd'hui, c'est sans doute injuste. Si l'on considère d'autre part la qualité des matériaux et la salubrité des logements, c'est manifestement faux. Ce qui est condamné violemment, c'est l'aspect importé des constructions et leur inadaptation au climat et aux mœurs du pays. Même les tentatives d'adaptation des plans aux nécessités locales ne peuvent effacer cette impression. Lorsque les architectes imaginent un « salamlik » il s'agit d'une étonnante intrusion dans un plan par ailleurs caractéristique de tous les immeubles à loyer bon marché du monde à cette époque. Quant à la cité indigène c'est d'abord une cité ouvrière, et non un village de fellahs.

« Qu'a-t-on fait à Héliopolis? Des façades postiches d'art arabe, pas un seul plan oriental. Pourquoi? Parce qu'Héliopolis est le fruit de conceptions européennes et que des artistes — à moins de longues études — ne peuvent innover inopinément un style modernisé tiré d'un autre... qu'ils ne connaissent pas » (37). En réalité on n'a pas vraiment cherché à faire revivre le style architectural « arabe ». Nous avons montré que le style d'Héliopolis naissait du décor et non des plans ou de la structure. Les adaptations de plan n'étaient pas orientales: elles restaient occidentales, destinées à des Egyptiens, ce qui est tout autre. On ne peut définir le résultat ainsi obtenu ni comme une pure transposition ni comme une création originale. Il s'agit d'un « urbanisme... muséographique, mimétique... de décor, dans le sens d'un ornement, d'une vêture, non pas de saison mais de représentation » (38).

CHAPITRE V

SOCIÉTÉ

Lorsque les Cairotes allaient, entre 1910 et 1930, à Héliopolis pour assister à une fête ou simplement par curiosité, ils étaient frappés par la propreté de la ville, et son aspect ordonné. Les quartiers modestes suscitaient l'étonnement. Dans une brochure de 1910 sur Héliopolis, l'auteur disait même son admiration : « Tout un quartier a été sagement, humanitairement, réservé à des édifices simples, propres, aérés, pratiques d'installation, en vue des fortunes modestes.

J'ajouterai même — avec la satisfaction d'un véritable démocrate — que l'on n'y a point oublié les logis, ce qui est sage, intelligent, humanitaire et vraiment moderne » (1). Quel que soit l'aspect publicitaire du texte, il témoigne de l'importance accordée aux logements ouvriers qui permettaient de présenter l'œuvre d'Empain comme philanthropique. Cette tentation était sans doute générale puisque Jean Vallet se sentait obligé de conclure — au même moment — son étude sur la Société des Oasis en insistant sur « le fait qu'il ne faut pas considérer la Cité Ouvrière comme une œuvre philanthropique » (2).

Certes Empain n'avait rien du démocrate décrit ou d'un socialiste visionnaire comme Howard. Nous avons assez insisté sur l'aspect spéculatif de l'entreprise pour ne pas y revenir. Le simple fait d'avoir conçu un ensemble urbain aux fonctions différenciées et à l'habitat hiérarchisé correspondait certainement plus à une vision technocratique du phénomène urbain qu'à une analyse socialiste. L'espace strictement organisé d'Héliopolis témoigne d'une évidente volonté d'ordre et d'une compréhension de la ville comme un corps aux fonctions définies, selon des normes qui sont ici clairement européennes. Les quelques aménagements effectués cherchaient à devancer des désirs spécifiques que l'on croyait connaître. Mais — ces exemples exceptionnels mis à part — la structure urbaine, comme les formes architecturales furent fixées d'après une série de choix occidentaux.

Cette organisation urbaine est fondamentale pour l'approche de la vie sociale. Il est évident que vinrent surtout à Héliopolis ceux qui pouvaient être attirés par le style de vie proposé, et ceux qui ne virent que le faible prix des loyers. Au total, la ville (urbanisme et logement) imposa son image à sa population. Vu l'aspect préconçu et volontaire de la réalisation, on peut penser que la structure sociale devait se modeler à l'image de la structure urbaine.

Ce sont les habitants qui s'adaptent, et non la maison. Une ville comme Héliopolis est en cela exemplaire : l'architecture n'y est pas neutre, elle interpelle directement les réalités sociales.

5.1. STRUCTURE URBAINE, STRUCTURE SOCIALE

5.1.1. Une hiérarchisation ethnique et confessionnelle

Pour chaque plan d'immeuble la Compagnie portait en titre, outre le type du bâtiment, une dénomination concernant sa destination. Ainsi les grands immeubles en L portaient-ils à l'origine le sigle MUS, et la cité-ouvrière était-elle divisée en « Maisons pour ouvriers européens » et « maisons indigènes ». Les Garden Cities étaient destinées aux « petits employés européens » ou aux « petits employés indigènes ». Les textes opposaient, de même, tout ce qui était indigène (ou musulman) au reste.

L'assimilation « indigène » et « musulman » est tout à fait caractéristique d'une confusion volontaire ou non qui aboutissait à isoler l'élément égyptien musulman des coptes, arméniens ou juifs, fait qui correspond d'ailleurs à la politique suivie en ce qui concernait le personnel. Il y avait donc d'un côté le musulman (pauvre) et de l'autre l'européanisé, même égyptien. En réalité, la hiérarchisation de l'habitat était beaucoup plus complexe, et il ne suffisait pas d'être européen, ou non-musulman, pour faire partie d'une communauté que l'on pourrait appeler coloniale. Mais les conceptions des promoteurs eurent pour conséquence une certaine répartition géographique par groupes ethniques, fait d'autant plus sensible qu'Héliopolis présenta dès l'origine un aspect extrêmement hétérogène dû sans doute à la conception même de la ville.

Différenciation

Bien sûr, Héliopolis a été conçue pour des Européens, et presque toutes les publicités insistèrent sur cet aspect. Sans doute le projet initial prévoyait-il même une prédominance en chiffre absolu de ces derniers, puisque la seconde oasis dite d'Almazah devait être occupée par des « indigènes ». La zone de luxe, avec l'hôtel, aurait été réservée aux occidentaux de passage, et à quelques riches égyptiens, absolument assimilés à la société coloniale. Mais l'évolution des objectifs conduisit à ne réserver qu'une petite partie de la ville à cette population, tandis que de nombreux européens peu fortunés s'installèrent dans des quartiers moins luxueux. Au total on peut considérer qu'en 1925 la ville d'Héliopolis (environ 16 000 habitants) comptait dans sa population vingt pour cent d'Européens. C'est là un chiffre considérable si on le compare au pourcentage pour le Caire, mais il ne suffit pas à définir Héliopolis comme une ville Européenne.

Sur cet ensemble de près de 3 000 occidentaux, on comptait un peu moins d'un millier de Français et d'Anglais, une centaine de Belges (chiffre disproportionné à l'importance de la colonie, mais dû au caractère national de la création) et une centaine d'Allemands. Le nombre des Anglais reste malgré tout difficile à donner avec précision car, dès 1914, les garnisons anglaises s'installèrent aux portes de la ville et que la Compagnie considéra parfois comme habitants les officiers inscrits au Sporting Club. Au total, la population d'Europe Occidentale et Nordique, avec l'apport d'une centaine d'Américains, ne dépassait certainement pas les quinze cents, ce qui signifie qu'Italiens et Grecs représentaient la majorité des habitants européens d'Héliopolis.

La différenciation est ici essentielle, car ces derniers n'ont absolument pas — dans la société coloniale anglaise — le même statut social que les précédents. Ils sont souvent assimilés aux « Levantins », lesquels représentaient une partie considérable de la population, sans doute plus de 5 000. L'importance de ces dernières communautés (syro-libanaise, palestinienne et turque) apparaît dans le grand nombre d'écoles qui leur étaient réservées et dans leurs effectifs ; ainsi l'Ecole Saint-Louis (Maronite) groupait à elle seule 198 élèves, quand celle des Frères des Ecoles Chrétiennes (de loin la plus importante) n'en totalisait que 407 (3). Ainsi donc, près de la moitié de la population était composée d'étrangers (Européens ou originaires du bassin oriental de la Méditerranée). Mais il nous est difficile de connaître avec précision l'importance de ce second ensemble de personnes car, bien souvent, le regroupement confessionnel primait sur le caractère national. Aussi peut-on seulement affirmer que les éléments Arméniens, Juifs et Orthodoxes étaient fort nombreux et représentaient certainement la majorité de la population (ainsi l'école israélite comptait 320 élèves et l'école arménienne 170). Cela ne signifie en aucun cas qu'il ne s'agissait pas d'Egyptiens ; simplement que l'élément musulman était très largement minoritaire et que la ville était très « européanisée », Arméniens et Juifs semblant mieux adaptés à la société coloniale nouvelle.

Localisation

Cette différenciation ethnique, (Planche 45 Ethnies et quartiers) mais le plus souvent confessionnelle, peut se lire assez facilement dans la répartition en quartiers. Chaque communauté eut tendance à se regrouper soit autour du lieu de culte (souvent doublé de l'école ou d'une mission) soit autour de bâtiments d'habitation correspondant au niveau social de l'ensemble de la communauté. Ainsi les bâtiments en L, dits à l'origine Garden City (et n'ayant de jardins que le nom), furent habités surtout par la colonie syro-libanaise qui occupa aussi les immeubles proches, rue San Stefano (avenue de la Mosquée sur nos cartes). Les Garden Cities, de l'Ouest (avenue d'Assouan), furent, semble-t-il, longtemps occupées par une partie de la colonie nubienne qui s'installa aussi dans tout un bloc de la « cité-indigène ». A Almazah (seconde oasis) ne vivaient que des ouvriers égyptiens, surtout musulmans, les mêmes qui logeaient dans la partie Nord de la cité, dans la zone qui leur était explicitement réservée sur les plans de la ville. Tous les autres groupes semblent avoir été réunis par les structures religieuses. Les Grecs vivaient en grande partie rue de Tantah près du Patriarcat Grec Orthodoxe. Juifs, Arméniens ou Coptes — Egyptiens ou pas — vivaient dans

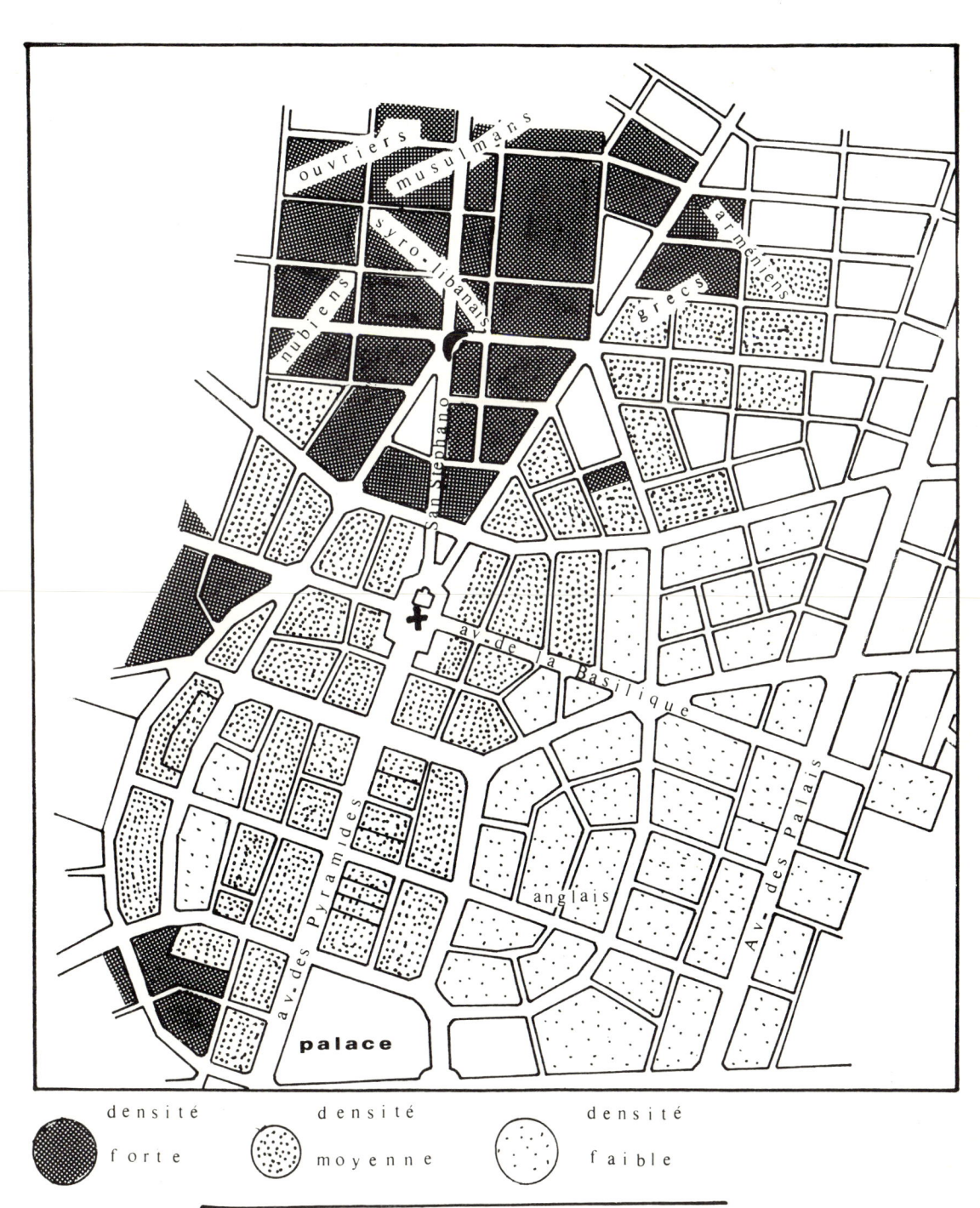

POPULATION : ethnies et densités

densité forte — densité moyenne — densité faible

Planche 45 — Carte des ethnies et des densités

le quart Nord-Est de la ville avec pour limite Sud la Basilique. Les Arméniens, en général Egyptiens, semblent avoir été nettement regroupés et les Juifs plus dispersés. Quant au reste de la ville, il était dominé par une forte implantation européenne, les Anglais habitant en général la zone des villas situées au Sud.

Au total, on le voit, une répartition géographique correspondant à une véritable distribution ethnique et religieuse semble avoir existé. Mais il est difficile d'en être véritablement assuré, d'autant que cette répartition ne paraît pas avoir été absolument stable. Ainsi les blocs en L, à l'origine destinés aux Egyptiens, furent surtout habités par des Levantins puis — dans les années vingt — furent repris par des Egyptiens. De même, certains blocs de la « cité-Indigène » d'Almazah furent temporairement occupés par des ouvriers Européens, et — surtout — le centre de la ville échappe à une classification précise. Quoi qu'il en soit, la ville d'Héliopolis ne fut jamais composée de « ghettos ». La répartition géographique que nous venons de définir représente plutôt une orientation, d'autant plus que nous n'avons pas disposé de la seule source d'archives qui nous aurait permis de l'établir solidement : la liste de tous les locataires de la Société avec leur adresse. Il semble en tout cas que la seule « zone » réellement fermée ait été la partie Nord Est de la ville correspondant aux « cités arabes » des plans de la Société. Pour tout le reste, la hiérarchisation sociale — par l'argent — paraît le plus souvent dominante (4).

5.1.2. Une hiérarchisation sociale

Les divers critères ethniques que nous venons de mettre en évidence sont essentiels; les formes prises par la vie sociale étaient bien sûr liées au caractère hétérogène de la population qui vivait à Héliopolis. Néanmoins il serait faux de se contenter de définir la cité uniquement à partir des origines nationales ou des confessions. La géographie des quartiers a sous-tendu, de façon permanente, une organisation beaucoup plus logique, fondée sur les ressources financières des familles. C'est parce que les ouvriers musulmans étaient les moins payés qu'ils furent contraints d'habiter une zone délimitée de la ville. La bourgeoisie musulmane, quand elle choisissait de vivre à Héliopolis, se logeait tout à fait ailleurs; et, si notre analyse a néanmoins un sens, c'est parce qu'elle découle de l'importance relative de chaque groupe. En fait hiérarchisation ethnique et hiérarchisation sociale ne se recouvrent pas totalement. La ville, comprenant un cinquième d'européens, n'appartenait pas nécessairement à ceux qui y logeaient. Les propriétaires pouvaient être des bourgeois cairotes, musulmans ou coptes, qui louaient leurs appartements ou leurs villas.

L'organisation de la ville n'est pas seulement lisible à travers la trame suggérée par les textes mêmes de la Société. Il y avait bien des plans pour indigènes ou européens. Mais il y avait surtout des appartements bon marché ou des villas de luxe, ce qui ne correspondait pas nécessairement à notre première différenciation. Et, de fait, une analyse fondée non sur l'origine géographique des habitants, mais sur leur fortune nous conduit à des résultats légèrement différents.

Les propriétaires

Pour tenter de voir qui fut exactement intéressé dans l'affaire d'Héliopolis, il nous faut absolument tenir compte de l'évolution chronologique que nous avons dégagée au premier chapitre. Il est certain qu'avec le développement de la ville toute une population, qui n'avait regardé la création belge qu'avec curiosité, fut petit à petit attirée à Héliopolis. Ainsi la bourgeoisie musulmane ne commença que relativement tard à acheter à Héliopolis. De plus avec l'accentuation de la fonction de banlieue, et avec la soudure de plus en plus marquée à la métropole y eut-il une évolution certaine de la structure sociale. La ville eut tendance à ressembler de plus en plus aux autres faubourgs du Caire.

Plus encore que de l'évolution chronologique, il nous faut tenir compte du mode de construction d'Héliopolis. Effectivement ce sont les noms des propriétaires qui nous sont le plus accessibles. Or la plus grande partie des logements — jusqu'en 1922 — fut louée par la Société. Ne se portèrent acquéreurs que ceux qui voulurent établir leur résidence principale à Héliopolis en achetant une villa, ou quelques bourgeois qui firent construire des immeubles de rapport. Mais, on l'a vu, leur nombre fut longtemps très réduit. N'achetèrent, alors, que des spéculateurs qui parièrent sur le développement de la ville, les dirigeants de la Société (à commencer par son fondateur) et les entrepreneurs. Ainsi, sur une liste de propriétaires d'immeubles locatifs — datant semble-t-il de 1930 — le seul nom d'Ayrout (dont on a vu l'importance) apparaît-il vingt cinq fois (5). Cette liste est d'ailleurs extrêmement caractéristique, le cas d'Ayrout n'étant pas isolé.

Malgré cette restriction, les listes de propriétaires peuvent illustrer un certain nombre de caractères dominants en faisant ressortir l'évolution sociale. Ayant disposé de listes datant de 1907 (ou 1909) et de 1930, nous avons tenté de les comparer, bien que la seconde se situe hors de notre période chronologique. En effet, une certaine stabilité marque les années 1922 - 1940, entre la période d'établissement et celle de transformation en grande banlieue populaire.

D'après les premiers renseignements dont nous disposions (6), il apparaît que les acheteurs furent le plus souvent de riches bourgeois européens ou orientaux, avec une nette prédominance de noms à consonance arménienne et grecque (Ghazarossian, Eknayan, Georgiadis etc...). Mais on trouvait malgré tout quelques noms musulmans.

Ces premiers propriétaires se portaient acquéreurs de villas. Plusieurs ingénieurs et avocats européens vivant au Caire en faisaient partie (Van der Mecht, baron de Gaiffier d'Hestroy). Les Egyptiens étaient soit « propriétaires » (et rentiers) soit, souvent, avocats. Nous n'avons pu faire ressortir (les listes n'étant pas complètes et ne couvrant pas toute la période) une dominante absolue ni pour les types de profession ni pour les origines. Il semble néanmoins que la bourgeoisie cosmopolite vivant au Caire (et d'abord européenne) fut la première intéressée au lancement de l'affaire, bien qu'il n'y ait eu aucune exclusive.

Le fait qu'il y ait eu un certain nombre de propriétaires européens peut aujourd'hui surprendre. Il est assez rare maintenant (outre les difficultés juridiques, en général insurmontables) de pouvoir être propriétaire. La situation était fondamentalement différente à l'époque de la colonisation anglaise. Néanmoins leur nombre, en chiffre absolu, a dû être assez restreint et en tout cas limité aux villas. On peut en chercher confirmation dans la liste plus récente des propriétaires d'immeubles.

Deux remarques s'imposent ici. Vu la date probable du document (7), il est évident que le public a changé : une énorme majorité de propriétaires est alors autochtone, et beaucoup d'entre eux portent des noms à consonance musulmane, encore qu'il soit très difficile (cas des prénoms doubles) d'en être assuré. Malgré tout, il est certain que les éléments arméniens, juifs et orthodoxes restent prédominants. Sur cent quatre vingt quinze propriétaires décomptés, nous avons pu faire ressortir neuf propriétaires d'immeubles locatifs d'origine française, anglaise ou allemande, douze d'origine italienne, vingt deux d'origine juive et vingt sept d'origine arménienne. Nous n'avons pu établir avec certitude les autres différenciations. Mais, quoi qu'il en soit, les conclusions auxquelles nous étions arrivé se vérifient. Avec une différence importante : si les habitants se regroupent par quartiers, les propriétaires cités précédemment achètent, quant à eux, sans se limiter à une zone. Nous avons pu le vérifier, puisque notre liste nous fournit l'adresse des bâtiments. Il apparaît que si la ville est partagée en groupes d'origines différentes, le groupe dominant réellement est simplement celui de la bourgeoisie étrangère ou égyptienne. Ainsi retrouve-t-on des noms arméniens aussi bien dans la zone des villas, qu'au centre ville ou que dans le Nord et la même remarque s'impose pour les autres communautés. Sans doute aurait-on pu, avec une liste complète et plus précise, affiner l'analyse et retrouver peut-être une dominante par quartiers. Mais si cette dominante existe, elle n'est pas absolument évidente.

Quoi qu'il en soit, l'importance grandissante de la bourgeoisie locale — toute considération religieuse mise à part — apparaît à travers la comparaison de ces deux ensembles de listes. En 1907-1909 la proportion de noms européens était nettement plus grande que vingt ans plus tard. Et, dans la liste des propriétaires il y avait de plus quelques noms prestigieux comme Boghos Nubar et les princes Hussein et Ibrahim. Ces noms se retrouvent en général plus tard, mais la proportion a changé puisqu'il n'y en a guère de nouveaux. On peut voir, dans la stabilité, en chiffres absolus, des très grandes familles, la preuve de l'évolution déjà signalée de la structure sociale de la ville.

Une publication de la Société, de date récente (8), nous permet de vérifier nos conclusions. Entre 1915 et 1930, la haute société qui aurait représenté d'abord 25 %, serait tombée — quinze ans plus tard — à 15 %. La bourgeoisie par contre serait passée de 30 % à 45 %, et les classes populaires seraient restées relativement stables. De telles données sont très discutables, car elles ont été établies sans archives, et, bien que publiées par la Société, elles nous paraissent fragiles. Elles témoignent tout de même d'une situation qui est par ailleurs très sensible : la montée de la bourgeoisie, perceptible à travers les noms des propriétaires.

Les fonctionnaires

Le caractère bourgeois d'Héliopolis s'explique certainement aussi par la politique de logement suivie par la Société. Cette politique permet même de se faire une idée du niveau de la bourgeoisie héliopolitaine. En effet, nous avons établi notre première estimation en nous appuyant sur les propriétaires. Si nous tenons compte des locataires, la part des classes moyennes semble avoir été nettement plus grande. Et le fait que la Société ait cherché, dès 1908, à favoriser l'installation des fonctionnaires à Héliopolis ne peut que renforcer cette idée.

La ville nouvelle a — de toute évidence — été pensée pour favoriser la venue des fonctionnaires auxquels les horaires égyptiens de travail laissaient une marge suffisante pour les déplacements. La journée de travail s'achevant entre 14 heures et 15 heures, il était possible de profiter de l'après-midi à Héliopolis. C'est la raison pour laquelle furent négociés les accords avec le Gouvernement concernant le logement des fonctionnaires. La Société s'engageait à fournir plusieurs centaines de logements de toute taille avec un loyer réduit de 20 %. Nombreux furent les agents de l'Etat qui en profitèrent. Sur toute la période qui nous concerne, tous les logements proposés furent occupés et le 31 décembre 1915 la Société logeait ainsi 348 fonctionnaires (9).

Ayant disposé d'une liste des fonctionnaires logés par la Société, et datant de 1915, il nous semble que très rapidement la moyenne et la haute bourgeoisie liées à l'administration coloniale s'implantèrent profondément à Héliopolis. La Société ne louait que très peu de petits appartements populaires (4 sur 348 étaient loués à moins d'1 livre/mois). Mais elle proposait par contre quelques logements luxueux (un palais fut même pendant longtemps loué comme résidence de fonction à un ministre) et une majorité d'habitations qui exigeaient un revenu moyen, avec des loyers variant entre 2 et 6 LE.

Ce qui est sans doute le plus intéressant dans cette liste c'est la répartition des locataires par origine. En effet, il nous apparaît très nettement que le regroupement par communauté ne jouait pas de façon sensible. Le prix des loyers variait dans l'ensemble entre 1,5 LE par mois et 12,5 LE. Or, à tous les niveaux (sauf pour les loyers de moins d'une livre) on retrouvait aussi bien des Européens que des Egyptiens. C'est le chef de la police du Caire (Mustapha Sami) qui payait le plus gros loyer suivi de près par un directeur anglais au ministère de l'Intérieur (Major Elgood) et un responsable du ministère des Finances (fonction non précisée) : Zaki Gabra. Dans les loyers médians (2,50 à 4 LE) on retrouvait exactement la même diversité chez les locataires. Pourtant si l'on considère globalement les noms, on peut y discerner la différenciation déjà analysée : nette prédominance de noms arméniens, et — ici — surtout Coptes (Assabgui, Wassef) avec seulement une quarantaine de noms nettement musulmans. La sur-représentation anglaise était encore très nette alors : 46 noms. Mais il semble que le choix de leur appartement était conditionné avant tout par leurs moyens financiers et que ce n'était pas nécessairement à l'avantage des Européens.

Grâce à cet ensemble de listes, nous sommes en mesure de proposer maintenant une définition un peu plus précise de la population. Les fonctionnaires qui venaient loger à Héliopolis étaient des cadres moyens et supérieurs, et leur différenciation ethnique et confessionnelle correspondait à celle qui caractérisait toute l'administration coloniale. Par leur niveau de vie, la ville prit le visage d'une cité de moyenne bourgeoisie, très européanisée, ne serait-ce que par les métiers effectués. L'importance des professions libérales n'a pu qu'accentuer cet aspect. En 1930, la ville comptait près de 50 médecins (10), 7 dentistes, 13 pharmaciens et infirmiers, une vingtaine d'architectes, d'entrepreneurs etc...

Il s'agissait donc d'une population bourgeoise, d'origine ethnique très variée, malgré une nette sur-représentation des étrangers, cadres du système colonial. Mais la partie égyptienne de cette population restait, même à ce niveau, fort importante, bien que l'élément strictement musulman fût relativement peu représenté. Un véritable mixage confessionnel et ethnique se produisait au sommet de la pyramide ainsi élaborée.

Les classes populaires

Des remarques similaires peuvent être formulées en ce qui concerne les classes populaires. Héliopolis fut, dès l'origine, un important pôle d'habitations populaires. Près de la moitié des habitants ne payaient que des loyers très réduits et avaient un niveau de vie qui les distinguait nettement des autres. Il est difficile d'assigner un seuil précis de séparation entre les classes. Nous nous contenterons — ne disposant pas de sources satisfaisantes — d'intégrer dans la « classe populaire » tous les habitants des grands immeubles des Quartiers Nord, des Garden-Cities, des blocs et des cités ouvrières et indigènes. C'est évidemment là une distinction tout à fait arbitraire, vu que de nombreuses familles, dont les revenus étaient nettement supérieurs à ceux d'un ouvrier égyptien, vivaient dans ces quartiers. Néanmoins un certain nombre de points permettent d'affirmer l'existence de nombreux ouvriers et employés très pauvres. Ainsi en 1919, sur près de 8 600 habitants, la Compagnie recensait 3 600 illettrés, chiffre considérable si l'on voit en Héliopolis une banlieue exclusivement bourgeoise. Il s'agissait bien d'une ville, avec ses oppositions sociales marquées.

La « classe populaire » était certainement composée d'abord par les manœuvres et ouvriers de la Compagnie. On a vu qu'il était difficile de les dénombrer et que beaucoup vivaient soit à l'Abbassiah, soit à Zeitoun. Néanmoins ils représentaient certainement en 1920 plus d'un millier de personnes, si l'on compte une moyenne de cinq personnes par famille ouvrière, ce qui — d'après les rapports de la Compagnie — semble le minimum. C'étaient, pour deux tiers, des ouvriers égyptiens (dont une moitié de musulmans) et, pour un tiers, des étrangers originaires d'Italie et surtout des Balkans. Les premiers vivaient relativement renfermés dans leurs cités. Mais, là encore, il faut insister sur le fait que les « travaux de force » n'étaient pas, à l'époque, exclusivement réservés aux seuls manœuvres égyptiens et qu'il existait bien, dans la même partie de la ville, des immeubles occupés soit par des ouvriers indigènes, soit par des ouvriers européens. La Société veillait à entretenir une certaine différence entre les deux groupes, mais ce qui les séparait peut sembler, à distance, moins important que ce qui les réunissait. A preuve, l'occupation temporaire de maisons de la « cité indigène d'Almazah » par du personnel européen (contre l'avis personnel d'Empain (11)) ou bien l'existence d'une école gratuite des Frères des Ecoles Chrétiennes où allaient les enfants des milieux populaires d'origine européenne (les autres ayant leurs missions) et qui comptait en 1922 près de 200 élèves. Tout cela nous amène à insister sur l'importance très relative de la géographie strictement ethnique : ouvriers européens et ouvriers indigènes partageaient la même vie, seuls les modes changeaient.

A cette population d'ouvriers de la Compagnie, venaient s'adjoindre d'une part les ouvriers employés à la construction par les entrepreneurs, et d'autre part une importante population d'employés de maison. Cette dernière catégorie, attestée par toutes les archives, peut se retrouver dans la pyramide des âges de l'Héliopolis Dictrict (Master Plan, 1947), l'excédent relatif de l'élément féminin entre 20 et 30 ans s'expliquant sans doute par la présence de nombreuses femmes de ménage (12).

Quelle que soit la répartition exacte des divers métiers, il semble que la part d'ouvriers travaillant au Caire et vivant à Héliopolis ait été assez réduite. Par contre, celle des petits employés, fonctionnaires à peine mieux payés que les ouvriers, et vivant dans la gêne permanente, était fort importante. Là encore, il nous est impossible de chiffrer avec précision cette population. En effet, les habitations à loyer réduit proposées par la Société concernaient surtout des personnes à revenus moyens et supérieurs. (Nous l'avons dit, en 1915, sur les 348 logements à prix réduits, il n'y en avait que quatre d'inférieurs à 1 livre par mois). Mais cela ne signifie pas qu'au total leur proportion fut négligeable. De plus, certaines habitations de l'avenue de la Mosquée étaient destinées à des familles pouvant payer entre 1 et 2 livres par mois ce qui n'était, en aucun cas, une preuve d'aisance. On peut seulement dire que tous les témoignages concordent sur un point : Héliopolis compta de nombreux petits employés qui allaient chaque jour au Caire. Et, là encore, cette population était indifféremment composée d'Egyptiens et d'Européens qui tous vivaient dans les mêmes types de logements (la seule différence tenait par exemple dans l'existence du plan avec Salamlik pour recevoir les invités sans les faire pénétrer dans l'appartement).

On peut chercher confirmation de cette analyse dans une liste de locataires italiens que la Société tint durant les premiers mois de la Première Guerre (13). On trouve des familles habitant aussi bien les luxueux immeubles du boulevard Abbas ou les grandes villas de la rue Sesostris que les petits appartements de l'avenue de la Mosquée (rue San Stefano) ou même les cités ouvrières (rue Kafr el Sayat). De telles différences dans une population présentée souvent comme homogène nous semblent tout à fait caractéristiques de la situation générale d'une ville où les oppositions d'ordre matériel prédominaient largement.

C'était bien sûr le fruit de la structure urbaine. Un système plus souple aurait peut-être conduit à regrouper les communautés en quartiers délimités, comme dans certaines villes américaines. Ici, les types d'habitat étant définis par les promoteurs, ce phénomène fut impossible. Plus que compartimentée en communautés distinctes, Héliopolis nous paraît être marquée, au même titre que toutes les villes européennes, par les différences de revenus. Cette division nous apparaît d'autant plus nettement que la ville nouvelle compta une importante population d'origine ouvrière, preuve supplémentaire qu'il ne s'agissait en rien d'une banlieue de luxe. Les contemporains y furent très sensibles, qui s'étonnèrent de la coexistence en un même ensemble (de superficie réduite) de populations riches et pauvres. « La juxtaposition d'une ville de grand luxe et d'une ville d'habitation à très bon marché me paraît dangereuse », écrivait par exemple l'Ambassadeur de France en 1911 (14). Il n'est pas évident qu'il ait eu raison. Il n'y eut pas de heurts plus violents à Héliopolis qu'ailleurs.

5.2. VIE SOCIALE ET MODELES

5.2.1. La communauté urbaine

Pour les personnes qui, aujourd'hui, se rappellent les premières années d'Héliopolis, ce qui émerge d'abord c'est le souvenir d'une vie en milieu très fermé. De l'école au club et aux réunions du soir, la vie se déroulait dans le même ensemble urbain entouré par le désert et isolé du Caire. Là encore le sentiment d'avoir vécu en banlieue ne semble pas prédominant. On n'était pas Cairote mais strictement Héliopolitain. Cela suffisait à définir un genre de vie et surtout à s'affirmer comme membre d'une communauté aux facettes diverses, mais d'une certaine façon unie. C'est cette unité (qui a frappé les contemporains) qu'il est le plus facile de comprendre : la ville, conçue comme un tout a imposé son image aux habitants. Mais en même temps c'est une impression largement factice. Elle naît d'une animation sociale suscitée par la Compagnie et limitée à certaines couches de la population. On ne peut donc s'en tenir au seul mode de vie des habitants favorisés.

Une unité par la ville

Sans doute l'isolement géographique de la nouvelle ville a-t-il pu suffire à créer un certain climat social né du sentiment de vivre dans un ensemble urbain clos et distant. Se rendre à Héliopolis au début du siècle signifiait prendre le tramway électrique et, bien que la durée du trajet fut minime, on ne pouvait pas ne pas ressentir la distance du seul fait de traverser trois kilomètres de désert de sable. A une époque où les moyens individuels de transports étaient très exceptionnels, et où la vie au Caire n'exigeait pas l'utilisation quotidienne des autobus et des tramways, cela suffisait à différencier les Héliopolitains.

Le sentiment d'unité était d'autre part sous-tendu par la répartition spatiale des fonctions et par l'existence de pôles de rencontre très rapprochés les uns des autres. La ville avait — architecturalement — ses « lieux signifiants », dont bien sûr la Basilique est l'exemple parfait. Mais elle avait aussi plutôt ses centres qui étaient ceux des diverses communautés. Ainsi se retrouvait-on plus facilement au Sacré Cœur qu'à la Basilique (17). Lors des fêtes religieuses chrétiennes, toute la zone située entre le quartier des villas et le quartier populaire était transformée. Mais il y avait aussi le champ de courses, le Sporting Club, le Luna Park ou l'aérodrome qui créaient, tout autour de la ville, des pôles de rencontres périodiques où se retrouvait une bonne partie de la population d'Héliopolis. Enfin le boulevard circulaire, centre commercial de la cité, servait aussi de point de contact avec ses cafés et ses restaurants. La structure urbaine, qui amenait à concentrer les mêmes types de fonctions dans les mêmes lieux, expliquait donc en partie ce sentiment de vie en communauté.

Il est enfin certain que tout le système architectural contribua à fonder cette impression. On avait cherché à créer un environnement identique pour tout le monde. Malgré les immenses différences entre villas et immeubles populaires, on avait réussi — ne serait-ce que par le décor — à maintenir une certaine unité. L'existence d'espaces verts devait d'autre part donner à tous les quartiers le même visage attrayant qui ferait que les habitants, se rendant au Caire, auraient hâte de rentrer et se sentiraient différents. Il nous est impossible aujourd'hui de savoir si le résultat désiré fut obtenu. Mais la volonté de création d'un milieu original semble évidente, et il semble que le but fut en partie atteint. Nombre d'Héliopolitains se souviennent qu'ils avaient peur dans leur enfance de venir en ville, de retrouver les rues populeuses, sinueuses et poussiéreuses de la vieille capitale. En cela, sans doute, l'architecte et l'urbaniste, créateurs d'espaces, agirent-ils directement sur les habitants.

Confessions et éducations

Bien sûr, on aurait pu aboutir à une situation inverse. Les habitants, se sentant mal à l'aise et inadaptés, auraient pu détruire leur environnement ainsi que cela se produit aujourd'hui souvent. Nous avons vu que rares furent les déprédations. Et, paradoxalement, elles eurent surtout lieu dans des locaux qui avaient été l'objet de soins d'adaptation fort attentifs. Bien que la ville fut composée en majeure partie « d'indigènes », il n'y avait donc pas de décalage apparent entre leurs exigences et celles des Européens.

Une certaine homogénéité existait entre tous les groupes pour deux raisons. D'une part les classes bourgeoises dominaient la ville, représentant au minimum la moitié de la population totale. Or ces classes bourgeoises, quelle que soit leur origine, étaient très occidentalisées ou du moins voulaient le paraître. Avant la montée du mouvement nationaliste, l'occidentalisation n'était certainement pas contestée en permanence. Mais surtout, les Egyptiens qui allaient vivre à Héliopolis n'étaient pas souvent musulmans. Il s'agissait de minoritaires coptes, arméniens ou orthodoxes. Nous avons déjà signalé leur importance. On peut essayer de la mesurer plus précisément. En 1916, sur une population de 7 000 habitants, il semble y avoir eu environ 1 400 musulmans, 1 900 orthodoxes, 470 protestants, 1 150 israélites et près de 2 100 catholiques. L'origine de ces chiffres nous entraîne à mêler de façon quelque peu erronée coptes, arméniens et catholiques romains (15). Ceci dit l'essentiel en ressort : près de 80 % de la population était chrétienne ou juive. Les habitants étaient sans doute Egyptiens, mais Héliopolis était un fief des minorités. Or ces dernières non seulement occupaient des postes de choix dans l'administration coloniale, mais surtout tendaient à se rapprocher très souvent du mode de vie occidental. Enfin leur importance explique la cohésion certaine de l'ensemble social. Sans doute y avait-il des divergences, mais elles n'étaient pas fondamentales.

Quoi qu'il en soit, l'importance de la population bourgeoise servit de ciment, malgré quelques oppositions confessionnelles. Il est certain par exemple que la bourgeoisie musulmane eut tendance à partager le mode de vie dominant. On peut en trouver une illustration très caractéristique dans la répartition confessionnelle des effectifs de l'Ecole du Sacré Cœur. En 1921, l'établissement des religieuses comptait 338 élèves. Sur ce total, 184 étaient catholiques, 68 orthodoxes, 11 arméniennes, 3 protestantes, 27 juives, et 44 musulmanes. Le chiffre de ces dernières est proportionnellement élevé. Il est vrai qu'au même moment l'Ecole des Frères ne comptait que 3 % de musulmans (16). A travers ces chiffres on peut retrouver toute une politique d'éducation suivie souvent par les familles aisées musulmanes: la fille était mise chez les Sœurs, où l'éducation était très surveillée, et où l'on apprenait « les bonnes manières ». Le garçon, par contre, était mis à l'école de l'Etat ou dans une institution étrangère, de préférence anglaise. La langue française était celle des "dames de la bonne société," et l'anglais était réservé aux hommes. Ce schéma, encore assez actuel, était évident à Héliopolis, où l'école anglaise comptait 10 % d'élèves musulmans.

Dans ces conditions, on comprend que toutes les personnes qui nous ont parlé d'Héliopolis aient insisté sur l'aspect « œcuménique » de la ville. Ce que les rapprochements religieux ne faisaient pas, l'éducation le suscitait. Sans doute se rappelle-t-on que « dans les conversations on annonçait la religion de l'autre, mais pour éviter des impairs » (17), car il apparaît aujourd'hui à tous que « cela n'avait aucune importance ».

Vie de société

Sans doute était-ce en partie le cas, et le passé ne paraît pas avoir été enjolivé. On ne trouve, dans les archives, aucune trace de tensions confessionnelles, sinon celles suscitées par le comportement de certains contremaîtres de la Société. Il faudra attendre les années 1940 pour qu'avec la transformation de la ville les rapports de force changent et que, du coup, l'équilibre se rompe. Mais encore faut-il bien rappeler que l'on parle surtout d'une certaine classe. Les autres nous sont difficilement saisissables, bien que les souvenirs concordent sur le fait que les grandes fêtes permettaient de regrouper la quasi-totalité de la ville.

Effectivement, le dernier facteur qui peut expliquer le caractère homogène de la population est l'existence d'une véritable infrastructure de loisirs. Nous en avons déjà, chemin faisant, signalé l'essentiel : clubs, Luna Park (Planches 46-47), exhibitions aériennes et fêtes de toutes sortes. En réalité tout le monde n'était bien sûr pas inscrit au Club. Mais, si le Sporting Club était cher et d'accès difficile, il s'en créa très rapidement de nouveaux, animés le plus souvent par les communautés confessionnelles. Ces clubs avaient une double fonction. C'étaient d'une part des lieux de réunions (parfois mondaines), d'autre part de véritables clubs de sport. Le modèle anglais est ici évident et le Sporting Club se voulut sans doute l'équivalent du grand club anglais de Zamalek, le Guezirah. Les occasions de rencontre étaient très nombreuses avec l'existence, attestée dès les années 1920, de tournois interclubs. Cette importance du sport était caractéristique de l'image « hygiénique » que les promoteurs voulaient donner de leur ville, mais surtout de la place accordée aux réunions publiques (et non familiales) par une population qui avait, par ailleurs, l'habitude de se presser en foule au « Racing Club » dont l'entrée ne coûtait avant 1920 que 4, 10 ou 25 piastres. Certaines fêtes étaient sans doute réservées à un public beaucoup plus restreint, ainsi pour les bals donnés régulièrement à l'Héliopolis Palace. Mais, dans l'ensemble, on retrouve toujours une certaine impression « d'unité confessionnelle », qui vient confirmer les divers souvenirs déjà évoqués. De même, l'existence de cafés soit près du Palace (aujourd'hui Groppi) soit sur le boulevard circulaire attirait toute une jeunesse que tout le monde s'accorde à décrire comme indifféremment chrétienne ou musulmane. Deux fêtes rythmaient d'ailleurs la vie de la cité: la Noël (puis le 1er janvier) et Pâques. De jeunes musulmans allaient même pour cette occasion à la messe de Minuit (18). Bien sûr, il ne s'agissait là que d'enfants de l'aristocratie, mais le fait en lui-même caractérise déjà une époque. De même, le 1er janvier, le Sporting Club organisait une fête importante pour laquelle les portes étaient relativement plus ouvertes que d'habitude.

Finalement, cet ensemble d'activités accentuait le sentiment qu'éprouvaient les Héliopolitains d'être un peu à part. Formes urbaines, dominantes religieuses, et réunions sociales créaient une sorte de microcosme où un équilibre étonnant semblait régner entre les communautés. Sans doute était-ce ignorer bien des oppositions — pourtant parfois évidentes — mais le fait est que les habitants eurent souvent l'impression d'appartenir à une sorte de grand club. Si d'ailleurs l'usage de la langue française, et à un moindre degré anglaise, était si répandu, c'était justement comme signe extérieur de différenciation. A Garden-City, ou, dès 1920, à Zamalek, on parlait anglais ou français car la plus grande partie de la population était étrangère. A Héliopolis, même les petits employés de la Société parlaient français. Les photos du boulevard Abbas et du boulevard circulaire nous montrent les enseignes des magasins écrites presque toutes en français. L'importance des écoles privées étrangères (il n'exista pas, pendant dix ans, d'école publique d'état) en est une autre preuve. Répétons-le : la plupart des élèves n'en étaient pas moins Egyptiens.

Planches 46-47 — Le Luna Park

5.2.2. Le miroir de l'Occident

Sur une carte du « Caire Catholique », conservée aux archives de l'évêché et datant de 1920, la ville ne semble comprendre que le Nord du quartier d'Ismaïliah, l'Est du Mousky et surtout, au Nord, Faggala, Choubrah et l'Abbassiah. Un encadré y ajoute Héliopolis dont l'importance était double, d'une part à cause de l'implantation confessionnelle dans l'ensemble de la population, et d'autre part à cause de la présence de l'évêché. La ville nouvelle affirmait son originalité dans le fait qu'elle était spatialement organisée autour de la Basilique, alors que, dans le reste du Caire, l'église catholique n'était jamais aussi nettement représentée. Nous venons de le voir, cette domination chrétienne fut à l'origine de certains aspects particuliers de la cité. L'impression, ressentie par beaucoup d'habitants, de vivre dans un village aux structures originales lui doit beaucoup. De même, c'est sans doute cette domination qui permit l'épanouissement des formes de vie sociale décrites. Il semble bien qu'une dominante musulmane au niveau de la petite bourgeoisie aurait eu des effets différents. Ceci dit, l'analyse que nous venons de conduire ignore bien des aspects de la vie héliopolitaine. Elle s'en tient au mode de vie des classes moyennes et supérieures de la population, soit plus de la moitié sans doute, mais cela amène à ignorer les gouffres sociaux qui répondaient en réalité à la hiérarchie de l'habitat, et à privilégier la vie sociale voyante et bruyante d'une minorité souvent restreinte de riches privilégiés. Il est certain que l'ouvrier de la rue San Stefano n'était inscrit à aucun club, et que — s'il se sentait héliopolitain — ce n'était sans doute pas dans le sens que nous venons de faire apparaître. L'essentiel nous échappe peut-être.

Un milieu artificiel

La réalité du sentiment communautaire est difficile à préciser. Les souvenirs peuvent l'avoir transformé. Les quelques textes littéraires où Héliopolis est citée (19) furent l'œuvre de romanciers étrangers à la ville, et, parfois même, plus ou moins soudoyés par la Société. Malgré cela, il est possible que cette impression ait effectivement été partagée au début de l'entreprise, c'est-à-dire pour la période qui nous occupe. Pourtant l'existence, pour la majeure partie de la population, de trajets quotidiens au Caire n'a pu entraîner le sentiment de vivre dans un véritable village, et il est certain qu'aujourd'hui presque rien n'en demeure. Il faudrait, d'autre part, s'assurer de l'existence réelle de contacts sociaux, en dehors des fêtes et des réceptions. Sans doute existait-il une certaine vie communautaire dans les cités ouvrières. Mais l'habitat moyen et ouvrier des immeubles, qu'il s'agisse des blocs ou des garden-cities, ne pouvait que favoriser un mode de vie relativement refermé sur la cellule familiale. Au fond Héliopolis était un village dans la ville, avec une vie de société et des réceptions, mais, en même temps — à cause de l'isolement et de la faiblesse de la population — certains aspects caractéristiques du village, comme une certaine absence d'anonymat. Tout le monde, semble-t-il, se connaissait plus ou moins. Et il n'est pas évident que, chez des citadins habitués à d'autres formes de rapport, cela ait favorisé l'éclosion d'une réelle vie sociale. La peur du ragot a limité les aspects positifs qui auraient pu naître d'une proximité ethnique et confessionnelle assez exceptionnelle (20).

Si l'on considère l'organisation urbanistique elle-même, on peut s'interroger sur les possibilités réelles de vie communautaire dans certaines classes sociales. Sans doute Héliopolis était une ville verte, sans doute soigna-t-on, dans tous les quartiers, les plantations d'arbres et veilla-ton à ne pas laisser les rues sans ombrage. Mais, si l'on regarde le plan et les photos de la ville on se rend compte qu'il s'agissait soit de haies, soit des terre-pleins centraux d'avenues, soit — surtout — de jardins privés. Ce n'est qu'en 1925 qu'un véritable parc public gratuit fut ouvert dans le quartier nord. A part la place de la Cathédrale longtemps simple terrain vague, le terrain de jeu restait la rue, il est vrai peu passagère. Sinon, on disposait d'une immense cour de récréation ; mais c'était le désert. En réalité, la verdure avait un intérêt très limité : elle voilait les différences sociales et compartimentait la ville. On est loin à Héliopolis de la ville ouverte à tous dont rêvaient les théoriciens des cités-jardins. La cité se décomposait en zones fort isolées les unes des autres, même si la plupart des habitants pouvait effectivement se rencontrer en certains pôles essentiels. Et il existait à Héliopolis des quartiers où l'on ne pénétraient pas : la « cité indigène » par exemple, ou le quartier nubien. Toute la classe populaire n'était mêlée à la vie sociale de la cité que lors des grandes fêtes ; elle disposait même de ses propres magasins. L'unité architecturale, créée par les promoteurs, peut sembler en grande partie artificielle, tout comme l'impression d'une communauté est en grande partie factice si l'on considère la totalité de la population.

Des gouffres sociaux

Une telle situation résultait évidemment de la conception même de la ville. Nous avons insisté précédemment sur l'importance des différenciations en classes. Il est certain que la géographie de la ville ne s'accommodait pas très bien d'une vie sociale réellement unifiée. Il n'y avait aucune raison pour qu'à Héliopolis les oppositions fussent moins marquées qu'ailleurs, au contraire. La seule différence avec le Caire tenait dans le fait qu'il était très facile de ne pas voir les pauvres. Pourtant, nous l'avons dit, ces pauvres existaient. On peut même dire que malgré les célèbres conditions sanitaires sur lesquelles la Société insistait tant, leur situation n'était guère meilleure qu'au Caire ou à Alexandrie. Les chiffres de population de l'année 1923 font ainsi apparaître à Héliopolis un taux de mortalité infantile « indigène » de 273 $^o/_{oo}$, alors que l'on aura au Caire en 1927 un taux de 250 $^o/_{oo}$ (21). Bien que les chiffres ne soient pas réellement comparables vu la faiblesse des données pour Héliopolis, ils laissent penser que la situation matérielle n'était pas fondamentalement différente. Avec la hausse du coût de la vie qui suivit la guerre, la situation des ouvriers se dégrada terriblement, et — vu les salaires et les nécessités de la vie quotidienne — les enfants des petits ouvriers ne pouvaient certainement pas payer cinq ou dix piastres l'entrée au Luna Park.

Cette opposition de classe est somme toute très classique et n'a rien d'étonnant. Nous n'aurions pas à nous y arrêter si, dans les souvenirs des anciens habitants de la ville, elle apparaissait. Bien souvent, elle semble avoir été gommée, ou même réellement ignorée à l'époque. Pourtant les discours les plus enthousiastes buttent sur l'évidence : ce que l'on ne voulait pas voir, on l'oubliait. De même, nous l'avons dit, chacun affirme qu'une certaine unité confessionnelle existait. Mais, en même temps, il faut bien dire que l'on ne pouvait que très difficilement s'inscrire au Sporting Club, théoriquement réservé aux seuls Européens ou qu'il était hors de question d'accompagner une amie juive à son club. Sans doute ne précisait-on l'origine confessionnelle que pour éviter des malentendus. Mais il est sûr qu'une certaine hiérarchie subsistait, et que les différences religieuses recoupaient en partie les clivages sociaux. Si une famille musulmane était très riche et honorablement connue, elle pouvait à la rigueur pénétrer au Sporting Club, si elle le désirait. Mais elle était reçue pour son rang social. En général les intéressés eux-mêmes oubliaient leur confession et ses exigences.

On peut en voir une preuve dans le fait que rares furent les familles bourgeoises musulmanes qui s'installèrent à Héliopolis. Nous avons signalé cette abstention, évidemment voulue par les promoteurs. Ceux qui choisirent néanmoins cette ville furent en réalité obligés de se tenir à l'écart, refusant une forme de vie sociale fondée sur les fêtes et la mixité sexuelle. Il est en effet certain que le fait de se rendre chaque jour dans les longues allées du Sporting Club n'était que difficilement acceptable pour une famille tenant à ses traditions d'éducation. De même l'absence de toute école publique pour musulmans fut longtemps une raison essentielle qui expliqua la réticence de la bourgeoisie musulmane. L'unité par l'école chrétienne ou étrangère ne dut toucher que la frange la plus élevée de cette société, et la moins attachée à ses traditions.

Le modèle occidental

Effectivement, plus on s'élevait dans la hiérarchie sociale, plus l'impact du modèle occidental (Planches 48-49 : Mondanités) était grand. Et si l'on put parler d'un « style héliopolitain », c'est là qu'il faut aller le chercher. Au fond, ce qui comptait ce n'était pas tant d'être ou de n'être pas Européen que de le paraître et d'en épouser le mode de vie. Pour tous les habitants originaires de l'Europe méditerranéenne vivre dans la nouvelle ville permettait de retrouver des conditions de vie perdues en Egypte, et ce malgré des salaires assez bas. Pour les autres, Héliopolis était un mode d'intégration dans la société dominante. L'unité réelle d'Héliopolis est celle imposée par le modèle européen vécu par la bourgeoisie, par toute la bourgeoisie. Les classes moyennes, fonctionnaires coptes, arméniens, orthodoxes ou juifs, vivaient dans un milieu strictement européen. Les bourgeois musulmans auraient accepté sans doute de s'y mêler si une école correcte privée et musulmane avait été ouverte à Héliopolis. Ce sont eux qui écrivirent à Empain, et firent intervenir, en 1917, Arakel Nubar, pour l'ouverture d'une école primaire musulmane « pour enfants de familles plus ou moins aisées ». Les habitants d'Héliopolis défendaient le statut social de leur ville, même s'il s'agissait par ailleurs d'habitations relativement bon marché.

C'est justement le fait qu'Héliopolis ait été conçue comme une ville à loyers bon marché et à organisation européenne qui a assuré son succès auprès de la société bourgeoise occidentalisée. Pour cette partie de la population égyptienne, Héliopolis représentait sans aucun doute l'image d'une certaine progression sociale. L'importance accordée à l'éducation reçue dans les écoles chrétiennes ou à la langue en est une preuve, de même que les types de magasins ouverts sur le boulevard circulaire. Pour une population où l'élément européen ne dépassait certainement pas les 20 %, la quasi totalité des magasins étaient occidentaux : des pâtisseries françaises aux boutiques de vêtements. Dès 1910 une publicité vantait ainsi « l'excellent lait de l'Héliopolis Dairy, dont le système hygiénique peut rivaliser avec les plus grandes fermes d'Europe ». De même, le Luna Park ou les meetings d'aviation représentaient une forme d'amusement typiquement occidentale. Dans le budget des petits employés, payant un loyer de 2,50 LE par mois, on faisait des économies sur la nourriture, mais on achetait un costume d'hiver tous les deux ans, et un d'été

Golf et réceptions mondaines autour du Palace

Planches 48-49 — Mondanités

tous les ans. Cravates et chapeaux paraissaient une nécessité absolue. Il s'agissait de se différencier du Cairote de même origine. Et c'est ce qui explique aussi le succès des appartements « pour européens », de préférence aux « distributions indigènes » : tous étaient faits sur le modèle de l'appartement bourgeois même s'il s'agissait d'une réduction parfois très poussée. De même, les archives de la Compagnie nous ont conservé l'écho de nombreuses discussions sur l'utilité d'un compartiment « Harem » dans les wagons du Métro. Devant les incidents multiples, et le fait que le réglement était la plupart du temps baffoué (les hommes occupant ce compartiment comme les autres), la Société jugea « préférable — comme cela se fait à Alexandrie, et du fait que la population des deux villes est très comparable — d'user de tolérance à ce sujet ». Au fond, le décor dessiné par Jaspar n'était pas si factice que cela. Il s'adaptait à une population qui ne se voulait pas avant tout égyptienne : l'essentiel était de vivre à l'occidentale. Et sur ce plan, Héliopolis répondait à l'attente.

CONCLUSION

« Je me rappelle un jour de 1909 où j'ai accompagné mon père jusqu'à Héliopolis. Celle-ci sortait à peine de terre, et on n'y trouvait que quelques demeures situées à proximité de l'Héliopolis Palace. J'ai entendu mon père s'étonner que la compagnie belge promotrice du projet se soit risquée à choisir ce morceau de désert pour y bâtir une banlieue. Mais les Egyptiens croyaient alors dans le génie des étrangers en qui ils voyaient des anges ou des démons ; aussi se gardaient-ils de porter un jugement hâtif sur leurs agissements : ces étrangers, pensaient-ils, en savent plus long que nous.

Je partageai ce jour-là l'étonnement de mon père quand nous avons vu, l'un et l'autre, le tram blanc reliant le Caire à Héliopolis qui — à la sortie d'Al Abbasiyya — roulait dans un désert vide et sans vie où le sable s'étendait à perte de vue »

HAYKAL, Hakadâ Khuliqat,

Le Caire, 1956 (1)

Si l'on considère la progression générale de la ville du Caire entre 1900 et 1920 la réalisation d'Héliopolis fut contemporaine d'un mouvement d'ensemble qui vit l'urbanisation de toute la zone située le long du Nil et occupée jusque là par des résidences princières. Le quartier de « Garden-City » commença à se peupler en 1906, et dans l'île de Guezira « la société Baehler acheta et lotit, entre 1905 et 1907, la zone Nord qui allait devenir le nouveau quartier « chic » du Caire, celui, de Zamalek » (2). La poussée vers le Nord de la ville répondait à une augmentation générale de population (375 000 habitants en 1882, 791 000 en 1927). Bien sûr, Héliopolis se situait un peu à l'écart de ce mouvement, puisque construite au Nord-Est et loin du Nil. Mais, la capitale s'allongeant sans cesse vers le Nord, il était probable que la nouvelle ville serait rapidement intégrée à l'ensemble. Or il fallut attendre la veille de la seconde guerre mondiale pour que les faubourgs de l'Abbassiah et de Matariah rejoignent Héliopolis. S'il en fut ainsi, ce fut — nous semble-t-il — parce que le calcul des promoteurs était différent. En construisant Zamalek, la société Baehler réalisait un lotissement de grand luxe, dont on savait qu'il avait de fortes chances de réussir. Empain ne pouvait ignorer ce que tout le monde écrivait : la poussée naturelle de la ville favoriserait d'abord les berges du fleuve, statisilées depuis le barrage d'Assouan (1902) (3). Aussi, présenter Héliopolis comme un coup de dé, une simple spéculation immobilière, ne nous semble pas exact. On ne pouvait s'attendre, entre 1905 et 1915, à un élan enthousiaste vers la nouvelle cité. Sans doute l'extrême lenteur du démarrage surprit-elle, mais il n'avait jamais été question de lotir, en deux ou trois ans, un quartier.

L'originalité de l'entreprise apparaît dès que l'on considère son isolement et son lien au Caire par la voie du « Métro », qui, seule, assurait l'activité de la ville. Mais elle apparaît aussi dans l'importance des infrastructures mises en place et dans l'existence d'une véritable communauté urbaine. Empain espérait au début qu'une bonne partie de la construction serait le fait des particuliers. Il dut très vite déchanter. Néanmoins, le financier sut alors ne pas décevoir l'urbaniste. Les réorientations nécessaires amenèrent la naissance d'un ensemble urbain très homogène ; les matériaux disponibles sur place furent utilisés ; et, dans le canevas de rues et d'avenues, la Société construisit elle-même les grands édifices et les villas nécessaires pour attirer les locataires attendus. Finalement, après-guerre, la population commença à véritablement s'accroître ; le pari était tenu. Héliopolis, réalisée intégralement dans le désert, avait exigé la création de deux centrales électriques, d'un réseau d'arrivée d'eau et d'un système de drainage. Par l'énormité de la tâche entreprise, elle se différenciait profondément de Maadi — œuvre de la Delta Land and Investment Company — accrochée sur un noyau villageois, et elle annonçait plutôt les grandes entreprises de « Villes Nouvelles » du XXème siècle. Bien sûr, le site n'était éloigné que d'une dizaine de kilomètres du Caire. Mais vu la transformation profonde dans l'utilisation des moyens de communications, cela correspondrait sans doute aujourd'hui à une distance beaucoup plus grande. Au fond, si les clients furent rares au début, ce fut surtout à cause de l'isolement.

Dans ces conditions, le système urbain mis en place par Edouard Empain nous paraît être bien autre chose qu'une banlieue. C'est la raison pour laquelle nous avons longuement insisté sur la relative indépendance de la nouvelle cité. Si nous avons eu alors recours à des schémas usuels (« ville-satellite », « cité-jardin ») pour essayer de définir avec précision le modèle auquel nous avions affaire, nous ne nous cachions pas que toute adéquation réelle avec le modèle était impossible. La véritable et idéale « cité-jardin » a-t-elle d'ailleurs existé ? Ici, nous nous trouvons face à une réalisation qui ne correspond à aucune norme : une cité aux fonctions relativement autonomes, mais qui est aussi, et — pour beaucoup — surtout, une banlieue ; une affaire « capitaliste » mais où le rendement n'est assuré qu'à très long terme ; une création patronale avec « habitations ouvrières », mais aussi un quartier de très grand luxe ; un plan de ville de « cité-jardin », mais une différenciation de l'espace de « ville-satellite » ; une ville coloniale enfin, mais habitée par la bourgeoisie locale.

Cette situation explique l'ambiguïté et la prudence de nos conclusions pour ce qui touche à la rentabilité et pour l'interprétation de l'espace urbain lui-même. L'affaire fut sans doute intéressante, mais il est certain que son promoteur ne comptait pas dessus pour assurer sa fortune. Il la vécut plus comme un rêve (preuve de volonté de puissance ?) que comme une spéculation. Si l'on se contentait de cette dernière explication (en général donnée) comment expliquer l'entêtement et la dépense d'énergie dont Empain fit preuve dans des affaires somme toute très secondaires ? Un exemple : l'affaire de l'évêché. Son installation pouvait être publicitaire. Mais était-il besoin d'intervenir à plusieurs reprises à Rome même, pour que le don de la Basilique s'accompagnât de la nomination d'un évêque qui soit belge, français ou anglais ? Empain essaya, pendant dix ans, de réaliser sa volonté, et retarda d'autant la création officielle de son évêché. Simple spéculateur, il se serait contenté d'une publicité rapide, sans discuter sur les principes (4). De même, simple spéculateur, il n'aurait pas fait bloquer de nombreuses constructions, dont deux palais, parce qu'ils ne répondaient pas exactement aux exigences des cahiers de charge. Enfin, l'importance de l'habitat social à

Héliopolis correspondait certainement à une idéologie philanthropique, dans le droit fil des fondations pieuses, des œuvres de charité ou du mécénat dont il fit preuve en Belgique. J. Vallet considérait que si la « Cité Ouvrière » n'avait rien de véritablement social, elle n'en était pas moins « utile en elle-même » (5), en permettant d'habiter « des logements plus sains et plus confortables que ceux de la Ville ». Nous ne cherchons pas à trancher. Nous avons assez longuement insisté sur l'aspect capitaliste de l'entreprise pour que l'on n'oublie pas le double visage de l'œuvre.

Aussi nous semble-t-il difficile de reprendre à notre compte toutes les critiques qui tombèrent sur la Société à partir de 1946, et qui allaient de la pure corruption jusqu'à l'emploi exclusif d'étrangers. Sans doute, nous l'avons montré, l'encadrement était-il européen, mais l'ensemble des employés était égyptien, bien que de groupes minoritaires. Il est vrai que dans toute sa structure, dans sa gestion, dans sa façon de susciter des profits de transferts, la Société des Oasis était à l'image d'une époque, profitant pleinement de toutes les facilités offertes aux entreprises à capitaux étrangers. Il est certain que l'aspect d'exploitation coloniale existait. Mais l'Egypte n'a-t-elle vraiment rien tiré de l'entreprise? Par sa présence seule, la ville affirme le contraire. L'importance des loyers bon marché, la présence de toute une société autochtone prouvent qu'il ne s'agissait pas seulement de la création d'un hôtel de luxe, ou d'un golf exotique.

D'un autre point de vue, et beaucoup plus profondément, Héliopolis nous découvre le vrai visage du colonialisme, celui dont on a pris conscience il y a seulement quelques années. Les formes architecturales et urbanistiques choisies, le type de vie sociale qui se développa dans cette ville de minoritaires égyptiens, de syro-palestiniens et d'Européens, tout nous parle de ce que J. Berque appelle l'aliénation, « nullement conquête par l'étranger mais diffusion de ses modèles » (6). Dans la description donnée de cette forme d'occidentalisation par le geste, le vêtement, la nourriture même (7), on peut retrouver clairement tout ce qui a fait le succès d'Héliopolis: son adaptation à une certaine catégorie d'Egyptiens et de Levantins favorisés par le système colonial et prêts à en endosser toutes les formes. L'évolution des mœurs et des exigences dont toute la correspondance consulaire se faisait l'écho (8) a trouvé en Empain un admirable serviteur.

Ainsi s'explique que l'on ne se trouve pas, à Héliopolis, devant ce que l'on appelle usuellement une réalisation coloniale. Si l'on ne considère que son plan, c'est un simple plan de « ville-satellite » ou de « cité-jardin ». Il est occidental, mais de la même façon que le sont les plans d'extension du Caire actuel, ou celui de la banlieue récente de Mohandessin qui reprend très exactement les grands plans d'extension d'Amsterdam ou de Bruxelles au début du siècle. Si l'on considère ses formes, nous sommes devant une architecture de placage — « dernier souffle du Baroque » (9) — mais qui témoigne d'une certaine conscience et qui garde un charme certain. Si l'on considère sa vie sociale, elle n'a rien de comparable à celle de Zamalek ou de Garden-City. Urbanisme colonial certes. Mais pas au sens où L. Benevolo le définit. « Dans les territoires coloniaux, écrit-il, les mêmes systèmes de conception sont appliqués de manière uniforme et mécanique, sans chercher de liaison avec les organismes urbains et les traditions locales » (10). A Héliopolis, la situation est plus complexe. Nous ne pouvons ici qu'en proposer une modeste approche. L'histoire de cette forme d'urbanisme reste à faire.

NOTES

NOTES D'INTRODUCTION

1. J. Berque. *L'Egypte* ... op. cit., p. 185.

2. Ibid., p. 185.

3. H. de Saint Omer : *Les Entreprises belges* ... op. cit., 1907.

4. Cf. R. Duchesne : Héliopolis, création ... art. cit.

5. Journal « *La Bourse Egyptienne* » (15/2/1933).

6. *Biographie Nationale*, publiée par l'Académie Royale des Sciences, des Lettres et des Beaux Arts de Belgique. XXXIV, fasc. 1, Bruxelles, 1967.

7. Album du Rotary (op. cit.) cf. aussi Desdmond Steward, *Cairo*, op. cit.

8. Les Ateliers Electriques de Charleroi (Groupe Empain) fournirent l'essentiel (Archives du Caire. Dossier I 10, 652 et J 7, 756 a).

9. Recueil Consulaire Belge, 1906, T. 134, Rapport du Caire.

10. Recueil Consulaire Belge, 1906, 134.

11. Archives Belges, AF 10, CC, 1907, p. 7.

12. Yacoub Artin Pacha : *Essai sur les causes du renchérissement de la vie* ... (op. cit.), cf. aussi R. Owen, art. cité, in *Millénaire du Caire*.

13. Archives Belges, AF 10, CC, 21/12/1905.

14. Archives Françaises, AE NS 82, 29/11/1909.

15. J. Besançon, « Héliopolis » art. cit., p. 126.

16. Ibid.

NOTES DU CHAPITRE I

1. Revue *L'indépendance belge*, mars 1930.

2. Sigle H.O.C. dans le reste du travail.

3. Approximativement 2 500 hectares (1 feddan = 4 200 m^2).

4. Texte du contrat de vente (20/5/1905). On ne peut donner à cette règle étonnante qu'une explication. Le gouvernement négociera, en cas de succès, la diminution de cette servitude. C'est effectivement ce qui se produira. De leur côté les acheteurs pouvaient tourner cette règle en levant l'option sur les 5 000 autres hectares auxquels ils avaient droit. Disposant alors d'une superficie égale à celle de Paris intra-muros on conçoit qu'ils pouvaient largement s'étendre, même en laissant les 3/4 des terrains en leur état désertique.

5. Cahier de charge en date du 20/5/1905. Six trains par jour, dans chaque sens; pas de train de plus de 15,10 m; « les employés... devront être convenablement vêtus, ils porteront l'uniforme de leur emploi, et devront être polis et déférents envers le public ».

6. Art. 11 du contrat de vente et 16 de l'acte de concession.

7. Statuts du 23/1/1906; Décret du 14/2/1906 et transmission au bureau des hypothèques du Caire le 10/9/1908 sous le n° 8339, section I.

8. Pour les problèmes d'équivalence monnaie voir Note Générale.

9. Cf. Henry de Saint-Omer, op. cit. et Décret du Conseil des Ministres, Journal Officiel du 17 avril 1899.

10. Il y aura bien d'autres conséquences. Nécessité en 1921 d'établir les bilans en livres égyptiennes. Remboursement des obligations en livres égyptiennes en cas de cours favorables. Nécessité de créer des filiales françaises, anglaises ou belges pour percer certains marchés réticents. cf. le Chapitre II.

11. Cette nouvelle vente se fera aux mêmes conditions de prix et n'entrera en vigueur qu'en 1922. L'affaire aura été fort lucrative vu le démarrage de la cité après guerre. Les terrains seront alors revendus à plus de 2 livres... le mètre carré (achat à 1 LE le feddan).

12. Voir l'acte préliminaire d'association en date du 23/1/1906, précédant les statuts de la société.

13. Berthelot au ministre des Affaires Etrangères NS 82 – (29/11/1909).

14. Archives de la Citadelle, cité in Jacquart (op. cit.) (archives Empain).

15. Cf. lettres du 16/6/1906 de Perry à Corbett « Ces documents (sur le projet de logements pour fonctionnaires) devraient former la base de discussions plus étendues avec la compagnie » (sur l'ensemble du projet urbain). Archives du Caire.

16. Sur les critiques faites alors à Empain cf. infra.

17. Recueil Consulaire Belge, 1905, T. 130, p. 388.

18. AE NS 57. Valdrôme à Pichon (19/12/1907) cf. aussi NS 58. (2/4/1908); NS 103 (3/6/1909: Dussap à Pichon). Le 21 octobre 1909, Ribot écrit à Pichon ceci : « L'affaire d'Héliopolis a jusqu'à présent donné lieu à tant de déconvenues et sa réussite reste si douteuse que je ne verrais pas sans inquiétude l'admission de ces titres à la Bourse » (NS 82).

19. Cf. NS 83, mai 1911, p. 26.

20. AE NS 82.

21. AE NS 83.

22. Lettre du 20/9/1912 AE NS 83.

23. AE NS 84, 2 mai 1913. Defrance à Pichon. On peut trouver le texte de la consultation de Millerand au dossier B 7, archives du Caire.

24. On trouvera l'intégralité de ces textes aux archives du Caire. Ils n'ont aucun intérêt, surtout littéraire.

25. Ribot à Pichon : 21/10/1907, AE NS 82., Valdrôme à Pichon, 19/12/1907, AE NS 57.

26. Nous avons fait un relevé non exhaustif des articles: *Egyptian Gazette* 10, 11, 13 et 14 décembre 1907. *Al Liwa* et *Al Muqattam* 14 décembre 1907. *Journal du Caire* 14 décembre 1907. *L'étendard Egyptien* 15 décembre 1907. *L'Orient du Caire* 14 décembre 1907.

27. Rapport de Valdrôme. AE NS 74, 18/10/1906.

28. Dussap à Pichon, AE F 12 – 7283, 16/9/1907.

29. Correspondance Consulaire Belge, AF 10/1. Rapport d'Ed. de Gaiffier, 26/12/1907. A la même côte, rapport de Villefargue du 10/10/1907.

30. Dussap à Pichon (3/4/1909) AE NS 103.

31. *Le Rayon* 3ème année, n° 3, mars 1930.

32. Album du Rotary, op. cit.

33. L'ensemble des chiffres provient des archives du Caire : Tableau général ; statistique des immeubles, note à la direction générale. D'autres chiffres viennent de la publication du Tanzim Department (in « Annual Report » — Ministry of Public Works — 1911). On s'est servi aussi des graphiques publiés, dans la compagnie, par le service des Domaines. Il a fallu vérifier le tout. Parfois les clients des hôtels semblent avoir été décomptés comme habitants...

34. L'ensemble des calculs résumés ici ont été effectués à partir des sources suivantes : *Petit guide d'Héliopolis* (1910); Publicité concernant les conditions de Vente (1912); Affiche (id.); *Revue d'Egypte*; Recueil Consulaire Belge 1906, T. 134; Rapport au Conseil d'Administration 1910. Les conditions ont très peu variées. Disons que dans tous les cas les prêts consentis par la société sont largement inférieurs à ceux consentis à la même époque par les organismes de crédit et les banques.

35. Note extraite du Recueil Consulaire Belge, 1909, vol. 146, p. 42.

36. Archives Consulaires Belges. AF 10, 5/2/1908.

37. Lettre de Defrance à Cruppi. AE NS (82 (8/4/1911).

38. Manuscrit du « Petit Guide » de 1910. Archives du Caire.

39. Affiche 1913 (projet) Archives du Caire.

40. L'ensemble des données ci-dessus a été obtenu à partir des archives du Caire: « *Petit Guide* », Affiches, étude manuscrite du service location en date de 1919. Pour les comparaisons avec le Caire cf. Yacoub Artin Pacha, op. cit., et archives du Caire.

41. Note du service de location. Archives du Caire. CLP 47.

42. Une loi fut même promulguée en 1919 qui limitait les loyers à 50 % de plus qu'en 1914. Héliopolis n'avait pas été touchée (rapport du Conseil d'Administration, 1920).

43. L'ensemble des documents utilisés dans la conclusion se réfère à un rapport établi par le Directeur chargé du Service Location en date du 16/1/1933. Les chiffres fournis dans ce document coïncident à peu près avec ceux utilisés jusqu'alors (archives du Caire).

NOTES DU CHAPITRE II

1. Archives du Caire. Dossier J 16. Chemises 1001-1011. 60 cas de litiges pour délais, avant 1922, portés devant les tribunaux.

2. Chiffre A): Relevé du Personnel (Manuscrit. Sans date. Mais sans doute de décembre 1908). Chiffre B) Note Manuscrite aussi, sans relevé détaillé. 1919, Archives du Caire.

3. Archives du Caire. Note Manuscrite (souligné par nous).

4. Ce chiffre est vérifié par l'analyse de J. Vallet (op. cit.) qui chiffre l'effectif à 430. Les études des services consulaires belges donnent des chiffres avoisinant les 400 (AF 10. R.C. Belge).

5. Service des immeubles, lettre en date du 7 avril 1910 (Archives du Caire).

6. Ordre de Service n°62. Personnel de l'exploitation. 27 juin 1908 (Archives du Caire).

7. Les chiffres que nous donnons ici sont tirés d'une comparaison entre deux sources: d'une part, l'état signalétique du personnel en date de 1910 (lettre du 7/4/1910 déjà citée, Archives du Caire), d'autre part, une étude concernant le coût de la vie en général au Caire « devant servir aux futurs arrivants », en date de 1912 et signée de Georges Eid. Archives Consulaires Belges — 24 mai 1913 — AF 10. Ce dernier donne les salaires en francs au pair. Nous avons effectué la conversion.

8. Chiffres des salaires de l'« Egyptian State » in Jean Vallet, op. cit.

9. Archives du Caire. Ordre de service 183, en date du 21 février 1911.

10. Ministère des Finances. Département de la Statistique Générale de l'Etat, 1928, Archives du Caire.

11. Loi du 9/9/23 (J.O. du 13/9/23): « Art. 1: Les fonctionnaires ou employés publics qui au nombre de trois au moins et après concert préalable abandonnent leur service seront punis d'un emprisonnement ne dépassant pas 6 mois ou d'une amende n'excédant pas 1 000 LE ». Le droit de grève subsiste tout de même pour les employés des entreprises privées concessionnaires (H.O.C.) après préavis de grève. (Art. 5 - 327bis).

12. Lettre du Secrétaire Général du Syndicat au Directeur de la Société d'Héliopolis. 7 août 1919 (Archives du Caire).

13. 26 avril 1919 : demande du personnel de la Voirie, 28 avril 1919 : réponse du Directeur Général (Archives du Caire).

14. « Avis au personnel » (16 août 1919, 25 août 1919) « La Société a simplement refusé jusqu'ici de prendre l'engagement pour l'avenir de discuter toute question... avec les délégués d'un syndicat déterminé, délégués qui ne font d'ailleurs pas partie de son personnel »... mais elle est « toujours disposée à recevoir des délégués de son personnel que ceux-ci fassent ou non partie de syndicat » (Archives du Caire).

15. Cf. la lettre du Wattman n° 66 « Je viens, Monsieur le Directeur, vous confirmer que je suis disposé à reprendre mon service. Seulement je demande votre protection car autrement je ne pourrai rester ici et vous prie en ce cas de liquider mon compte pour rentrer dans mon village » (Archives du Caire).

16. Cairo Electric Railways : « Réponse aux revendications du personnel » (Archives du Caire).

17. Il eut été passionnant d'étudier les dossiers du personnel. Depuis sa fondation la Société tient sur chacun de ceux qu'elle emploie un dossier très précis comportant aussi bien le curriculum vitae que les jugements des responsables. La date tardive à laquelle nous avons pu accéder à ces documents nous a interdit d'en tirer réellement profit, sinon pour rechercher des renseignements épars. Signalons seulement que gisent, dans un grenier, plus de deux mille dossiers dont on pourrait certainement tirer partie pour une analyse sociale autrement plus solide que la nôtre.

18. Note financière interne du 25/11/1954. Archives du Caire.

19. Note de Ribot (18/12/1909). Mais il y a aussi les lettres du 20/5/1911 ; du 3/11/1909 ; du 20/5/1911. AE NS 82 et 83.

20. Rapport Jacquet, service financier, archives Empain.

21. Les banques de dépôts drainaient en France des capitaux énormes (4 876 millions de dépôts en 1911... dont 2 000 millions par le seul Crédit Lyonnais).

22. En capital nominal une banque comme la Société Générale dépassait 60 millions de francs (or) en 1864, mais à l'inverse, une entreprise d'importance moyenne comme la Société des Forges et Hauts Fourneaux d'Allevard ne disposait en 1908 que d'un capital de 3 000 000 F.

23. Les chiffres dont nous nous sommes servi sont extraits de l'*Annuaire Statistique de l'Egypte* (1914) — (6ème année). Le capital nominal est évalué alors en livres égyptiennes : 1 928 750 LE pour la H.O.C. ; 8 526 000 pour Suez. Mais 1 462 000 pour l'Anglo Egyptian Bank, 1 341 000 pour les Raffineries, et moins de 1 million pour la Caisse Hypothécaire Egyptienne.

24. Valdrôme à Pichon. 18 octobre 1906. AE NS 74.

25. *Revue d'Egypte*. 10 février 1929.

26. Lettre de Defrance à Poincaré, AE NS 82 (20/3/12).

27. Statuts, articles 7 et 38.

28. La citation est extraite d'un ouvrage récent : « *Les capitalistes en France, 1780, 1914* », Paris, Gallimard, 1978, par Louis Bergeron.

29. Defrance à Cruppi (8/4/1911) (AE NS 82) : « Les travaux ne peuvent continuer que par l'émission, au fur et à mesure des besoins, d'obligations à 5 % toutes prises par Empain et son groupe ».

30. Note de la H.O.C. (Archives du Caire) résumant les assemblées générales de la Société des Travaux Publics... en date du 28 mai 1907 et 25 mai 1909.

31. Ribot : 18/2/1909. AE NS 82.

32. Lettre de De Gaiffier au Ministre des Affaires Etrangères Belge (15/1/1907) (Archives AF 10 cc). Autres précisions sur les filiales dans le *Recueil Consulaire Belge* 1906, T. 134 et sq.

33. Nous avons retranscrit ici les termes utilisés dans une note interne (non datée, mais des années 1950, Archives du Caire). Il s'agit en fait d'une division entre 60 000 actions de capital et 20 000 actions de jouissance.

34. Note de F. Charles Roux, en date de mars 1911 (AE NS 106).

35. Defrance, 8/4/1911 (AE NS 82).

36. Une note interne de la Société estime le capital englouti à 2 500 000 livres soit 64 807 500 francs pour les années 1906-1919 (rapport Jacquet, Archives Empain).

37. Rappelons que l'étude primitive comportait ici une fort longue analyse de bilans qui nous permettait d'examiner la gestion quotidienne de l'entreprise. Nous avons supprimé cette partie pour deux raisons. D'une part son aspect très technique ne correspondait pas à l'intérêt général du travail ; d'autre part les résultats auxquels nous aboutissions étaient relativement décevants. L'analyse rectifiée des bilans comme l'élaboration des ratios aboutissaient à vérifier l'existence d'importantes réserves dissimulées dans les bilans mais immédiatement réinvesties avant tout distribution. La gestion elle-même est apparue sage et sans grande originalité.

38. H. Ayrout. Souvenirs publiés par Rotary Club, 1955. *Revue d'Héliopolis*.

39. Rapport du service location (1933) et recensement des habitants d'Héliopolis (31/12/1926) Archives du Caire.

40. 18/11/1924 : Journal *La journée* ; ibid. *L'épargne* (Bruxelles). Le 5/11/1924 *La Bourse Egyptienne* etc... Autres notes dans les Archives du Caire. En 1923 à la bourse du Caire l'obligation — du fait qu'elle avait été souscrite en francs-or — se négociait 800 francs belges... Si la Société se décidait à ne rembourser qu'en francs-belges ou en équivalent livres (de ces francs-belges) il y avait perte de plus d'un tiers. Cela pouvait être d'autant plus grave que nombreuses furent les obligations payées en livres équivalent francs-or et remboursées en francs-belges avec change en livres, quinze ans plus tard. Chute brutale ... pour le prêteur.

41. Il s'agit en général de notes adressées directement au baron Empain et portant la mention « confidentiel » ou « secret ». Nous avons utilisé celles du : 26/12/1915 – 25/5/1916 – 8/12/1916 – 17/12/1917 (archives du Caire).

42. Lettre personnelle du Président Directeur Général à Ed. Empain 23/2/1922) : « Nous avons modifié notre compte « change » d'après les instructions que vous nous avez transmises... » (archives du Caire).

43. Rapports de l'avocat G. Merzbach (Alexandrie, le 14/4/1920) et de Grimard (15/4/1920). Archives du Caire.

44. Cette explication se trouve à l'arrière plan des procès intentés à la Société en 1929 « Il s'agit de ne pas accumuler au détriment des actionnaires des bénéfices prélevés sur les intérêts qui lui reviennent afin d'en attribuer plus tard la moitié aux fondateurs ».

Journal du commerce et de la marine (14/2/1929). Effectivement les statuts prévoyaient qu'en cas d'excédent d'actif la moitié serait distribuée entre les actions de capital et la moitié entre les parts de fondateurs. L'intérêt des promoteurs — qui gardaient leurs parts de fondateurs mais vendaient leurs actions — était donc d'avoir un important excédent d'actif.

NOTES DU CHAPITRE III

1. M. Ragon : « *Histoire Mondiale de l'architecture...* « op. cit., p. 279.

2. G.R. Taylor : « *Satellite Cities. A Study of Industrial Suburbs* » New York 1915 (recueil d'articles antérieurs).

3. Note 99514. Lettre de Bruxelles en date du 17/1/1907 (arch. du Caire).

4. « Les eaux de ce Nil souterrain sont d'une pureté extraordinaire. Ce sont elles qui alimentent Héliopolis » *Indépendance Belge*. Mars 1930.

5. Analyse du 22/2/1911. Archives du Caire. Dossier 426.

6. Lettre de R. Oakes à Boghos Nubar en date du 5/7/1912. Archives du Caire N. 2055.

7. Rapport G. Sébille. Exposé au Congrès International de l'Urbanisme 1930 (Archives du Caire).

8. Rapport de l'exercice 1917 sur l'exploitation des immeubles (Archives du Caire).

9. Revue *L'art Vivant*, Paris, 15/1/1929. Article de Michel Roux Spitz.

10. G. Sébille, op. cit.

11. « Etats Généraux des Plantations d'Héliopolis » 17/5/1913. Archives du Caire.

12. *Revue d'Egypte*, Supplément au n°79, 10/2/1929.

13. Defrance à Cruppi, 26/4/1911 ; AE NS 82.

14. Procès d'Héliopolis contre le Gouvernement (1911-1912) Argumentation du gouvernement (Archives du Caire).

15. Statistiques Services Transports (Archives du Caire).

16. Chiffres du Mouvement Mensuel : « *Annuaire Statistique de l'Egypte* ».

17. Ce fut du moins le titre d'une thèse de droit, préparée à l'Université de Paris. Nous n'avons pas retrouvé la thèse. Il existe seulement aux archives du Caire une lettre en date de février 24 dans laquelle le chercheur, Maurice Violle, demandait des renseignements sur Héliopolis.

18. Rapport du 16 mai 1911, pp. 9 et 11, repris dans le *Petit Guide d'Héliopolis*.

19. Procès d'Héliopolis contre le Gouvernement. Argumentation du Gouvernement (Archives du Caire).

20. Note manuscrite en marge du document précédent (Archives du Caire).

21. Rapport du 16 mai 1911, p. 9.

22. Consultation d'Alexandre Millerand. Procès de 1911. Archives du Caire.

23. Petit Guide op. cit. — M.H. Jaspar : « *Souvenirs sans retouche* » op. cit.

24. Archives du Caire, Dossier Vente 1906-1907 ; G 9 - 412.

25. Recueil Consulaire Belge AF 10 (25/9/1908).

26. G. Sébille. Exposé cité. P. 5.

27. Note interne (archives du Caire) 1932 et « Rapport Jacquet » 1952. Archives Empain.

28. Souvenirs d'Habib Ayrout, in Album Commémoratif d'Héliopolis, op. cit.

NOTES DU CHAPITRE IV

1. *Indépendance belge* mars 1930.

2. R. Duchesne: Héliopolis, art. cit.

3. Marcel Henri Jaspar: « *Souvenirs sans retouches* » Op. cit.

4. Notice nécrologique du baron Rolin, archives personnelles de M. Duchesne.

5. « Organisation des Services » Note sur le rôle du bureau d'architecture, dans les différents cas qui peuvent se présenter. (archives du Caire).

6. Recueil consulaire belge, CC, AF 10, 23/7/1909.

7. AE NS 82; 26/4/1911; Defrance à Cruppi.

8. Recueil consulaire belge; 1909; volume 146.

9. *L'Art Vivant*, 15/1/1929, Michel Roux Spitz.

10. *Revue Internationale d'Egypte* T. 1, fasc., 2 juin 1905.

11. Rapport sur l'estimation de la valeur locative des maisons. Direction générale 14/3/1911 (archives du Caire).

12. Citations extraites du *Cahier des charges n° 5*, relatif à la vente des terrains des Oasis d'Héliopolis — 1922. (archives du Caire). (pp. 6-7).

13. Dans le Caire même, on devra opter pour les pilotis en béton qui isolent la construction.

14. Coût in Devis Approximatif. Lettre du 2/4/1921 à Paris (archives du Caire).

15. Devis in Dossier K 14, n° 1092; 1919-1923 (Archives du Caire).

16. Cette étude (Archives du Caire) a été faite au moment des négociations avec le gouvernement pour les maisons de fonctionnaires. Elle se devait, de toute façon, d'être très critique.

17. Lettre de Sir Réginald Oakes à Boghos Nubar (Archives du Caire). « En ce moment tout le monde trouve qu'il fait fort chaud dans les maisons. A la villa directoriale — où je fais grande attention à l'ouverture et à la fermeture des volets et fenêtres — il y a toujours, en été, de 29 à 32° centigrades vers 3 h de l'après midi. Quand il fait très chaud le thermomètre peut remonter jusqu'à 39°... ».

18. Rapport de l'exercice 1917 sur l'exploitation des immeubles de la Société ; Archives du Caire.

19. Rapport cité, p. 4 et 5.

20. Rapport du service location, 16/1/1933 (Archives du Caire).

21. Plainte manuscrite trouvée aux Archives du Caire. D'après une annotation en marge, la réparation fut effectuée le 5 et un projet élaboré pour la salle de bain.

22. Defrance à Cruppi, 28/4/1911, AE NS 82.

23. Richmond (l'architecte du gouvernement) publiait ainsi dans le *Cairo Scientific Journal* de 1906 (p. 84) des plans de maisons égyptiennes. Dowson publiait dans la même revue (p. 359) les plans du village d'Omda.

24. Cahier des charges pour la Construction d'une Mosquée à édifier à la Première Oasis (Archives du Caire).

25. Article 2 du Réglement (imprimé en juin 14 à Héliopolis) (Archives du Caire).

26. Lettre d'Empain à H. Ayrout du 12 novembre 1920 (Archives du Caire).

27. Rapport service Construction — 1910 K 16 1102 (Archives du Caire).

28. Lettre d' H. Ayrout en date du 3/12/1921 (Archives du Caire).

29. Rapport de H. Ayrout en date de novembre 1920 (Archives du Caire).

30. Lettre du service construction à H. Ayrout (18/4/1916) (Archives du Caire).

31. J. Vallet, op. cit. pp. 73-74.

32. Lettre d'Empain à H. Ayrout du 12 novembre 1920 (Archives du Caire).

33. J. Vallet, ibid., p. 74.

34. Note à la Direction, Service de location, N. 947 (23 avril 1912) (Archives du Caire).

35. Album du Rotary, op. cit. souvenirs de H. Ayrout.

36. Perry. Conclusion au rapport Richmond (5/6/1906) (Archives du Caire).

37. M. Piéron : « Le Caire : son esthétique dans la ville arabe et moderne ». Revue *l'Egypte Contemporaine*. Tome II, 8ème fascicule, p. 511.

38. Nous avons emprunté cette citation à Le Corbusier, *Manière de penser l'urbanisme* (p. 12). Bien sûr il ne s'agissait pas d'Héliopolis, mais d'une critique de l'urbanisme de Sitte. Nous avons montré qu'on pouvait deviner un certain lien de filiation.

NOTES DU CHAPITRE V

1. Octave Uzanne : *Un nouveau faubourg du Caire : Héliopolis*, Paris 1909, p. 34.

2. J. Vallet, op. cit., p. 74.

3. Sources : archives de l'Evêché d'Héliopolis (privées).

4. L'ensemble des renseignements de cette sous-partie provient de sources orales pour la plupart, d'où la rapidité de l'analyse et l'aspect limité de nos conclusions. Nos remerciements vont à Mme Enan, à M. Sabaag (Le Caire), et à M. Elkhadem (Bruxelles).

5. « Etat des immeubles des Particuliers » (sans date) (Archives du Caire).

6. Nous nous sommes servis ici des « Autorisations de bâtir » liste des propriétaires et situations des travaux au 3/9/1907 et 1909. (Archives du Caire, D 499).

7. Nous l'avons daté d'une part en nous fondant sur le nombre de maisons signalées, d'autre part sur l'état de construction des rues (Etat des immeubles des particuliers, note 5).

8. Ces chiffres sont tirés de l'Album Commémoratif (en arabe), op. cit. Ils ont été légèrement corrigés car les sources qui ont permis l'élaboration du graphique ne sont pas données et semblent fantaisistes. Mais cela ne change en rien les conclusions.

9. Liste, arrêtée au 31/12/1915, des fonctionnaires locataires à Héliopolis jouissant de la réduction de 20 % (Ronéo) (Archives du Caire).

10. 47 médecins en 1930 vivaient à Héliopolis. Pour une population de 25 000 habitants environ, cela donnait 1 médecin pour 530 habitants. En 1948, le chiffre pour la ville du Caire sera du double et pour l'Egypte du décuple (Archives du Caire et J. Besançon, art. cité).

11. Lettre d'Empain à Reginald Oakes (20 juin 1910) : « Nous ne sommes pas d'avis de louer, même provisoirement, des maisons de la cité arabe aux agents et ouvriers européens employés au dépôt. Cette mesure... produirait sur les indigènes une impression fâcheuse qui ne s'effacerait pas de longtemps ». La direction dut décider de les loger à l'Abbassiah et de les transporter par train spécial (Archives du Caire).

12. Cette sur-représentation est très perceptible. Néanmoins nous n'avons pas jugé utile de reproduire cette pyramide des âges pour deux raisons. D'une part, il s'agit de chiffres beaucoup plus tardifs, et d'autre part le district d'Héliopolis comprenait Zeitoun et les environs ce qui fausse les calculs. En tout état de cause, il ne peut s'agir que d'un indice (Master Plan of Cairo, 1957, Le Caire).

13. « Liste des locataires demeurant à Héliopolis ». Liste mise à jour pour être présentée aux autorités anglaises ; les Italiens étaient, jusqu'en 1915, susceptibles de choisir le camp austro-allemand. (1914, Archives du Caire).

14. Defrance à Cruppi. 26/4/1911, NS 82.

15. Archives de l'Evêché d'Héliopolis, 1916 — Non numéroté.

16. *Société des Missions Africaines de Lyon, Vicariat apostolique du Delta du Nil*, Lyon, 1921, 94 p. Archives personnelles de Mgr. Hubert.

17. Pour les divers souvenirs ici utilisés, je suis reconnaissant à la cinquantaine d'Héliopolitains et anciens Héliopolitains qui se sont laissés interroger, parfois de façon rendue plus maladroite encore par les difficultés de langue. Mes remerciements vont en particulier à Mmes et Mr Assabgui, Boutros, Debono, Iskandar, Zabal, Sabaag et tout spécialement à Mme Leila Enan.

18. Souvenirs de M. Elkhadem. « A Noël, il y avait des guirlandes partout. Tout le monde fêtait cela, même les musulmans pour lesquels c'était l'occasion de boire un petit coup » (Une habitante d'Héliopolis).

19. John Knittel : *Terra Magna* ; Lucie Delarue-Mardrus : *Amanit* ; Haykal : *Zaynab*.

20. « Nous devions sortir accompagnées pour que l'on ne nous croie pas liées à tel ou tel jeune homme ». « Tout se savait très vite, ici ». Des remarques identiques se retrouvent dans Smets, op. cit., p. 171.

21. Chiffres in : Services des Domaines. Statistique VIII. Archives du Caire. Il faut préciser que les chiffres couvrent la mortalité des enfants de moins de 6 ans. D'autre part, nous n'avons pu établir sur quelle base la Compagnie avait effectué ses calculs. Qui était « indigène » ? Il doit s'agir des habitants de la cité-indigène.

NOTES DE LA CONCLUSION

1. Cité par C. Vial, in *Annales Islamologiques*, T. VIII, 1969, p. 153.

2. André Raymond, Le Caire, Chap. IX de *l'Egypte aujourd'hui*, op. cit., p. 224.

3. AF 10, CC, 5/2/1908.

4. Archives de l'Evêché. Lettres de Mgr Duret et de Mgr Girard de 1915 à 1923. Lettres d'Empain. Lettres de la Sacrée Congrégation de la Propagande de la Foi. L'affaire fut entièrement traitée à Rome. En théorie, Empain n'obtint pas satisfaction. En pratique oui. (Dossier C 1, 6, 8).

5. J. Vallet, op. cit., p. 74.

6. J. Berque cité par N. Tomiche : Les Origines politiques de l'Egypte moderne, Chap. IV de *l'Egypte aujourd'hui*, op. cit., p. 95.

7. J. Berque, *L'Egypte, Impérialisme*..., op. cit., p. 213.

8. Yacoub Artin Pacha, op. cit. expliquait que l'on n'acceptait plus les « plafonds en solive, non équarries ... ou les eaux ménagères dans la fosse à fond perdu ». On trouve la même chose dans les Archives du Quai d'Orsay (« Aisance de certains indigènes qui cherchent à s'échapper de la ville indigène » 24/4/1907 et 16/9/1907 ; AE NS 80 bis et F 12, 7283).

9. J. Berque, *L'Egypte, Impérialisme* ..., op. cit., p. 485.

10. L. Benevolo, *Histoire de l'architecture* ..., op. cit., T. 1, p. 106.

BIBLIOGRAPHIE

1. DOCUMENTS D'ARCHIVES

1.1. Archives du Caire

— Sont classés sous cette rubrique tous les documents retrouvés au siège même de la Société des Oasis au Caire. Nous avons donné au fur et à mesure le maximum de précision sur ces documents. Le classement original avait disparu lorsque nous avons été autorisé à travailler sur place. Dans la salle, étaient entassés des milliers de dossiers, à même le sol. Tous les dossiers ont au moins été ouverts. Nous avons retenu ceux qui nous semblaient pouvoir être utiles. Mais il est certain qu'un reclassement rationnel aurait permis de trouver bien d'autres choses. Ce travail aurait nécessité au moins une année, et de la place. Nous n'avions ni l'un ni l'autre.
— Globalement nous avons pu reconstituer: les Rapports des Assemblées Générales, les Notes financières internes, les Rapports des services Domaines et Location, les dossiers Publicité, le dossier Bibliothèque, les dossiers Constructions et Plantations, les Cahiers de Charge, les rapports sur le Personnel ainsi que des milliers de notes éparses. Ont été retrouvés aussi, en fort mauvais état, une centaine de documents photographiques et des plans.

1.2. Archives de l'Evêché (Héliopolis)

— Ouvertes grâce à l'autorisation de Mgr. Hubert, ancien titulaire du siège.
— Classées C_2 à CC_8. Correspondance entre Mgr. Girard ou Mgr. Duret et Empain
— Documents relatifs à l'achat de terrains
— Répartition par confession
— Archives des Ecoles
— Etat du culte
— Chiffres de population.

1.3. Archives Nationales (France) (F)

— Inventaire de la série F; ss. série F_{12} et F_{30}. En particulier F_{12} 7198 à 7202: Rapports commerciaux Egypte (1838–1906) — F_{12} 7281 à 7283: id. (1906–1919).
— Série F_{30} (367, 368, 690, 691) Archives économiques et financières (Ministère des Finances).

1.4. Ministère des Affaires Etrangères (France) A.E.; N.S.)

L'ensemble est classé en Nouvelle Série. N.S.
NS 57 et 58 (1886-1914) Agriculture, Industrie, Travaux Publics

NS 74 et 75 (1906-1910) Finances publiques
NS *82, 82bis, 83* (1908-1912) Finances privées
NS 103 à 106 (1905-1914) Affaires commerciales

1.5. Archives du groupe Empain-Schneider (Paris)

Aucun document ; 17 clichés d'époque.

1.6. Archives du Groupe Empain (Electrorail) (Bruxelles)

— « Note sur la Concession d'Urbanisme d'Héliopolis » M. Jacquet ; 1954.
— Revue Mensuelle d'Héliopolis : *Le Rayon* (mars 1930).
— Divers articles de journaux — Quelques clichés photographiques.
— Aucun document.

1.7. Archives privées (Bruxelles)

— Notes personnelles de M. Duchesne sur Jules Jadot, Eïd, Rolin et bien sûr Empain.
— Notes de M. Jaspar.
— Notes de M. Elkhadem (Bibliothèque Royale de Belgique).

1.8. Ministère des Affaires Etrangères (Belgique) (CC et AF)

— Recueil Consulaire ; Publication en volume.
Pour l'Egypte : 1900 à 1909
             1912 à 1920
— Correspondance Consulaire (Manuscrite ou Ronéo)
Sigle CC. Dossiers : AF 10 :   Notes Consulaires
                    AF 10(3) :   Notes sur les Tribunaux Mixtes
                    AF 10(1-2) ; AF 10(4) ; 2665bis : Notes sur les problèmes économiques.

1.9. Revues Consultées

— Almanach de l'arpentage (1908-1911)
— Annuaire statistique de l'Egypte (jusqu'en 1916)
— Belgique Coloniale (La) (depuis 1905)
— Bourse Egyptienne (la) (depuis 1904)
— Bulletin de l'Institut d'Egypte (depuis 1903)
— Bulletin de la Société Khédiviale de Géographie (depuis 1903)
— Cahiers d'Histoire Egyptienne
— Cairo Scientific Journal (1 à 6) (1907-1912)
— Egypte Contemporaine (depuis 1910)
— Egyptian Gazette (Sondage)
— Mémoires de la Société de Géographie
— Ministry of Public Works (annual report) (1905-1911 et sq)
— Nouvelle revue d'Egypte et d'Orient (Sondage)
— Revue du Caire (Sondage)
— Revue des Conférences Françaises en Orient (Sondage)
— Revue d'Egypte (Economique et financière) (Sondage)
— Revue Internationale d'Egypte (T. I à IV)

1.10. Numéros spéciaux sur Héliopolis et Publicités

Principaux Articles
— L'Art Vivant : 15/1/1929
— La Bourse Egyptienne (Numéro Spécial sur Personnalités Belges) 8 mars 1930
— La Bourse Egyptienne (Numéro Spécial sur la Belgique) 30 mars 1933

— Congrés International de l'Urbanisme aux colonies et dans les pays de latitude intertropicale. Intervention de G. Sebille Paris, Vincennes, octobre 1931, Revue 6 p. et 4 cartes.
— Héliopolis Oases Company : Revue publicitaire, 6 p. 1947
— L'indépendance Belge : mars 1930, Numéro spécial sur l'Egypte
— La Liberté (13/1/1933) Sur l'Egypte.
— Pendakis (J) *Guide de la ville d'Héliopolis* (1935). Le Caire (100 p. et un plan)
— La Revue d'Egypte (Economique et Financière) 10/2/1929. Supplément sur Héliopolis au n°79
— Rotary Bulletin : Numéro spécial sur Héliopolis à l'occasion du cinquantenaire de sa fondation. Section d'Egypte, 1955
— Le Soir Illustré : 8 et 15 mars 1930
— Uzanne (O) *Petit guide d'Héliopolis* (non daté) (1911 ?) *Un nouveau faubourg du Caire, Héliopolis* ; Paris.

2. PUBLICATIONS

ABU-LUGHOD (J.) — *Cairo*. Princeton, 1971.

ACADEMIE Royale des Sciences, des Lettres et des Beaux Arts de Belgique : *Biographie Nationale* XXXIV, fasc. 1, Bruxelles, 1967.

ALBUM Commémoratif (Société de Masr El Guédida) — *Dahiyat Misr al-djadida, madiha wamustakbaluha*, Le Caire, 1969.

ARMINJON (J.) — *Situation économique et financière de l'Egypte*, Paris, 1911.

ARTIN (Yacoub Pacha) — *Essai sur les causes du renchérissement de la vie matérielle au Caire dans le courant du XIXème siècle*, Le Caire, 1908.

AUBRY (R.) — *L'admission à la côte des valeurs étrangères*, Paris, 1912.

BENEVOLO (L.) — *Histoire de l'architecture moderne*, 2 vol., Paris, 1978-1979.

BENOIT-LEVY (G.) — *La Cité Jardin*, Paris, 1904.

BENOIT-LEVY (G.) — *Cités Jardins en Amérique*, Paris, 1905.

BERGERON (L.) — *Les Capitalistes en France 1780-1914*, Paris, 1978.

BERQUE (J.) — *Dépossession du Monde*, Paris, 1964.

BERQUE (J.) — *L'Egypte, Impérialisme et Révolution*, Paris, 1967.

BESANÇON (J.) — Une banlieue du Caire, Héliopolis. *Revue de Géographie de Lyon*, 1958, n° 2.

BOULAD (A.) — *Les Tramways du Caire*, Le Caire, 1919.

BREESE (G.) — *Urbanisation in nearly developing countries*, Englewood Cliffs, 1966.

CASTEX (J.), DEPAULE (J. Ch.), PANERAI (Ph.) — *Formes urbaines : de l'îlot à la barre*, Paris, 1977.

CENTRE National Georges Pompidou — *Rapports et Contrastes : France-Allemagne 1900-1933*, Paris, 1978.

CHARLES-ROUX (F.) — Le capital français en Egypte. *Revue Egypte Contemporaine*, T. II, 8ème fascicule, p. 465.

CHOAY (F.) — *L'urbanisme, utopies et réalités*, Paris, 1965.

CICERI (M.F.), MARCHAND (B.), RIMBERT (S.) — *Introduction à l'analyse de l'espace*, Paris, 1977.

CLERGET (M.) — *Le Caire, étude de géographie urbaine*, Le Caire, 2 vol. 1934.

CREESE (W.L.) — *The search for environment. The Garden City before and after*, New Haven, 1966.

C.R.I.S.P. — *Morphologie des groupes financiers, Structures économiques de la Belgique*, Bruxelles, 1966.

CROMER — *Modern Egypt*, London, 2 vol., 1908.

CULPIN (E.G.) — *The garden-city movement up to date*, London, 1913.

DELARUE-MARDRUS (L.) — *Amanit*, (Paris, éd. 1930).

DOWSON (E.M.) — Plans of Egyptian houses. *Cairo Scientific Journal*, vol. 1, 1906-1907.

DUCHESNE (A.) — Héliopolis, création d'Edouard Empain en plein désert. Une page de la présence belge en Egypte. *Africa-Tervuren*, Bruxelles, 1976.

DUMANI (G.) — Pour modeler sur le visage ancien le visage nouveau du Caire. *Revue des Conférences Françaises en Orient*, 15/12/1936.

EMPAIN-SCHNEIDER (*Revue*) n° 1, 1972 — « Les Racines et les Branches », historique de la Société, Paris.

FEIS (H.) — *Europe, the world's banker*, New York, 1961.

GUERRAND (R.H.) — *Les origines du logement social en France*, Paris, 1967.

HAGGETT (P.) — *L'analyse spatiale en géographie humaine*, Paris, 1973.

HOLT (P.M.) (dir.) — *Political and social change in Modern Egypt*, London, 1968.

HOURANI, STERN — *The islamic city*, Oxford, 1970.

HOWARD (E.) — *To-morrow, a paceful path to real reform*, London, 1898 (trad. française, Paris, 1969).

JASPAR (M.H.) — *Souvenirs sans retouche*, Paris, 1968.

JOMIER (J.) — Article : Al Kahira, *Encyclopédie de l'Islam*, 1974, T. IV.

KNITTEL (J.) — *Terra Magna* (éd. Paris).

LANDES (D.) — *Bankers and pashas, international finance and économic imperialism in Egypt*, London, 1958.

LAVEDAN (P.) — *Histoire de l'urbanisme ; Renaissance et Temps Modernes*, Paris, 1959.

LE CORBUSIER — *Manière de penser l'urbanisme*, Paris, 1946-1977.

LEVY (E.) — Les événements de 1907 et la situation actuelle de l'Egypte, T. III, 2ème fascicule, p. 503. *Egypte Contemporaine*.

LORIN (H.) (dir.) — *Bibliographie géographique de l'Egypte*, 2 vol., Le Caire, 1928.

MARTHELOT (P.) — Le Caire, Nouvelle métropole. *Annales Islamologiques*, T. VIII, Le Caire, 1969.

MAUNIER (R.) — Les sociétés anonymes en Egypte, *Egypte Contemporaine*, T. V, 18ème fascicule, p. 179.

MAUNIER (R.) — *Bibliographie économique juridique et sociale de l'Egypte moderne (1798-1916)*, Le Caire, 1918.

NICOULAUD — Cités Jardins, *Architecture, Mouvement, Continuité*, n° 34, 1974.

OWEN (R.) — The Cairo Building Industry and the Building Boom of 1897 to 1907 in *Colloque International sur l'histoire du Caire 969/1969*, Le Caire, DDR, 1972.

PALMADE (G.P.) — *Capitalisme et capitalistes français du XIXème siècle*, Paris, 1961.

PAUTY (E.) — Défense de l'ancienne ville du Caire, *Bulletin de l'Institut Français d'Archéologie Orientale*, XXI, 1931.

PIERON (H.) — Le Caire : Son esthétique dans la ville arabe et moderne. *Revue Egypte Contemporaine*, T. II, 8ème fascicule, p. 511.

POIDEVIN (R.) — *Finances et relations internationales (1887-1914)*, Paris, 1970.

PURDON (G.B.) — *The Garden-City*, London, 1913.

RADWAN (S.) — *Capital Formation in Egyptian Industry and Agriculture* (Oxford, 1974).

RAGON (M.) — *Histoire mondale de l'architecture et de l'urbanisme moderne*, (2 vol.), Paris, 1971.

RAPOPORT (A.) — *Pour une anthropologie de la maison*, Paris, 1972.

RAYMOND (A.) — Le Caire au XVIIIème siècle. Structure et fonctions urbaines. *CLOS*, Aix-en-Provence, 1977.

RAYMOND (A.) — Le Caire, Chapitre IX de *l'Egypte d'Aujourd'hui, Permanences et Changements*, Collectif CNRS, Paris, 1977.

RAYMOND (H.) & SEGAUD (M.) — *Analyse de l'espace architectural*, Paris, 1970.

RICHMOND (E.T.) — Plans of Egyptian Houses, *Cairo Scientific Journal*, vol. 1, 1906-1907.

SAINT-OMER (H. de) — *Les entreprises belges travaillant principalement en Egypte*, Bruxelles, 1907.

SITTE (C.) — *L'art de bâtir les villes*, Paris, 1902.

SMETS (M.) — *L'avènement de la cité-jardin en Belgique, histoire de l'habitat social en Belgique de 1830 à 1930*, Bruxelles, 1977.

SOCIETE des Missions Africaines de Lyon — *Vicariat Apostologue du Delta du Nil*, Lyon 1921.

STEWARD (D.) — *Cairo*, New York, 1965.

TAYLOR (G.R.) — *Satellite Cities, A study of industrial suburbs*, New-York, 1915.

THOBIE (J.) — *Intérêts et impérialisme français dans l'empire ottoman 1895-1914*, Paris, 1977.

TOMICHE (N.) — Les origines politiques de l'Egypte Moderne. Chap. IV de *l'Egypte d'Aujourd'hui, Permanences et Changements*, Collectif CNRS, Paris, 1977.

UNWIN (R.) — *L'étude pratique des plans de villes. Introduction à l'art de dessiner les plans d'aménagement et d'extension*, Paris, 1922

VALLET (J.) — *Contribution à l'étude de la condition des ouvriers de la grande industrie au Caire*, Valence, 1911.

VIAL (C.) — Le Caire des romanciers égyptiens. *Annales Islamologiques*, VIII, 1969, Le Caire, p. 151.

VILLE (La) — *L'architecture Aujourd'hui*, n° 153 (décembre 1970).

YOYOTTE (J.) — Réflexions sur la topographie et la toponymie de la région du Caire. *Bulletin de la Société Française d'Egyptologie*, n° 67, juin 1973.

ZAKI (Abdel Rahman) — *A bibliography of the literature of the Cairo City*, Le Caire, 1964.

TABLE DES PLANCHES

A — Planches hors-texte (photos d'archives)

    1 — Publicité pour le Palace Hôtel (couverture)
    2 — Construire en plein désert 46

B — Graphiques

    I — Total des logements en immeubles occupés entre 1911 et 1922 21
    II — Constructions de la Société et constructions particulières 21
    III — Population totale d'Héliopolis (1911-1923) 23
    IV — Héliopolis — Le Caire (1917-1927) 23
    V — Ventes des terrains (1906-1920) 25
    VI — Nombre de parcelles vendues (1910-1920) 25
    VII — Locaux exploités-locaux occupés (Société) 27
    VIII — Logements loués par particuliers (1911-1929) 27

C — Planches in texto

    Pl.   1 — Carte de Situation 10
            2 — Plan de la concession (archives) 12
            3 — Vente réelle et vente aux filiales (carte) 42
            4 — Carte des fonctions 52
        5-6 — Une ville verte (photo d'archives) 54
            7 — Une banlieue (photo d'archives) 59
            8 — Le projet des deux oasis (carte) 61
            9 — Schéma de la progression 63
          10 — Echec du projet initial (photo d'archives) 65
          11 — Schéma de structure 66
          12 — Structure de la ville I (photo d'archives) 67
          13 — Structure de la ville II (photo d'archives) 68
          14 — Plan général d'Héliopolis en 1931 (archives) 69
          15 — Carte des types d'habitat 71
          16 — Carte des zones de non-bâtisse et de retraits 73
          17 — Place de la Cathédrale (photo d'archives) 75
     18-19 — Façades et variations de hauteur (archives) 75
          20 — Letchworth 78
          21 — Plan des villas, type S (archives) 83
          22 — Villa, type P, façade (archives) 84
          23 — Immeuble de rapport, plan d'un étage (archives) 85
          24 — Immeuble de rapport, façade 86
          25 — Garden-City, façade rue (photo Etienne Revault) 87
          26 — Garden-City, façade arrière (photo Etienne Revault) 88
          27 — Garden-City, plan usuel 89
     28-29 — Bâtiments en L (photos d'archives) 90
          30 — Bâtiments en L (plan type) 91
          31 — Cité indigène, élévations et plan (archives) 93
          32 — Palais du prince Hussein (photo d'archives) 94

33-34 — Le Quartier des Palais (photos d'archives) 95
35-36 — L'Héliopolis Palace Hôtel (photos d'archives) 97
   37 — Héliopolis Palace, extrait du plan de l'étage 98
38-39 — Villa à dôme, façade et plan (photo Etienne Revault) 99
   40 — Les Immeubles à arcades du boulevard Abbas (photo d'archives) 101
   41 — Décor des façades (photo Etienne Revault) 101
   42 — Cotoiement des styles (photo Etienne Revault) 102
   43 — Matériaux (photo Etienne Revault) 106
   44 — Garden-City, plan à salamlik (archives) 112
   45 — Carte des ethnies et des densités 117
46-47 — Le Luna Park (photos d'archives) 124
48-49 — Mondanités autour du Palace (photos d'archives) 127

TABLE DES MATIERES

INTRODUCTION
- Le Cadre 6
- Le Projet 8

PREMIERE PARTIE – L'ENTREPRISE : STRUCTURE ET FONCTIONNEMENT 11

Chapitre I – Une affaire de Lotissement 13

1.1. Spéculations 13
    1.1.1. Structure et buts de la Société 13
        Conditions de vente 13
        La Société 14
    1.1.2. Des méfiances de tous côtés 14
        Les relations avec le gouvernement égypto-anglais 15
        Les relations avec le gouvernement belge 15
        Rapports avec les autres gouvernements 16
    1.1.3. Au milieu de graves crises 16
        La crise de 1907 17
        Une succession de difficultés 18

1.2. L'évolution des choix 19
    1.2.1. L'extension de la ville : résultats d'ensemble 19
        Historique général 19
        Evaluations 20

    1.2.2. Vendre ou louer ? 22
        Vendre 22
        Louer 24

Chapitre II – Une entreprise coloniale 29

2.1. La structure 29
    2.1.1. Les activités liées au projet initial 29
        La construction 29
        Les services publics 30
    2.1.2. Les activités liées aux réorientations 31
        La Société comme propriétaire 31
        Une prise en charge générale 31

2.2. Les hommes 32
    2.2.1. Le personnel 32
        Répartition 32
        Origine 33
    2.2.2. Les conditions de travail 33

	2.2.3. Tension et luttes	34
	Problèmes spécifiques	35
	Historique des grèves	35
	Revendications et résultats	36
	Politique	37
2.3.	L'argent	37
	2.3.1. Structure financière : les Pouvoirs	37
	Une puissance financière	37
	Participants et Pouvoirs	38
	Le Contrôle	39
	2.3.2. Structure financière : Les Filiales	39
	Le réseau	40
	Les Fonctions	40
	Un Ensemble	41
	2.3.3. Bénéfices et profits	43
	Les petits porteurs	43
	Grands capitalistes et profits	44

DEUXIEME PARTIE – LA REALISATION URBAINE 47

Chapitre III – Formes de la ville 49

3.1.	Une ville ?	49
	3.1.1. Les fonctions quotidiennes	49
	Services Publics	50
	Services sociaux	50
	Commerces	51
	3.1.2. Diversification des activités	53
	Fonction résidentielle	53
	Fonction touristique et industrielle	55
	3.1.3. Ville ou banlieue ?	56
	Communications avec Le Caire	56
	Des affirmations contradictoires	57
3.2.	Un plan d'urbanisme	60
	3.2.1. Division générale du sol	60
	Projets et inflexions	60
	Progression	62
	Plan-Masse	62
	3.2.2. Town-Planning	70
	Répartition de l'espace	70
	Circulation	72
	Constructions	74
	3.2.3. Les Modèles	76
	Les origines	76

Chapitre IV – L'architecture 80

4.1.	Création	80
	4.1.1. Les options	80
	Les hommes	81
	Structure et méthodes	81
	Hiérarchisation de l'habitat	82

	4.1.2.	Le Style	92
		L'opposition façade-plan	92
		Origine des plans	96
		Le décor	100
4.2.	Construction		103
	4.2.1.	Contraintes générales	103
		L'utilisation du sol	103
		Hygiène et salubrité	104
		Conditions des marchés	104
	4.2.2.	Matériaux	104
		Gros œuvre	105
		Intérieur	105
		Extérieur	107
	4.2.3.	Qualité	107
		Caractères généraux	108
		Différences selon les types	108
4.3.	Adaptation		109
	4.3.1.	Volonté d'adaptation	109
		Le goût pour les formes	109
		L'analyse des besoins	110
		L'adaptation de certains plans	111
	4.3.2.	Inadaptation	111
		La difficulté de comprendre	111
		L'échec de la transposition	113

Chapitre V — Société 115

5.1.	Structure urbaine-structure sociale	115
	5.1.1. Une hiérarchisation ethnique et confessionnelle	115
	Différenciation	116
	Localisation	116
	5.1.2. Une hiérarchisation sociale	118
	Les propriétaires	118
	Les fonctionnaires	119
	Les classes populaires	120
5.2.	Vie sociale et modèles	121
	5.2.1. La communauté urbaine	121
	Une unité par la ville	122
	Confessions et éducations	122
	Vie de société	123
	5.2.2. Le miroir de l'Occident	125
	Un milieu artificiel	125
	Des gouffres sociaux	125
	Le modèle occidental	126

CONCLUSION 129

NOTES 132

BIBLIOGRAPHIE 143

TABLE DES PLANCHES 149

*Achevé d'imprimer sur les presses
de l'Imprimerie LAMY
150, Rue Paradis - MARSEILLE*

Dépôt légal 4ᵉ trimestre 1981